Sombras de medianoche

Sombras de medianoche

Lara Adrian

Traducción de Violeta Lambert

TERCIOPELO

Título original: *Shadows of Midnight*

Copyright © 2010 by Lara Adrian, LLC

Primera edición en este formato: enero de 2014

© de la traducción: Violeta Lambert
© de esta edición: Roca Editorial de Libros, S. L.
Av. Marquès de l'Argentera 17, pral.
08003 Barcelona
info@rocabolsillo.com
www.rocabolsillo.com

© del diseño de portada: Imasd
© de la fotografía de cubierta: Getty Images

Impreso por LIBERDÚPLEX, s.l.u.
Crta. BV-2249, km 7,4, Pol. Ind. Torrentfondo
Sant Llorenç d'Hortons (Barcelona)

ISBN: 978-84-15410-91-1
Depósito legal: B. 26.255-2013
Código IBIC: FMR

El papel utilizado para la impresión de este libro ha sido fabricado a partir de madera
procedente de bosques y plantaciones gestionados con los más altos estándares ambientales,
garantizando una explotación de los recursos sostenible con el medio ambiente y beneficiosa
para las personas. Por este motivo, Greenpeace acredita que este libro cumple los requisitos
ambientales y sociales necesarios para ser considerado un libro «amigo de los bosques».
El proyecto «Libros amigos de los bosques» promueve la conservación y el uso sostenible
de los bosques, en especial de los Bosques Primarios, los últimos bosques vírgenes del planeta.

Para la encantadora, ingeniosa y absolutamente inolvidable
señorita Eithne O'Hanlon de Isla Esmeralda,
por ser una defensora tan maravillosa de las series,
y fuente de tantas risas y tanto caos
en los foros de mensajes. ¡Gracias por ser tú!

Prólogo

Bajo el cielo invernal de Alaska, el canto de un lobo se oyó claro y majestuoso en la noche. El aullido se alargó; era de una belleza pura y salvaje, y se coló a través de los densos abetos del bosque boreal, escalando las irregulares paredes de roca cubiertas de nieve que se elevaban a lo largo de los bancos de hielo del río Koyukuk. Cuando el lobo dejó escapar de nuevo su inquietante llamada fue respondida con unas carcajadas discordantes, seguidas de una voz borracha que sonaba a través de las llamas de una pequeña fogata.

—¡Auuuuuuuuuuu! ¡Auuuuuuuuuuu! —Uno de los tres tipos del grupo que habían acudido a celebrar una fiesta esa noche en aquel remoto rincón de la isla hizo bocina con las manos y lanzó otro aullido en respuesta al lobo, que ahora guardaba silencio en la distancia—. ¿Habéis oído? Acabamos de tener una pequeña conversación. —Le llegó la botella de whisky que se iban pasando en el pequeño círculo—. ¿Nunca te he hablado de mi fluidez en el idioma de los lobos, Annabeth?

Al otro lado de la fogata una suave risa salió como una nube de vapor del interior de la capucha de la parka que abrigaba a la muchacha.

—Yo más bien creía que tenías fluidez en el dialecto de los cerdos.

—Ooh, eso es cruel, cariño. Muy pero que muy cruel. —Dio un trago a la botella y le pasó el Jack Daniel's a su vecino en el círculo—. Tal vez quieras que algún día te haga una pequeña demostración de mis talentos orales. Te prometo que estoy extremadamente bien dotado.

—Eres tan estúpido, Chad Bishop.

Ella tenía razón, pero su tono decía otra cosa. Volvió a reír, con un sonido coqueto y femenino que puso la entrepierna de Teddy Tom caliente y tirante. Se movió sobre la roca fría que había tomado como asiento, tratando de no hacer evidente su interés mientras Chad decía que iba a mear y Annabeth y la otra chica que estaba junto a ella comenzaron a charlar.

Teddy recibió un fuerte codazo en el lado derecho de su tórax.

—¿Vas a estar ahí babeando toda la noche? Mueve tu culo de gallina y háblale, por el amor de Dios.

Teddy lanzó una mirada al chico alto y flaco que estaba sentado junto a él en la roca y sacudió la cabeza.

—Vamos, no seas tan pusilánime. Sabes lo que quieres. Ella no te va a morder. Bueno, a menos que quieras que lo haga. —Skeeter Arnold era quien había traído a Teddy a aquella reunión. También era quien había traído el whisky, bebida que Teddy, con diecinueve años, solo había probado una vez en su vida.

El alcohol estaba prohibido en casa de su padre, prohibido de hecho en todo el poblado de seis personas donde vivía. Aquella noche Teddy ya se había llevado la botella a los labios más de diez veces. No veía qué tenía de malo. En realidad le gustaba cómo le hacía sentirse, cálido y suelto por dentro. Mayor, como un hombre.

Un hombre que quería por encima de cualquier otra cosa levantarse y decirle a Annabeth Jablonsky lo que sentía por ella.

Skeeter le pasó a Teddy la botella casi vacía y lo observó mientras bebía el último trago.

—Creo que tengo otra cosa que te va a gustar, amigo. —Se quitó los guantes y rebuscó en el bolsillo de su parka.

Teddy no sabía lo que tenía, y no le importaba demasiado en ese momento. Estaba fascinado por Annabeth, que se había retirado la capucha para mostrarle a su amiga los nuevos piercings que lucía a lo largo de su delicada oreja. Llevaba el pelo teñido de blanco polar, salvo por un mechón rosado, aunque Teddy recordaba que su color natural era el castaño. Lo sabía porque la había visto bailar la primavera pasada en un club de striptease de Fairbanks, donde Annabeth Jablonsky era conocida como Amber Joy. A Teddy le ardieron las mejillas ante aquel pensamiento, y la erección que había estado tratando de ignorar ahora estaba en todo su esplendor.

—Aquí está —dijo Skeeter, dándole algo más en qué pensar mientras Annabeth y su amiga se levantaban de su lugar junto a la fogata y caminaban hacia la orilla del río helado—. Dale una calada a esto, amigo.

Teddy agarró la pequeña pipa metálica y sostuvo su cuenco de quemar cerca de la nariz. Una pepita de algo pálido y terroso ardía en el cuenco, emitiendo un hedor químico repugnante que llegó hasta sus orificios nasales. Hizo una mueca y dirigió a Skeeter una mirada dudosa.

—¿Qué es esto?

Skeeter le sonrió abiertamente, dejando ver sus dientes torcidos.

—Es solo una pequeña dosis de coraje. Vamos, dale una calada. Te gustará.

Teddy se llevó la pipa a la boca y sorbió el humo agridulce. Tosió solo un poco, y luego le dio otra calada.

—Es bueno, ¿verdad? —Skeeter lo vio fumar un poco más, y luego se estiró para recuperar la pipa—. Despacio, amigo, déjanos algo a los demás. Ya sabes, puedo traerte más si quieres, y bebida también. Por un precio puedo traerte toda la mierda que quieras. Si necesitas un contacto ya sabes a quién acudir, ¿verdad?

Teddy asintió. Incluso en las zonas más remotas, la gente solía saber el nombre y la ocupación de Skeeter Arnold. El padre de Teddy lo odiaba. Le había prohibido a Teddy que se relacionara con él, y si supiera que se había escapado con él esa noche —especialmente cuando esperaban una entrega a domicilio en casa mañana por la mañana— lo mandaría de allí hasta Barrow de una patada en el culo.

—Cógela —decía ahora Skeeter ofreciendo la pipa a Teddy—. Ve a ofrecerla a las damas con mis cumplidos.

Teddy ahogó un grito.

—¿Te refieres a dársela a Annabeth?

—No, estúpido. Dásela a su madre.

Teddy se rio nervioso de su propia torpeza. La sonrisa de

Skeeter se ensanchó, haciendo que su cara estrecha y su nariz afilada parecieran todavía más propias de un insecto.

—No digas que no te hago favores —dijo Skeeter mientras Teddy daba unas palmaditas a la pipa caliente y lanzaba una mirada hacia Annabeth y su amiga, que estaban de pie junto al río helado.

¿Acaso no había estado buscando alguna manera de comenzar una conversación con ella? Esa era una oportunidad tan buena como cualquier otra. La mejor oportunidad que podía tener.

La risa grave de Skeeter siguió a Teddy mientras este comenzaba a avanzar hacia las chicas. Bajo sus pies, el suelo era irregular. Las piernas parecían de goma, no enteramente bajo su control. Pero por dentro estaba volando, sintiendo latir su corazón y circular la sangre por las venas.

Las dos chicas lo oyeron acercarse por el crujido del hielo y las piedras que pisaba. Se volvieron a mirarlo y Teddy ahogó un grito ante el objeto de su deseo, luchando por encontrar las palabras justas que decirle. Debía de llevar un rato ahí parado mirándola, porque las dos empezaron a soltar risitas.

—¿Qué pasa? —dijo Annabeth, con una sonrisa burlona—. Teddy, ¿verdad? Te he visto unas cuantas veces, pero no hemos tenido la oportunidad de hablar hasta esta noche. ¿Has ido alguna vez a la taberna de Pete, en Harmony?

Él sacudió la cabeza sin convicción, esforzándose por asimilar la idea de que ella no había reparado en él hasta aquella noche.

—Deberías venir alguna vez, Teddy —añadió alegremente—. Si estoy trabajando en la barra te fiaré. —El sonido de su voz, el sonido de su propio nombre en los labios de aquella fémina, casi lo deshacen ahí mismo. Ella le sonrió, dejando ver ligeramente unos dientes que Teddy encontró totalmente adorables.

—Hum, toma. —Le ofreció la pipa y retrocedió un paso. Quería decir algo agradable, algo para que ella no lo viera como un tipo tosco y primitivo que no tenía ni el menor conocimiento del mundo real.

Él sabía cosas. Sabía muchas cosas. Sabía que Annabeth era una buena chica, que en el fondo era decente y amable. Lo sabía en lo profundo de su corazón, y estaría dispuesto a apostar la vida por ello. Ella era mejor de lo que señalaba su reputación, era mejor que cualquiera de los fracasados con los que se dejaba ver esa noche. Probablemente mejor incluso que el propio Teddy.

Ella era un ángel, un ángel puro y adorable, y solo necesitaba que alguien se lo recordara.

—Bueno, gracias —dijo ella ahora, y dio una calada rápida a la pipa. Se la pasó a su amiga y las dos comenzaron a apartarse de Teddy con desprecio.

—Espera —soltó Teddy. Contuvo la respiración mientras ella se detenía y se volvía a mirarlo—. Quería que supieras que creo que... eres realmente preciosa.

Su amiga sofocó la risa tapándose la boca con una mano enguantada mientras Teddy hablaba. Pero Annabeth, no. Ella no se reía. Lo miraba muda y sin pestañear. Había un brillo suave en sus ojos... confusión, tal vez. Su amiga ahora resoplaba, pero Annabeth continuaba escuchando, sin burlarse de él en absoluto.

—Creo que eres la chica más maravillosa que he visto jamás. Eres... sorprendente. De verdad lo pienso. Maravillosa en todos los sentidos.

Mierda, se estaba repitiendo, pero no le importaba. El sonido de su propia voz, libre del tartamudeo que le hacía odiar el hecho de hablar, lo sorprendía. Tragó saliva e inspiró profundamente, preparado para decírselo todo... todo lo que pensaba de ella desde la primera vez que la había visto bailar en aquel escenario pobremente iluminado y destartalado de la ciudad.

—Creo que eres perfecta, Annabeth. Mereces ser respetada y querida... ¿lo sabes? Eres especial. Eres un ángel, y mereces ser honrada. Por un hombre que cuide de ti y te proteja y... y te ame...

Cerca de Teddy, el aire se agitó, llevando el aroma de whisky y de la fuerte fragancia de la colonia de Chad Bishop.

—Bésame, Amber Joy. ¡Por favor! ¡Déjame tocar tus tetas perfectas!

Teddy sintió que toda la sangre le era extraída de la cabeza al ver que Chad avanzaba hacia Annabeth y la envolvía con sus brazos posesivamente. Su humillación aumentó centenares de veces al ser testigo del baboso beso con lengua que Chad estampó en la boca de Annabeth; un beso que ella no rechazó, aunque no pareciera contenta de recibirlo.

Cuando Chad por fin la soltó, Annabeth lanzó una mirada a Teddy, y luego dio un débil empujón a Chad, poniendo la palma contra su pecho.

—Eres un retrasado, ¿lo sabes?

—Y tú estás tan caliente que me pones la polla...

—Cállate. —Las palabras salieron de la boca de Teddy antes de que pudiera detenerlas—. Ca... cállate, joder. No... le hables de e... esa ma... manera.

Chad afiló la mirada.

—Sé que no me estás hablando a mí, gilipollas. Di... di... dime que no estás ahí parado, pidiéndome que te dé una pa... pa... patada en el culo, Te... Te... Teddy To... To... Toms.

Cuando se disponía a arremeter contra él, Annabeth se interpuso.

—Deja en paz al pobre chico. No puede evitar hablar así.

Teddy deseaba desaparecer. Toda la confianza que había sentido un minuto atrás se desvaneció bajo las burlas de Chad Bishop y la hiriente lástima de Annabeth. Cerca, oyó que Skeeter y la amiga de Annabeth apoyaban a Chad. Todos se estaban riendo de él. Todos se burlaban de su tartamudeo, sus voces se mezclaban y confundían en sus oídos.

Teddy se dio la vuelta y echó a correr. Saltó hacia su motonieve y accionó la llave de arranque. En cuanto la vieja máquina se puso en marcha, apretó el acelerador. Salió disparado, dejando atrás la reunión, con sufrimiento y furia.

No debería haber ido con Skeeter esa noche. No debería haber bebido ese whisky ni fumado esa mierda en la pipa de Skeeter. Debería haberse quedado en casa, debería haber escuchado a su padre.

Esa sensación de arrepentimiento se intensificaba a medida que dejaba kilómetros atrás y se acercaba a su casa. A unos quinientos metros del grupo de cabañas construidas con troncos, en las que había vivido la mayoría de su familia durante generaciones, la rabia y la humillación de Teddy dejaron paso a un nudo helado de miedo.

Su padre todavía estaba despierto.

Había una lámpara encendida en el comedor, su brillo traspasaba la cortina de la ventana y era un foco en la oscuridad de alrededor. Si su padre estaba levantado, tenía que saber que Teddy no estaba en casa. Y tan pronto como entrara, su padre sabría que venía de una juerga. Lo que significaba que iba a tener problemas.

—Maldita sea —murmuró mientras apagaba los faros y el motor de la moto. Se bajó y permaneció allí de pie durante un minuto, observando su casa mientras se esforzaba para que sus piernas afectadas por la embriaguez lo sostuvieran erguido.

Nada que pudiera decir lo sacaría de sus problemas. Sin embargo, trató de encontrar alguna excusa razonable que le permitiera justificar dónde había pasado las últimas horas. Después de todo ya era un hombre. Por supuesto, tenía la responsabilidad de echarle una mano a su padre si podía, pero eso no significaba que no pudiera tener una vida propia. Si su padre se metía con él por eso, Teddy tendría que ponerlo en su sitio.

Pero a medida que se acercaba a la casa, su coraje comenzó a abandonarlo. Cada paso cuidadoso que daba hacía crujir la nieve, y el sonido era amplificado por el silencio total que colgaba del aire. La humedad se coló por el cuello de su parka, provocándole un escalofrío que le recorrió la columna. Una fuerte ráfaga de viento helado pasó a través del grupo de casas y cuando le golpeó en la cara, Teddy notó una profunda sensación de terror que le erizó el vello de la nuca.

Se detuvo y miró a su alrededor. No vio nada más que la nieve iluminada por la luna y las oscuras siluetas del bosque y continuó avanzando, junto a la cabaña de troncos que era la tienda que abastecía a su familia y a otra gente esparcida por la región. Miró atentamente hacia delante, tratando de determinar si habría alguna manera de colarse en la casa sin ser advertido. El único sonido que podía oír era el de su respiración entrando y saliendo de sus pulmones.

Todo parecía tranquilo. Sin vida, tranquilo de una forma antinatural.

Fue entonces cuando Teddy se detuvo y miró a sus pies. La

nieve bajo sus botas ya no era blanca, sino oscura; casi negra. Bajo la luz de la luna había una enorme y espantosa mancha. Era sangre. Más sangre derramada de la que Teddy había visto en toda su vida.

Había más un poco más lejos. Demasiada sangre.

Entonces vio el cuerpo.

A su derecha, tendido junto a una hilera de árboles. Conocía aquella forma alargada. Conocía el peso corpulento de esos hombros bajo la camiseta interior que estaba desgarrada y manchada con más sangre.

—¡Papá! —Teddy corrió hasta su padre y se arrodilló para ayudarlo. Pero no había nada que hacer. Su padre estaba muerto, con la garganta y el cuello desgarrados—. ¡Oh, no! ¡Papá! ¡Oh, Dios, no!

Asfixiado por el horror y el dolor, Teddy se levantó a duras penas para ir en busca de su tío y sus dos primos mayores. ¿Cómo podían ignorar lo que había ocurrido? ¿Cómo era posible que su padre hubiera sido atacado de aquella manera y se hubiera desangrado en la nieve?

—¡Ayuda! —gritó Teddy, sintiéndose áspera la garganta. Corrió hasta la siguiente puerta y se puso a aporrearla, gritando para despertar a su tío. Solo recibió silencio como respuesta. Había silencio en todo el conjunto de cabañas y edificaciones que se agrupaban en aquella diminuta parcela de tierra—. ¡Que alguien me ayude! ¡Ayuda, por favor!

Cegado por las lágrimas, Teddy golpeó la puerta con los puños y gritó pidiendo ayuda, pero quedó congelado en medio del movimiento cuando la puerta comenzó a abrirse. En el interior yacía su tío, tan destrozado y sangriento como su padre. Teddy escudriñó en la oscuridad y vio las formas cercenadas de su tía y sus primos.

No se movían. También estaban muertos. Todas las personas que conocía, todos aquellos a los que amaba habían muerto.

¿Qué demonios había ocurrido allí?

¿Quién o qué había hecho aquello, por el amor de Dios?

Avanzó a la deriva, aturdido y sin poder dar crédito. Aquello no podía ser cierto. No podía ser real. Por una fracción de segundo, se preguntó si la mierda que le había hecho fumar

Skeeter le había provocado una alucinación. Tal vez nada de aquello estaba pasando. Tal vez estaba delirando y viendo cosas que no existían.

Era una desesperada y fugaz esperanza. La sangre era real. El hedor que desprendía se le metía por la nariz y hasta el fondo de la lengua como un aceite espeso. La muerte que había a su alrededor era real.

Teddy se hundió de rodillas en la nieve. Sollozó, incapaz de contener su conmoción y su dolor. Aulló y dio puñetazos en la tierra helada, dejándose abatir por la desesperación.

No oyó los pasos que se aproximaban. Eran demasiado ligeros, tan sigilosos como los de un gato. Pero en el instante siguiente, Teddy supo que no estaba solo.

Y supo, incluso antes de volver la cabeza y ver el brillo ardiente de los feroces ojos del depredador, que iba a unirse a sus parientes muertos.

Teddy Toms gritó, pero el sonido jamás alcanzó a salir de su garganta.

Capítulo uno

$\mathcal{A}$ 6.000 metros de altitud, por debajo de las alas del monomotor Havilland Beaver, la amplia franja helada del río Koyukuk brillaba iluminada por la luna como una cinta de diamantes triturados. Alexandra Maguire siguió el largo tramo de hielo atascado y agua cristalina al norte del pequeño pueblo de Harmony, con la parte trasera de su avión repleta de los suministros para uno de los pocos poblados del interior.

Junto a ella, en el asiento de la cabina de mandos, estaba sentada *Luna*, la mejor copiloto que había tenido nunca, aparte de su padre, quien le había enseñado a Alex todo lo que sabía sobre vuelos. La perra loba gris y blanca había pertenecido a Hank Maguire hasta hacía un par de años, cuando el alzhéimer había comenzado realmente a afectarle. Era difícil de creer que hubiera muerto hacía ya seis meses, aunque Alex a menudo sentía que lo había ido perdiendo lentamente mucho tiempo antes. Al menos la enfermedad que le había arrebatado su mente y sus recuerdos había terminado también con su dolor, en un pequeño gesto de piedad.

Ahora solo quedaban *Luna* y ella viviendo en la vieja casa de Harmony y haciendo que los suministros llegaran a la pequeña lista de clientes de Hank. *Luna* estaba sentada erguida junto a Alex, sus orejas señalando hacia delante, sus agudos ojos azules mirando atentamente el terreno montañoso de Brooks Range, su oscuridad, que como una mole llenaba el horizonte al noroeste. Mientras cruzaban el Círculo Polar Ártico, el perro se movió en el asiento y dejó escapar un pequeño gemido de ansiedad.

—No me digas que puedes oler la cecina de alce de Pop

Toms desde aquí —dijo Alex, alargando la mano para despeinarle la gran cabeza peluda mientras continuaban por el norte de Koyukuk Middle Fork y pasaban los pequeños pueblos de Bettles y Evansville—. Todavía faltan veinte minutos para el desayuno, amiga. Puede que treinta si esa nube negra de tormenta que hay sobre Anaktuvuk decide interponerse en nuestro camino.

Alex miró el nubarrón negro que se avecinaba unos kilómetros más allá de su camino. El parte meteorológico anunciaba más nieve, nada inusual durante el mes de noviembre en Alaska, pero no eran exactamente las condiciones privilegiadas para la ruta de entregas de hoy. Soltó una maldición cuando el viento procedente de las montañas cobró velocidad y se hundió a lo largo de la cuenca del río para dar a aquel vuelo lleno de turbulencias todavía un poco más de emoción.

Lo peor había pasado justo cuando el teléfono móvil de Alex comenzó a vibrar en el bolsillo de su parka. Sacó el aparato y respondió a la llamada sin necesidad de saber quién había al otro lado de la línea.

—Hola, Jenna. —Como ruido de fondo en la casa de su mejor amiga, Alex pudo oír el servicio de radio forestal hablando de condiciones atmosféricas poco precisas y factores que hacían bajar en picado la sensación térmica—. Una tormenta va en tu camino y llegará en un par de horas. ¿Estás ya en tierra?

—Todavía no. —Pasó por otra serie de turbulencias al acercarse al pueblo de Wiseman y viró el avión de carga hacia la ruta que la llevaría a la primera parada que tenía programada—. Ahora estoy aproximadamente a unos diez minutos del local de Tom. Después de esa tengo tres paradas más. No debería llevarme más de una hora cada una, incluso con el viento en contra que estoy atravesando ahora. Creo que para entonces la tormenta ya habrá pasado.

Era una esperanza, más que una estimación cualificada, y la hacía más por solidaridad con su amiga, a quien notaba preocupada, que por inquietud por su propia seguridad. Alex era una piloto excelente, y demasiado bien entrenada por Hank Maguire como para hacer algún movimiento temerario, pero la cuestión era que los suministros que cargaba ya se habían retrasado una semana por culpa del mal tiempo. No iba a permitir que unos pocos copos de nieve o una brisa ventosa le impidieran entregar el cargamento a las familias del interior que contaban con ella para tener comida y combustible.

—Va todo bien, Jenna. Ya sabes que soy cuidadosa.

—Sí —dijo ella—. Pero los accidentes ocurren...

Alex debería decirle a Jenna que no se preocupara, pero decirlo no serviría para nada. Su amiga sabía tan bien como cualquiera —tal vez mejor que nadie— que el credo no oficial de los pilotos acostumbrados a zonas inhóspitas era aproximadamente el mismo que el de un agente de policía. «Tienes que ir, pero no tienes por qué volver.»

Jenna Tucker-Darrow, antigua policía local de una larga sucesión de policías locales y viuda de uno de ellos, guardó silencio durante un largo momento. Alex sabía que la mente de su amiga probablemente iba por un camino oscuro, así que trató de llenar el silencio con un poco de cháchara.

—Oye, cuando hablé con Pop Toms ayer, me dijo que había ahumado una buena cantidad de carne de alce. ¿Quieres que trate de engatusarlo para que me dé un poco de cecina extra para ti?

Jenna se rio, pero su risa sonó como si sus pensamientos estuvieran a un millón de kilómetros de distancia.

—Por supuesto. Si crees que *Luna* te dejará que la traigas hasta aquí, me gustaría.

—Cuenta con ello. Lo único mejor que la cecina de alce de Pop son sus panecillos y la carne asada. Con un poco de suerte llevaré las dos cosas.

Desayunar en el local de Pop Toms como intercambio de las entregas quincenales era una tradición que había comenzado el padre de Alex. Era una de esas tradiciones que le gustaba mantener, aunque el precio de la gasolina del avión de carga superara el de las sencillas comidas de Pop. Pero a Alex le gustaba el viejo tipo y su familia. Eran buena gente, gente sencilla que vivía de manera auténtica en la misma tierra escarpada que había dado sustento a generaciones de parientes incondicionales.

La idea de sentarse ante un desayuno casero caliente y comentar los sucesos de la semana con Pop Toms lograba que cada sacudida y bajada en picado en aquel remoto lugar valieran la pena. Cuando pasó la última cadena de colinas y comenzó el descenso hacia la pequeña zona de aterrizaje detrás del almacén de Pop Store, Alex imaginó el olor entre dulce y salado de la carne ahumada y los bollos de mantequilla que ya estarían calentándose en el horno de leña cuando ella llegara.

—Escucha, será mejor que te deje —le dijo a Jenna—. Voy a necesitar las dos manos para aterrizar esta cosa, y... —Las palabras se le atoraron en la garganta. Algo extraño le llamó la atención en la tierra que veía a sus pies. En la oscura mañana invernal, no podía distinguir qué era el bulto cubierto de nieve que veía, pero fuera lo que fuese hizo que se erizara el vello de su nuca.

—¿Alex?

No pudo responder enseguida, toda su atención se hallaba concentrada en el extraño bulto que veía abajo. El terror subió por su columna, tan helado como el viento que golpeaba el parabrisas.

—Alex, ¿todavía estás ahí?

—Yo... sí, estoy aquí.

—¿Qué está pasando?

—No estoy segura. Tengo el local de Pop justo delante, pero algo no va bien.

—¿Qué quieres decir?

—No lo sé exactamente. —Alex miró a través de la ventana del copiloto mientras acercaba el avión de carga, preparada para aterrizar—. Hay algo en la nieve. No se mueve. Oh, Dios... creo que es una persona.

—¿Estás segura?

—No lo sé —murmuró Alex en el teléfono móvil, pero por la manera en que le martilleaba el pulso no había duda de que estaba contemplando a un ser humano tendido y cubierto de nieve.

Un ser humano muerto, si es que llevaba más de un par de horas con aquel frío extenuante.

¿Pero cómo podía ser? Eran casi las nueve de la mañana. Aunque la luz del día no llegara hasta cerca del mediodía en aquel norte lejano, Pop debería estar despierto desde hace horas. Las otras personas del lugar, su hermana y su familia, tendrían que estar ciegos para no darse cuenta de que faltaba uno de ellos y que además yacía desplomado justo ante sus puertas.

—Háblame, Alex —estaba diciendo ahora Jenna, con su tono de policía, con esa voz que exigía ser obedecida—. Dime qué está pasando.

Mientras descendía para empezar el aterrizaje, Alex divisó otra forma preocupante en el terreno. Estaba tendida entre la casa de Pop Toms y la hilera de árboles del bosque de alrededor. La nieve que rodeaba el cuerpo estaba empapada de sangre, manchas oscuras que se filtraban a través de la manta de nieve fresca con una horrible intensidad.

—Oh, Jesús —murmuró por lo bajo—. Aquí ocurre algo malo, Jenna. Ha ocurrido algo horrible. Hay más de una persona aquí fuera. Algo les ha hecho daño.

—¿Quieres decir que están heridos?

—Muertos —murmuró Alex, y la boca se le secó ante la certeza de lo que estaba viendo—. Oh, Dios, Jenna... hay sangre. Mucha sangre.

—Mierda —susurró Jenna—. De acuerdo, escúchame, Alex. Quiero que te quedes conmigo al teléfono. Da la vuelta y regresa al pueblo. Voy a llamar a Zach por la radio mientras te tengo al teléfono conmigo, ¿de acuerdo? Sea lo que sea lo que haya pasado, creo que debemos dejar que Zach se haga cargo. No te acerques...

—No puedo dejarlos solos —soltó Alex—. Ahí abajo puede haber gente herida. Pueden necesitar ayuda. No puedo dar media vuelta y dejarlos ahora. Oh, Dios. Tengo que bajar y ver qué puedo hacer.

—Alex, maldita sea, no...

—Tengo que ir —dijo—. Estoy a punto de aterrizar.

Ignorando las órdenes de Jenna, que seguía insistiendo en que había que dejar la situación en manos de Zach Tucker, hermano de Jenna y el único oficial de policía en un radio de ciento cincuenta kilómetros, Alex cortó la comunicación e hizo bajar el avión de carga hacia el pequeño terreno de aterrizaje. Hizo una parada brusca levantando polvo; no fue un aterrizaje de lo más elegante pero estaba bastante bien considerando que cada terminación nerviosa de su cuerpo estaba en estado de alerta por culpa del pánico. Apagó el motor y tan pronto como abrió la puerta de la cabina de mandos, *Luna* saltó a su regazo para bajar del avión y salir corriendo hacia el centro del grupo de casas.

—¡*Luna*!

La voz de Alex hizo eco en el sobrecogedor silencio del lugar. La perra loba estaba ahora fuera de su campo de visión. Alex bajó del avión y llamó a *Luna* una vez más, pero solo obtuvo silencio por respuesta. Nadie salió de las casas cercanas para recibirla. No había señal de Pop Toms en la cabaña de troncos que se veía a unos cien metros. Tampoco había señal de Teddy, que a pesar de la máscara de indiferencia adolescente, adoraba a *Luna* tanto como la perra lo adoraba a él. No había señal de la hermana de Pop, Ruthanne, ni de su maridos y sus hijos mayores, que habitualmente se levantaban antes del amanecer en noviembre y cuidaban del lugar. Todo estaba en silencio, completamente falto de vida.

—Mierda —susurró Alex, con el corazón martilleándole en el pecho.

¿Qué demonios había ocurrido allí? ¿En qué clase de peligro se estaría metiendo al bajar del avión?

Mientras iba a buscar su rifle cargado, la mente de Alex se aferró a la posibilidad más sombría. En pleno invierno en el interior, no era insólito que alguien enloqueciera y atacara a su vecino o se hiriera de gravedad a sí mismo. O tal vez ambas cosas. No quería ni pensarlo... no podía imaginarse a ninguna persona de aquel grupo en esa situación, ni siquiera al huraño de Teddy, aunque a Pop le preocupara que últimamente se relacionara con malas influencias.

Con el rifle preparado, Alex bajó del avión de carga y se encaminó en la dirección por la que había salido corriendo *Luna*. La última nieve que había caído durante la noche estaba blanda bajo sus botas, y amortiguaba el sonido de sus pasos mientras se acercaba cuidadosamente al almacén de Pop. La puerta trasera no estaba cerrada con candado, y había quedado entreabierta con el palmo de nieve que había comenzado a acumularse en el umbral y le hacía de cuña. Nadie había pisado aquel lugar como mínimo durante varias horas.

Alex tragó saliva para deshacer el nudo que se le había formado en la garganta. No se atrevía a llamar a nadie. Casi no se atrevía ni a respirar mientras pasaba por delante del almacén y continuaba avanzando hacia el grupo de cabañas que había más adelante. El ladrido de *Luna* le provocó un sobresalto. La perra loba estaba sentada varios metros más lejos. A sus pies yacía una de las formas sin vida que Alex había divisado desde el aire. *Luna* ladró una vez más, tratando de mover el cuerpo con la ayuda de su hocico.

—Oh, Dios... ¿quién puede ser? —susurró Alex, echando otro vistazo alrededor del silencioso lugar mientras sostenía el arma con firmeza. Los pies le pesaban toneladas mientras avanzaba hacia *Luna* y ese bulto inmóvil cubierto por la nieve—. Buena chica. Ya estoy aquí. Ahora déjame mirar.

Que Dios la ayudase, no necesitaba acercarse mucho para ver que era Teddy quien estaba tendido allí. La camisa favorita del joven, de franela negra y roja, estaba pegada a la parka ensangrentada y despedazada. Su pelo castaño oscuro estaba helado y pegado a las mejillas y la frente, su piel color oliva, congelada y como de cera, teñida de azul en las zonas que no estaban cubiertas de sangre coagulada procedente de la herida abierta en la laringe.

Alex retrocedió unos pasos, ahogando un grito ante la realidad que acababa de golpearla. Teddy estaba muerto. Apenas era un crío, por el amor de Dios, y alguien lo había matado y dejado allí abandonado como a un animal.

Y él no era el único que había sufrido ese destino en aquella remota aldea familiar. Presa de la conmoción y el miedo, Alex retrocedió un paso del cuerpo de Teddy y volvió la cabeza para mirar la casa y la zona a su alrededor. Una puerta se había salido de sus bisagras. Otro bulto sin vida yacía junto a una de las cabañas. Y otro más, justo debajo de la puerta abierta de un camión de recogida aparcado junto a un viejo depósito de madera.

—Oh, Dios... no.

Y ahí estaba el cuerpo que había visto cuando descendía sobre el lugar, aquel que parecía el de Pop Toms, muerto y ensangrentado justo donde se abría el bosque que había detrás de la casa.

Agarró el rifle con firmeza, a pesar de que dudaba de que el asesino —o los asesinos, a juzgar por la carnicería que estaba viendo— se hubieran quedado esperando, y se dirigió hacia una mancha de nieve escarlata que había cerca de una hilera de árboles, con *Luna* pisándole los talones.

El corazón y el estómago de Alex se le retorcían con cada paso que daba. No quería ver a Pop en aquel estado, no quería ver a ningún ser querido maltratado y roto y ensangrentado... nunca más.

Sin embargo no pudo evitar que sus pies se movieran y tampoco pudo evitar arrodillarse junto al espeluznante cuerpo que yacía boca abajo, el cuerpo del hombre que siempre la recibía con una sonrisa y un enorme y cálido abrazo. Alex dejó el arma junto a ella en la nieve roja. Un llanto silencioso estalló en su garganta, pero estiró el brazo y con cuidado movió al hombre por el hombro. El rostro ciego y arruinado le heló la sangre en las venas. Su expresión de puro terror se había congelado en aquellas facciones que antes habían sido joviales. Alex ni siquiera quería imaginar el horror que debía de haber contemplado en el instante antes de su muerte.

«Ahí estaba de nuevo...»

El antiguo recuerdo la asaltó desde un oscuro lugar del pasado. Alex sintió el afilado mordisco, oyó los gritos que habían desgarrado la noche, y también su vida, para siempre.

«No.»

Alex no quería revivir aquel dolor. No quería pensar en esa noche, y mucho menos ahora. No ahora que estaba rodeada de tanta muerte. No ahora que estaba completamente sola. No podía soportar la idea de desenterrar el pasado que había dejado dieciocho años antes y miles de kilómetros detrás de ella.

Pero trepó entre sus pensamientos como si fuera ayer. Como si estuviera ocurriendo otra vez, tuvo la inquebrantable sensación de que el mismo tipo de horror que ella y su padre habían soportado tanto tiempo atrás en Florida se había cernido ahora sobre esa familia inocente de los solitarios bosques de Alaska. Alex reprimió un sollozo y se secó las lágrimas que le quemaban las mejillas al congelarse sobre su piel.

Un gruñido de *Luna* a su lado interrumpió sus pensamientos. La perra estaba olisqueando en la nieve junto al cuerpo, con el hocico enterrado en el polvo. Avanzó siguiendo el olor que conducía hacia los árboles. Alex se levantó para descubrir lo que había encontrado *Luna*. Al principio no lo vio, luego, cuando logró verlo, no pudo asimilarlo en su mente.

Era una huella, manchada de sangre y parcialmente oculta por la nieve recién caída. Una huella humana que debía corresponder a un tamaño de calzado enorme. Pero el pie de esa huella estaba desnudo... algo más que insólito con aquel frío mortal, prácticamente imposible.

—¿Qué demonios...?

Aterrorizada, Alex agarró a *Luna* del pescuezo y la retuvo a su lado antes de que pudiera seguir las huellas que se alejaban. Observó que se iban haciendo cada vez más débiles y luego simplemente desaparecían. No tenía ningún sentido.

Nada de aquello tenía ningún sentido en la realidad del mundo tal como ella quería verlo.

De vuelta al avión, oyó que sonaba el teléfono, unido al chisporroteo de la radio de Beaver mientras una voz masculina agitada le chillaba que diera un informe.

—¡Alex, maldita sea! ¿Me recibes? ¡Alex!

Agradecida por la distracción, cogió el rifle y corrió de vuelta al avión. *Luna* corrió a su lado como la perra guardiana que realmente era.

—¡Alex! —Zach Tucker gritó su nombre de nuevo a través de las ondas de radio—. ¡Si puedes oírme responde ahora mismo, Alex!

Ella se inclinó sobre el asiento y agarró la radio.

—Estoy aquí —dijo, sin aliento y temblando—. Estoy aquí, Zach, y están todos muertos. Pop Toms. Teddy. Todos.

Zach soltó una brusca maldición.

—¿Y tú cómo estás? ¿Estás bien?

—Sí —murmuró ella—. ¡Oh, Dios mío, Zach! ¿Cómo puede haber ocurrido esto?

—Yo me ocuparé —respondió él—. De momento necesito que me digas todo lo que has visto, ¿de acuerdo? ¿Has descubierto algún arma, o alguna explicación de qué podría haber ahí fuera?

Alex lanzó una triste mirada a la carnicería del lugar.

Aquellas vidas que habían acabado de manera tan violenta. La sangre cuyo fuerte olor podía notar en el viento helado.

—¿Alex? ¿Tienes alguna idea de cómo pueden haber matado a esas personas?

Ella cerró los ojos con fuerza ante el aluvión de recuerdos que la asaltaron: los gritos de su madre y su hermano pequeño, los angustiados gritos de su padre mientras la levantaba en brazos, a sus nueve años, y huía con ella en medio de la noche antes de que los monstruos tuvieran la oportunidad de matarlos a todos.

Alex sacudió la cabeza, tratando desesperadamente de desplazar esos espantosos recuerdos y de negar ante sí misma que los asesinos de esta noche llevaran el sello de aquel mismo horror inexplicable.

—Háblame —le exigió Zach—. Ayúdame a entender lo que ha ocurrido, si es que puedes, Alex.

Las palabras no le salían de la boca. Permanecían atoradas en su garganta, comprimidas por el nudo de terror helado que se había abierto en el centro de su pecho.

—No lo sé —respondió. Su voz sonó distante y rígida en el silencio del monte helado y vacío—. No puedo decirte quién puede haber hecho esto. No puedo...

—Está bien, Alex. Sé que debes de estar muy angustiada. Ahora vuelve a casa. Ya he hecho una llamada a Roger Bemis, de la pista de aterrizaje. Vendrá a buscarme dentro de una hora e iré a ocuparme de los Tom, ¿de acuerdo?

—De acuerdo —murmuró.

—Todo va a salir bien, te lo prometo.

—De acuerdo —repitió ella, notando que otra lágrima le caía por la mejilla helada.

Su padre le había dicho esas mismas palabras muchos años atrás. Después de lo que acababa de ver allí y de esa sensación de que algo diabólico se acercaba a ella una vez más, Alex se preguntaba si algo volvería realmente a salir bien alguna vez.

Skeeter Arnold le dio una larga calada a un grueso porro mientras se recostaba en un maltrecho asiento abatible de color celeste, el mueble más elegante que tenía en aquella mierda de apartamento que conservaba detrás de la casa de su madre, en Harmory. Manteniendo el humo en lo profundo de sus pulmones, cerró los ojos y escuchó el martilleo de las ondas de radio en la encimera de la cocina. Tal como lo veía Skeeter, el tipo de empresa en la que se había metido serviría no solo para mantener a raya a la policía sino también a los paletos locales demasiado estúpidos como para no meterse en problemas.

Y sí, tal vez le gustaría escuchar parte de los informes, porque obtenía una buena dosis de gozo perverso al escuchar las miserias de otra gente. Era bueno recordar alguna vez que él no era el mayor perdedor de todo el estado de Alaska, no importa lo que dijera la perra de su madre. Skeeter exhaló lentamente, y una delgada columna de humo se formó en torno al insulto que murmuró al oír el crujido y el gemido de las viejas tablas del suelo cuando ese permanente grano en el culo que tenía avanzó pisando fuerte por el pasillo hasta su habitación.

—Stanley, ¿no has oído que te estoy llamando para que subas? ¿Pretendes pasar todo el día durmiendo aquí? —Dio unos torpes golpes en la puerta, y luego le dio al tirador de la puerta una buena pero ineficaz sacudida—. ¿No te dije que salieras esta mañana para comprar arroz y unos botes de judías? ¿Qué demonios estás esperando? ¿Al deshielo primaveral? ¡Mueve tu perezoso culo y haz algo útil, para variar!

Skeeter no se molestó en responder. Tampoco abandonó su postura despatarrada en el sillón y ni siquiera se estremeció mientras su madre continuaba refunfuñando y aporreando la puerta. Dio otra calada a su porro y disfrutó del murmullo, sabiendo que la molesta persona que había junto a su puerta finalmente se cansaría de que él la ignorase y regresaría al sitio que le correspondía, frente al televisor.

Para ahogar el ruido mientras tanto, Skeeter alcanzó la radio y subió el volumen. El único agente de la ley de Harmony, Zachary Tucker, parecía haberse metido en un lío muy gordo aquel día.

—Stanley Arnold, ¿crees que simplemente puedes ignorarme, miserable pedazo de hijo? —Su madre golpeó de nuevo la puerta, y luego se alejó furiosa, todavía mascullando insultos por el pasillo—. Eres igual que tu padre. ¡Nunca has servido para nada y nunca servirás para nada útil!

Skeeter se levantó del sillón abatible y se acercó más a la radio, mientras Tucker daba las coordenadas de un escenario donde había habido varias muertes, probablemente asesinatos, según decía, a unos sesenta kilómetros. Tucker estaba esperando que lo recogiera uno de los dos pilotos residentes en Harmony. Avisó de que el otro, Alex Maguire, había sido quien había descubierto los cuerpos mientras se hallaba suministrando un reparto, y ahora había regresado al pueblo.

Skeeter sintió una oleada de excitación mientras escuchaba. Conocía muy bien la zona en cuestión. Diablos, había estado allí la pasada noche junto con Chad Bishop y algunas otras personas. Habían estado drogándose y bebiendo junto al río... justo antes de que comenzaran a atormentar a Teddy Toms. De hecho, le parecía que el lugar del que estaban hablando los policías era precisamente donde vivía su familia.

—No es posible, joder —susurró Skeeter, preguntándose si podía estar en lo cierto. Solo para asegurarse, anotó las coordenadas en la palma de la mano, luego revisó una pila de facturas impagadas y otra basura de papeles hasta que encontró un mapa de la zona manchado con cerveza que había estado usando como posavasos desde hacía un par de años. Localizó el lugar en el mapa y casi no daba crédito.

—Maldita sea —dijo, dando una larga calada a su porro antes de apagarlo sobre la formica marcada de quemaduras y reservarlo para más tarde. Estaba demasiado excitado para terminarlo ahora. Demasiado encendido de curiosidad como para evitar caminar aceleradamente arriba y abajo por la estrecha habitación.

¿Acaso Pop Toms o su viejo cuñado se habrían vuelto locos? ¿O habría sido Teddy quien finalmente decidió soltarse? Tal vez el chico había vuelto a casa y se había desquiciado después de que Skeeter y los demás lo hicieran llorar aquella noche en el río.

Pronto lo descubriría, se imaginó Skeeter. Siempre había querido ver un muerto de cerca. Tal vez saldría a dar una vuelta en busca de las judías y el arroz que quería su madre.

Sí, y tal vez este chico de los recados daría un rodeo para hacer lo que quería.

Skeeter cogió su teléfono móvil, ese magnífico teléfono nuevo con cámara de vídeo y la funda de calaveras. No se molestó en decirle a su madre adónde iba, se puso su equipo de nieve y salió al tonificante frío del exterior.

Capítulo dos

Boston, Massachusetts

*E*l calor salía de los conductos de ventilación del tablero de mandos del Range Rover mientras Brock subía la temperatura algunos grados más.

—Maldita sea, es una noche helada. —El gran hombre de Detroit hizo bocina con las manos y sopló sobre sus palmas—. Odio el invierno, amigo. Parece que estemos en Siberia.

—No nos acerquemos —respondió Kade detrás del volante del vehículo, con la mirada fija en el destartalado edificio de piedra marrón que llevaban vigilando desde hacía un par de horas. Incluso en aquella oscuridad, después de medianoche, con una fresca manta de nieve cubriéndolo todo de un blanco inmaculado, el lugar parecía espantoso desde fuera. No es que importara. Fuera lo que fuese lo que vendieran dentro —drogas, sexo o una combinación de ambas cosas—, había conseguido formar una importante corriente de tráfico humano ante la puerta. Kade observó un trío de chicos universitarios que llevaban uniforme y un par de mujeres jóvenes que bajaban de un Impala y entraban en el edificio.

—Si esto fuera Siberia —añadió Kade en cuanto la calle se hubo calmado de nuevo—, tendríamos las pelotas tintineando como las campanas de un trineo y estaríamos meando cubitos de hielo. Boston en noviembre da para hacer un pícnic.

—Lo dice el vampiro que nació en un maldito glaciar de Alaska —masculló Brock, sacudiendo la cabeza mientras sostenía las manos ante la rejilla de ventilación frotándolas para protegerse contra el frío—. ¿Cuánto tiempo crees que tendremos que esperar aquí antes de que nuestro hombre decida mostrar su cara fea? Necesito moverme antes de que el culo se me congele en el asiento.

Kade más que reírse gruñó, tan impaciente como su compañero en la patrulla nocturna de aquella noche. No eran los humanos quienes habían llevado a Brock y a él a aquella dirección en una de las zonas más deprimidas de Boston, sino el individuo que supuestamente estaba detrás de aquella actividad ilegal. Y si su información demostraba ser válida —si era cierto que el vampiro que dirigía el lugar también negociaba con otras mercancías prohibidas— la noche iba a acabar de manera muy desagradable, probablemente sangrienta.

Kade casi no podía esperar.

—Aquí está —dijo, observando un par de faros que doblaban la esquina y un Mercedes negro con tapacubos dorados y estilizados que se detenía en la cuneta.

—Me debes de estar tomando el pelo —dijo Brock, sonriendo mientras el espectáculo continuaba.

La música vibraba con fuerza desde el interior del sedán, el ritmo del bajo y la letra estridente sonaban a un volumen demasiado alto mientras el conductor descendía y abría la puerta trasera del coche. Un par de pit bull blancos atados con correa fueron los primeros en salir del coche, seguidos por su amo, un macho alto de la estirpe que se esforzaba por resultar imponente, aunque estuviera envuelto en un largo abrigo de piel y hubiera sobrepasado los límites de joyas y maquillaje de ojos.

—Olvida la mierda que ha descubierto Gideon acerca de este tipo —dijo Kade—. Tenemos derecho a liquidarlo simplemente por ir vestido así en público.

Brock sonrió satisfecho, mostrando las puntas de los colmillos.

—Si me preguntas a mí, te diría que deberíamos liquidarlo por hacernos esperar congelados aquí fuera.

En la acera, el vampiro dio a su perros un fuerte tirón de las correas de cuero cuando osaron llevarle la delantera. Le dio una patada al que tenía más cerca y se dirigió hacia la puerta del edificio, soltando una risita al oír el aullido de dolor del perro. Cuando él, el conductor y los dos perros infernales desaparecieron dentro, Kade apagó la luz auxiliar y abrió la puerta del coche.

—Vamos —dijo—. Busquemos un acceso por la parte de atrás mientras el colega de la entrada está ocupado.

Se dirigieron hacia la parte posterior del edificio y localizaron una ventana al nivel del suelo medio tapada por la nieve y la basura de la calle. De cuclillas, Kade apartó el hielo y la mugre endurecida, luego levantó el panel de vidrio con bisagras y escudriñó en la oscuridad del lugar que había al otro lado. Era un sótano de ladrillo, donde había desparramados un par de colchones podridos, condones usados, jeringas y una asquerosa combinación de orín, vómito y otros fluidos corporales cuyo hedor asaltó los agudos sentidos de Kade como un mazo que le golpeara el cráneo.

—Dios santo —silbó, con una mueca en los labios que ocultó sus dientes y colmillos—. Los empleados domésticos del colega están despedidos.

Se deslizó en el interior, aterrizando sin hacer ruido en el duro suelo de cemento. Brock le siguió, el vampiro pesadamente armado con sus más de cien kilos se movió junto a él con la agilidad de un gato. Kade pasó junto al revoltijo del suelo hasta un rincón absolutamente oscuro de la habitación donde había un trozo de cadena y un par de grilletes. Un trozo de cinta adhesiva plateada estaba deshecha por el suelo, con varios mechones de pelo rubio y largo pegados.

Brock miró con dureza a Kade en la oscuridad.

—Comercio de pieles.

Kade asintió con seriedad, enfermo ante la evidencia de todo lo que había tenido lugar en aquel sótano frío y húmedo que servía de prisión. Estaba a punto de ir hacia las escaleras y colarse en la fiesta de arriba cuando el insulto que soltó Brock lo hizo detenerse.

—No estamos solos aquí abajo, amigo. —Brock señaló una puerta con barrotes pero oscurecida por las sombras y el esqueleto oxidado de un viejo somier que se inclinaba demasiado cuidadosamente contra ella—. Humanos —dijo—. Hay mujeres, justo al otro lado de esa puerta.

Advirtiendo ahora una silenciosa respiración y sintiendo la corriente de dolor y sufrimiento que circulaba a través del aire fétido, Kade se movió junto a Brock hacia el rincón menos iluminado del sótano. Apartaron a un lado el viejo somier, y luego Kade levantó la gruesa barra de metal que cerraba la puerta desde fuera.

—Maldita sea —susurró Brock en la oscuridad. Entró en la pequeña habitación donde tres mujeres se hallaban acurrucadas juntas en un rincón, temblando y aterrorizadas. Cuando una de ellas empezó a gritar, Brock se movió tan rápido que ninguna de las humanas drogadas pudieron seguirlo. Se acercó y pasó la mano por la frente de la mujer, haciéndola callar con el contacto—. Todo está bien. Ahora estáis a salvo. No vamos a haceros daño.

—¿Alguna de ellas está sangrando? —preguntó Kade, observando mientras Brock procuraba a las otras dos cautivas un estado de similar tranquilidad.

—Han sido golpeadas hace poco, por eso tienen moretones. Pero no veo heridas de mordiscos. Tampoco veo marcas de compañeras de sangre —añadió, haciendo una revisión rápida en la parte expuesta de la piel de las mujeres y sus extremidades, en busca de la marca de nacimiento que consistía en una lágrima y una luna creciente que diferenciaba a las mujeres genéticamente extraordinarias de sus hermanas mortales. Brock soltó con suavidad el pálido brazo que sostenía, luego se puso de pie—. Al menos ninguna de estas tres es compañera de sangre.

Una pequeña bendición, aunque eso difícilmente exoneraba a esa escoria de vampiro que había estado haciendo negocios traficando con mujeres para el mejor postor.

—Dame un minuto para borrarles los recuerdos de lo que han pasado y sacarlas a salvo de aquí —dijo Brock—. Iré detrás de ti.

Kade asintió enérgicamente y dejó ver los colmillos.

—Mientras tanto, iré arriba y tendré una pequeña charla en privado con el colega.

Sintiendo la ira como ácido en sus venas, Kade subió las escaleras con sigilo hasta el piso principal del edificio, lleno de ruido, y eludió la orgía que tenía lugar bajo una nube de humo narcótico, música psicodélica y luces estroboscópicas.

En una oficina al fondo del pasillo, oyó la débil tos del cabrón que estaba buscando.

—Tráeme a la mujer que acaba de entrar con esos tipejos...

No, la rubia no, la otra. Si es un verdadera pelirroja para mí vale por dos.

Kade se quedó atrás, sonriendo mientras el fornido guardaespaldas y conductor del colega salía de la oficina y lo veía de pie en el pasillo. Era un macho de la estirpe, también, y sus iris se encendieron con un brillo ámbar cuando vio la amenaza ante él.

—Chist —dijo Kade con tono agradable, sujetando ya un puñal en su mano, dispuesto a hacerlo volar.

Lanzó el cuchillo en el instante en que el conductor cogió su propia arma, y lo clavó en el centro de la garganta del enorme vampiro, dándole muerte. El cuerpo voluminoso cayó al suelo, y mientras el ruido del golpe se mezclaba con el estrépito de la música y los gemidos que venían del pasillo, Kade saltó por encima del cadáver para tapar la entrada expuesta de la oficina de Homeboy.

La pareja de pit bulls blancos reaccionaron más rápido que su amo, con ese ridículo abrigo de piel. Ladrando y saltando, los perros cargaron contra Kade. Él ni se inmutó; no era necesario. Miró sin pestañear a aquellos ojos salvajes y ordenó a los perros que se detuvieran de repente en el suelo alfombrado a sus pies.

Todos los de la estirpe nacían con su propio y único talento —o maldición, en algún caso—, además de la longevidad, la fuerza y la sed de sangre propias de la raza. Para Kade, ese talento consistía en la habilidad de conectar psíquicamente con animales depredadores y dirigir sus acciones con un simple pensamiento. Era un poder que él había perfeccionado hasta lograr una precisión letal cuando era un joven que habitaba en la salvaje y helada Alaska, y con animales mucho más peligrosos que esos.

—Quietos —dijo con calma a los perros. Luego alzó la vista hacia el macho de la estirpe que lo miraba boquiabierto desde un extremo de la pequeña habitación—. Quieto tú también.

—¿Quién demonios eres tú? —El miedo y la indignación remarcaron las arrugas alrededor de la boca del vampiro cuando reparó en la apariencia de Kade, desde aquel traje negro y las botas de combate que hacían juego con el oscuro color de su pelo de punta hasta la impresionante colección de cuchillos y armas semiautomáticas que llevaba en la cadera y en las fundas sujetas a sus muslos—. Un guerrero —susurró, pues no era tan arrogante ni tan estúpido como para no reconocer que le daba algo de miedo aquella visita no anunciada—. ¿Qué podría querer de mí la Orden?

—Información —respondió Kade. Avanzó un paso hacia el interior de la habitación y cerró la puerta tras él, deteniéndose para rascar a uno de los pit bulls, ahora dóciles, detrás de la oreja—. Hemos oído algunas cosas inquietantes acerca de los asuntos que manejas aquí. Necesitamos saber más.

El vampiro alzó los hombros en un intento de hacerse el tonto y parecer desorientado.

—¿Qué puedo decir? Ando metido en distintos escarceos.

—Sí, me he dado cuenta. Tienes una pequeña empresa en esa mierda de sótano. ¿Cuánto tiempo llevas traficando con mujeres?

—No sé de qué estás hablando.

—Verás... hacerme repetir las cosas no es un recurso inteligente. —Kade se agachó e hizo un movimiento para que la pareja de perros acudieran junto a él. Se sentaron a sus pies como gárgolas rechonchas, mirando fijamente a su antiguo dueño y esperando obedientes la orden de Kade dispuestos a hacer lo que él quisiera—. Me apuesto que si deseo que estos perros te desgarren la garganta no tendré que pedirlo dos veces. ¿Tú qué crees? ¿Hacemos la prueba?

Homeboy tragó saliva con dificultad.

—No llevo mucho tiempo haciéndolo. Más o menos unos diez meses. Empecé con drogas y prostitutas, y más tarde comencé a recibir ciertos... pedidos. —Jugó con uno de los muchos anillos de oro que brillaban en sus dedos—. Ya sabes, solicitudes de servicios de una naturaleza más permanente.

—¿Y tus clientes? —soltó Kade mientras se levantaba exhibiendo todo su tamaño—. ¿Quiénes son?

—Principalmente humanos. En realidad no conservo los registros.

—Pero también proporcionas servicios —dijo arrastrando las palabras entre los colmillos— a miembros de la estirpe. No era una pregunta, y Homeboy lo sabía. Se encogió de nuevo de hombros, y el cuello de su abrigo de piel de zorro rozó contra el pendiente de diamante que llevaba en el lóbulo de la oreja.

—Es un asunto de dinero, simplemente una cuestión de oferta y demanda. Sea de humanos o de la estirpe, el dinero es el mismo.

—Y el negocio va bien —aventuró Kade.

—Me las arreglo. ¿Pero por qué está la Orden tan interesada en lo que hago? ¿Buscáis una parte de los beneficios? —dijo elusivo, esbozando una débil sonrisa—. Puedo meter a Lucan en esto, si de eso se trata. Al fin y al cabo soy un hombre de negocios.

—Eres escoria —dijo Kade, furioso pero sin sorprenderse de que un individuo como ese pudiera pensar que él o que alguno de los suyos estaba en venta—. Y si le digo a Lucan que has dicho eso, te abrirá en canal desde la barbilla hasta las pelotas. ¿Sabes qué? ¡Jódete! Le ahorraré el problema...

—¡Espera! —Homeboy levantó las manos—. Dime lo que quieres saber.

—Bien. Empecemos de una vez. ¿Cuántas de las mujeres que has encerrado en ese sótano y vendido eran compañeras de sangre?

Un silencio estremecedor se alargó mientras el vampiro consideraba cuál era la mejor respuesta. Incluso aquella basura lamentable tenía que saber que las escasas mujeres que llevaban la marca de nacimiento de las compañeras de sangre eran reverenciadas y consideradas preciosas por todos los de la estirpe. Dañar a una compañera de sangre era como dañar a toda la raza de los vampiros, ya que no había otras mujeres en el planeta que pudieran llevar el fruto de la estirpe en sus vientres. Sacar provecho intencionadamente a costa del dolor de una compañera de sangre, o extraer cualquier tipo de beneficio con su muerte, era una de las cosas más abyectas que los de la raza de Kade podían hacer.

Observó al otro vampiro como si fuera un insecto atrapado bajo un vidrio, y es que de hecho la vida de aquel macho de la estirpe valía en realidad menos que la de un insecto.

—¿Cuántas, asqueroso tipejo? ¿Más de una? ¿Una docena? ¿Veinte? —Tenía que esforzarse para evitar soltar un rugido—. ¿Las vendiste estando ellas inconscientes, o sacaste todavía mayor beneficio de su sufrimiento? ¡Responde a la maldita pregunta!

Con el arrebato de Kade, los dos pit bulls se levantaron con su compacta musculatura tensa y estirada, y ambos gruñeron amenazadoramente. Los perros estaban tan compenetrados con la rabia de Kade como él lo estaba con ellos. Mantuvo a los perros a raya empleando la poca capacidad de autocontrol que le quedaba, a sabiendas de que el vampiro que se alzaba frente a él poseía información de valor, y él tenía el deber de sonsacársela.

Luego podría matarlo con claridad mental.

—¿A quién has estado vendiendo las compañeras de sangre? Responde a la maldita pregunta. No voy a esperar toda la noche para que sueltes la verdad.

—No... lo sé —tartamudeó—. Esa es la verdad. No lo sé.

—Pero reconoces que lo has estado haciendo. —Dios, quería acabar con ese pedazo de mierda—. Dime con quién has estado traficando antes de que te arranque esa horrible cabeza.

—¡Te lo juro... No sé quién las quería!

Kade no estaba dispuesto a dejarlo así.

—¿Acudió a ti más de un individuo a buscar a las mujeres? ¿Te dice algo el nombre de Dragos?

Kade lo observaba con mirada afilada, esperando que el vampiro mordiera el anzuelo. Pero el nombre que le lanzó parecía resultarle desconocido. Cualquiera que hubiera tratado con el viejo miembro de la estirpe conocido como Dragos —un villano cuya maldad había sido recientemente descubierta gracias a los esfuerzos de la Orden—, sin duda registraría algún tipo de reacción ante la mención de su nombre.

Homeboy, sin embargo, parecía completamente ignorante. Exhaló un suspiro y sacudió débilmente la cabeza.

—Yo solo tuve tratos con un tipo. No era de la estirpe. Tampoco era humano. No cuando lo conocí.

—¿Entonces era un secuaz?

La noticia no extrañaba nada a Kade. Aunque la creación de secuaces iba en contra de la ley de la estirpe, por no mencionar las cuestiones de moralidad básica, solo los más poderosos de la estirpe podían crear humanos con mentes esclavas.

Vaciados de sangre casi hasta morir, los secuaces eran leales a su único amo. Dragos pertenecía a la segunda generación de la estirpe y se sentía por encima de cualquier ley, del tipo que fuera. El asunto que importaba no era que Dragos tuviera secuaces, sino que se trataba de saber hasta qué punto estaba metido en la sociedad de los humanos.

—¿Reconocerías a ese secuaz si lo vieras otra vez?

La piel de animal que envolvía el cuello del vampiro volvió a levantarse ante otro encogimiento de hombros.

—No lo sé. Tal vez. Ahora lleva mucho tiempo sin venir. Dejé de hacer negocios con él hará unos tres o cuatro meses. Durante un tiempo fue uno de mis clientes habituales, y luego de golpe no volví a saber nada de él.

—Debiste sentirte decepcionado —masculló Kade—. Descríbemelo. ¿Cómo era ese secuaz?

—Si te digo la verdad, nunca llegué a verlo bien. Tampoco lo intenté, por otra parte. Lo que puedo decir es que era un secuaz y que pagaba con billetes grandes. No necesitaba saber nada más de él.

Las venas de Kade se tensaron con animadversión y una rabia apenas reprimida le embargó al oír la ambivalencia de sus palabras. Había matado por ofensas menores que aquella, mucho menores, y la urgencia por destrozar a aquella basura de hombre era feroz.

—Entonces, ¿me estás diciendo que vendías reiteradamente a esas mujeres que estaban demasiado drogadas como para poder defenderse sin tener ni idea de cuál iba a ser su destino? No hacías preguntas. ¿Es eso?

—Supongo que podría decirse que mis negocios se asientan sobre la base de no preguntes ni digas nada.

—Sí, podríamos decir eso —se mostró de acuerdo Kade—. O mejor podríamos decir que manejas tus negocios como un cobarde hijo de puta que merece sufrir una muerte lenta y dolorosa.

El miedo produjo un olor ácido mientras el vampiro sostenía la mirada de Kade.

—Espera un poco. Déjame pensar un segundo, ¿de acuerdo? A lo mejor puedo recordar algo. A lo mejor puedo ayudar de alguna forma...

—Lo dudo. —Kade lo miraba con atención, viendo, por la expresión aterrorizada de su rostro, que no iba a extraer nada útil de aquella conversación.

Y además, estaba cansado de mirar a ese gilipollas.

Se inclinó para poner las palmas de las manos en la barbilla de los perros, y miró los intensos ojos marrones de uno de ellos, y luego los del otro. La orden silenciosa fue reconocida con un leve movimiento muscular. Los pit bulls saltaron encima del escritorio y se sentaron frente a su antiguo amo, con los ojos fijos y las fauces abiertas, mostrando los dientes afilados y goteando saliva.

—Buenos chicos —dijo Kade. Luego se dio la vuelta para marcharse.

—Espera... ¿qué es esto? —preguntó Homeboy titubeante detrás de aquel par de gárgolas babeantes que ahora estaban instaladas ante él—. Ya estamos en paz. Quiero decir... que te he dicho todo lo que sé. ¿Eso era todo lo que querías de mí, no?

—No exactamente —dijo Kade sin mirar al traficante de personas. Puso la mano en el pomo de la puerta—. Quiero una cosa más.

Mientras salía de la oficina y cerraba la puerta, oyó cómo los dos pit bulls se lanzaban al ataque. Kade se detuvo, cerró los ojos y se permitió el placer de saborear la violencia del momento a través de su conexión visceral con los animales. Sintió el crujir de cada hueso roto, cada pedazo de la piel del traficante mientras los perros lo desgarraban. En el interior de la habitación, el vampiro gritaba y gemía, y su dolor era un agradable contrapunto a la música y los gemidos que venían del otro lado del edificio.

Brock avanzó a grandes zancadas por el pasillo mientras Kade pasaba por encima del cadáver del conductor.

—¿Te has encargado de las mujeres? —preguntó mientras se encontraba con su compañero de patrulla en la mitad del pasillo.

—Les he borrado los recuerdos de su cautiverio y las he enviado a casa —dijo Brock. El gran macho lanzó apenas una breve mirada al cuerpo antes de arquear una ceja y dirigirse a Kade—. ¿Y tú qué tal? ¿Has conseguido averiguar algo de Homeboy?

—Resultó que el tipo no se lleva muy bien con los perros —dijo Kade mientras continuaban saliendo alaridos de la oficina.

Las comisuras de los labios de Brock se curvaron.

—Ya lo oigo. ¿Y algo más?

—Sí, lamentablemente. El capullo ha estado traficando con compañeras de sangre. Su cliente era un secuaz, pero no sabe más que eso. Nunca vio al esclavo de cerca y no fue capaz de describirlo.

—Mierda —dijo Brock, pasándose una mano por encima de la cabeza—. Así que supongo que Homeboy ha llegado a un punto muerto.

Kade ladeó la cabeza cuando cesó el último de los alaridos.

—Ahora está llegando.

Brock dejó escapar una risa triste.

—Vamos a dejar limpio y cerrado este lugar. Tengo un mensaje de Gideon pidiendo que lo llamemos en cuanto podamos. Algo ha ocurrido en el norte.

—¿Al norte del estado?

—No, amigo. Mucho más lejos que eso. —Brock le sostuvo la mirada durante un tiempo incómodo—. Ha ocurrido algo en Alaska. No me ha dicho qué exactamente, solo ha dicho que Lucan quiere que estemos de vuelta en el cuartel lo antes posible.

Capítulo tres

Kade comprendió, incluso antes de que él y Brock llegaran al recinto de la Orden, que las noticias que estaba a punto de recibir no podían ser buenas. Como fundador y líder de los guerreros, por no mencionar que además pertenecía a la primera generación de la estirpe y tendría alrededor de novecientos años, Lucan no era alarmista por naturaleza. Así que el hecho de que hubiera sido él personalmente quien llamara a Kade era un claro indicio de que ocurriera lo que ocurriese en Alaska la situación era extremadamente seria.

Con una sensación incómoda en el estómago, Kade comenzó a especular una escena turbadora detrás de otra, cosas horribles que le resultaban demasiado fácil de imaginar y que le quemaban la garganta como bilis amarga. Contuvo su terror mientras él y Brock aparcaban el Land Rover en el garaje, al nivel del suelo, detrás de la finca extremadamente segura, y luego subían al ascensor del hangar para descender unos cuantos metros hasta el centro neurálgico subterráneo de las operaciones de la Orden.

—¿Estás preparado, amigo? —preguntó Brock mientras él y Kade salían del ascensor y se adentraban por el pasillo de mármol blanco que conectaba las numerosas habitaciones del laberíntico recinto como una arteria central—. Sabes que si esto tuviera algo que ver con tus parientes, Lucan lo hubiera dicho. Estoy seguro de que sea lo que sea lo que haya ocurrido, tu familia está bien. No hay motivo de preocupación, ¿verdad?

—No, no hay motivo de preocupación —dijo Kade, aunque fue su boca la que respondió como un piloto automático.

Había abandonado el pueblo de su familia en Alaska prácticamente un año atrás para unirse a la Orden de Boston. Fue una partida repentina, provocada por una llamada urgente que había recibido de Nikolai, un guerrero de la Orden a quien Kade había conocido hacía varias décadas, cuando sus viajes lo habían llevado de la helada tundra de Alaska a la Siberia natal de Niko.

Quedaban cosas que Kade había dejado inacabadas en Alaska. Cosas que todavía lo angustiaban, aún más después del tiempo y la distancia que lo habían mantenido alejado durante aquellos largos meses.

Si hubiera ocurrido algo malo y él no había estado allí para impedirlo...

Kade apartó el pensamiento de su cabeza mientras él y Brock doblaban por uno de los pasillos que conducían al laboratorio de tecnología.

Lucan, el vampiro de cabello oscuro de la primera generación, estaba esperándolos en la sala de mando del recinto, con paredes de vidrio, junto a Gideon, el genio rubio y despeinado que controlaba la extensa colección tecnológica de la Orden. Ambos se hallaban de pie ante una pantalla plana. Lucan se estaba pasando los dedos por la severa mandíbula justo cuando las puertas traslúcidas del laboratorio se abrieron para permitir que entraran Kade y Brock.

—¿Cómo os fue esta noche en Roxbury? —preguntó cuando los dos guerreros entraron en la habitación.

Kade hizo un breve informe de lo que habían descubierto sobre el traficante de blancas, que no era mucho. Pero mientras hablaba, no podía evitar dirigir su atención a la pantalla que había detrás de Lucan. Cuando el enorme tipo comenzó a pasear de arriba abajo tal como acostumbraba a hacer si había algo que le preocupaba mucho, Kade miró de lleno la imagen que llenaba la pantalla.

No era agradable.

Una foto borrosa —o tal vez una imagen de vídeo congelada— salpicada en rojo y blanco llenaba el monitor. Un terrible asesinato en los bosques helados de Alaska. Kade lo supo instintivamente, y esa constatación lo hirió como el filo de una cuchilla.

—¿Qué ha ocurrido? —preguntó, con una voz tan rígida que sonó apática, imperturbable.

—Este es un trozo de un vídeo repugnante que han colgado hoy en Internet —dijo Lucan—. Por lo que veo ha sido captado con la cámara de un teléfono móvil hace un par de días y descargado desde una dirección de correo de Fairbanks a una página web que se dedica a exhibir escenas de crímenes y otras atrocidades para enfermos perturbados que disfrutan viendo la muerte.

Lanzó una mirada a Gideon y dio un clic al ratón para que la imagen congelada en la pantalla cobrara vida. Más allá de la respiración excitada y los ruidos de pisadas de la persona que estaba sujetando la cámara, Kade observó que el vídeo mostraba crudamente el escenario de lo que debía de haber sido un asesinato atroz.

Un cuerpo yacía muerto y cubierto de nieve, como una macabra mancha en la nieve. La cámara se movía temblorosa, pero el operador consiguió hacer un zoom en las heridas de la víctima. La ropa y la piel estaban desgarradas, con un buen número de heridas y pinchazos que solo podían haber sido causados por unos dientes muy afilados.

O por colmillos.

—Dios —murmuró Kade, conmocionado por la ferocidad de la carnicería mientras el vídeo apenas iba por el minuto cuatro y mostraba nada menos que otros tres muertos más entre la nieve y el hielo.

—Parece cosa de renegados —dijo Brock, con su voz profunda, tan seria como su expresión.

Era un hecho lamentable, pero también inevitable, que hubiera miembros de la población de la estirpe que no pudieran, o simplemente no quisieran, controlar su sed de sangre. Mientras la mayoría de la nación de vampiros se regían por leyes y un razonable sentido común, había otros que se dejaban llevar por sus apetitos sin pensar en las consecuencias. Aquellos de la estirpe que se alimentaban demasiado, o con demasiada frecuencia, pronto se convertían en adictos, perdidos en la lujuria de sangre, la enfermedad de los renegados. Una vez que un vampiro llegaba a ese punto había poca esperanza de que pudiera recuperarse.

La lujuria de sangre era prácticamente un billete sin retorno hacia la locura... y la muerte. Si no era por edicto de la Orden, la enfermedad en sí misma volvía temerario al más cuidadoso de la estirpe. Lo único que le importaba a un renegado era su sed. Mataría indiscriminadamente, correría cualquier riesgo, con tal de saciarla. Sería capaz incluso de masacrar a un pueblo entero si se le brindaba la oportunidad.

—Quien sea que haya hecho esto debe ser aniquilado rápidamente —añadió Brock—. Ese hijo de puta necesita ser aniquilado.

Lucan asintió para expresar su aprobación.

—Cuanto antes mejor. Es por eso que os he llamado a ti y a Kade. Este asunto debe ser atendido inmediatamente, no solo porque tenemos que ocuparnos de contener a un renegado, sino también porque las fuerzas de la ley humanas están al tanto de los asesinatos. Gideon interceptó una llamada a la policía del estado de Alaska desde un pequeño pueblo del interior llamado Harmony. Afortunadamente hay menos de cien personas viviendo allí, pero simplemente con que aparezca alguna boca histérica gritando la palabra vampiro, todo esto se convertirá en un verdadero desastre.

—Mierda —murmuró Kade—. ¿Sabemos quién sacó el vídeo?

—Es difícil saberlo a estas alturas —dijo Lucan—. Gideon está investigando. Sabemos con seguridad que hay un agente en el pueblo... ese es el que alertó de las muertes cuando llamó al despacho de Fairbanks. Obviamente, el tiempo es fundamental. Necesitamos saber quién es el responsable de los asesinatos y asegurarnos de que nadie esté cerca de descubrir la verdad sobre lo ocurrido.

Kade escuchaba, con las venas todavía alteradas por la brutalidad de lo que acababa de ver en el monitor. Desde su visión periférica, vio el último encuadre, detenido en la pantalla: la imagen borrosa de una mujer joven con la cara salpicada de sangre, sus ojos marrones muy abiertos y mirando sin ver, nublados por el frío y las gotas de agua heladas en sus oscuras pestañas. Era apenas una muchacha, por el amor de Dios. Probablemente una adolescente.

No era la primera vez que Kade había visto las secuelas de

una matanza en el bosque de Alaska. Al dejar su hogar meses atrás, se había aferrado a la esperanza de que nunca volvería a ver aquel tipo de carnicería otra vez.

—Desplegaremos nuestras operaciones habituales, pero no podemos permitirnos dejar la situación sin control en el norte —dijo Lucan—. Necesito enviar a alguien que conozca el terreno y a la gente, y que tenga contactos entre la población de la estirpe de allí.

Kade sostuvo la mirada a Lucan, sabiendo que difícilmente podía negarse a llevar a cabo la misión, a pesar de que Alaska fuese el último lugar al que quería ir. Cuando lo abandonó el año pasado para unirse a la Orden, lo había hecho con la esperanza de no regresar nunca.

Quería olvidar el lugar donde había nacido. Aquel lugar salvaje que lo había estado llamando como un amante posesivo y destructivo desde el primer momento en que se había marchado.

—¿Qué me dices, amigo? —preguntó Lucan al ver que el silencio de Kade se alargaba.

No veía que tuviera otra elección. Se lo debía a Lucan y a la Orden, debía hacerse cargo de aquel asunto desagradable e inesperado. No importaba dónde lo condujera. Incluso si esa búsqueda de un vampiro con una incontrolable sed de sangre lo llevaba de vuelta a casa a un pueblo de diez mil acres en el interior de Alaska. A su hogar, al patio trasero de su propia familia.

Sombrío ante la idea, hizo al líder de la Orden un gesto de asentimiento.

—¿Cuándo debo partir?

Cuarenta y cinco minutos más tarde, Kade iba dejando una marca en la alfombra de su cuarto, de tanto caminar arriba y abajo mientras su bolsa de viaje, ya preparada, estaba apoyada a los pies de la cama. Había un teléfono junto a la bolsa negra de cuero, y por tercera vez en los últimos diez minutos, Kade fue hasta el aparato y marcó el número al que no había vuelto a llamar desde la última noche que había salido de Alaska.

Esta vez dejó sonar la llamada.

Fue una conmoción oír la fuerte voz de su padre al otro lado de la línea.

—Ha pasado algún tiempo —dijo Kade a modo de saludo. Su padre se limitó a contestar con un gruñido.

Era un pobre esfuerzo por ponerse en contacto después de un año de no haberlo hecho por propia voluntad. Aunque su padre nunca lo había acusado de ser responsable de eso, ni nada parecido.

La conversación era difícil, un intento tenso de decir «qué tal estás» mientras Kade trataba de encontrar el valor para preguntar cómo iba todo en casa. Su padre comentó que había sido un invierno duro, el único beneficio de la estación era que el sol se mantenía oculto salvo por un periodo de tres horas al día. Kade recordó la extensa oscuridad en el norte del país. Su pulso se aceleró al pensar en aquellas noches tan largas, demasiadas horas de libertad que manejar.

Era evidente que su padre todavía no había oído nada acerca de los recientes asesinatos. Kade no los mencionó, y tampoco habló de la misión que lo haría viajar al norte. En lugar de eso, se aclaró la garganta y formuló la pregunta que había estado ardiendo en su estómago desde el momento en que había oído que existían problemas en Alaska.

—¿Qué está haciendo Seth? ¿Va todo bien con él?

A Kade se le enfrió un poco la sangre ante el silencio vacilante que precedió la respuesta de su padre.

—Está bien. ¿Por qué lo preguntas?

Kade advirtió la sospecha en la voz de su padre, la suave desaprobación que siempre tenía algún modo de colarse en la voz de aquel hombre mayor cuando Kade se atrevía a hacerle preguntas concernientes a su hermano.

—Simplemente me preguntaba si tal vez está por aquí, eso es todo.

—Tu hermano ha tenido que atender un asunto en los Refugios Oscuros de la ciudad —fue la respuesta tensa—. Se marchó hace una semanas.

—Hace una semanas —repitió Kade—. Es mucho tiempo para estar fuera. ¿Has tenido noticias de él recientemente?

—No, recientemente no. ¿Por qué? —Al otro lado de la línea, su padre parecía impacientarse ante su silencio—. ¿De qué va esto exactamente, Kade? Llevas un año sin ponerte en contacto y ahora quieres someterme a un interrogatorio acerca de las idas y venidas de tu hermano. ¿Qué es lo que quieres?

—Olvídalo —dijo Kade, lamentando al instante haber hecho la llamada—. Simplemente olvida que he llamado.

No esperó la respuesta de su padre. Francamente, no necesitaba oírla.

Kade terminó la llamada sin decir ni una palabra más, con sus pensamientos dando vueltas en torno a las espeluznantes imágenes que había visto en el laboratorio de tecnología hacía un rato y la noticia de que su hermano no había dado señales de vida desde hacía semanas.

Su hermano, que compartía el mismo oscuro talento que Kade.

La misma naturaleza salvaje peligrosamente seductora, aquel poder violento que tan fácilmente podía escaparse del control. Y así había sido, al menos una vez, reconoció Kade ante el sombrío recuerdo.

—Maldición, Seth.

Tiró el teléfono sobre la cama. Luego, con un gruñido furioso, dio media vuelta y pegó un puñetazo en la pared que encontró más cerca.

Capítulo cuatro

*L*a tormenta del Ártico había golpeado con fuerza el interior de Alaska durante dos días, arrojando casi un metro de nieve sobre el pequeño pueblo de Harmony y sus remotos vecinos, y haciendo descender las temperaturas en la región hasta los quince grados bajo cero. Normalmente, un tiempo como ese solía provocar dos reacciones en las personas: se mantenían encerradas en casa o acudían en tropel al restaurante y taberna de Pete.

Hoy, a pesar del aullido del viento invernal y del frío que dañaba la piel cuando la tercera y última hora de sol se extinguía en la oscuridad del mediodía, prácticamente los noventa y tres residentes de Harmony estaban reunidos en la cabaña de troncos de la iglesia para una reunión improvisada. Alex se hallaba sentada junto a Jenna en la segunda fila de bancos, esforzándose tanto como cualquier otra persona para tratar de encontrar algún sentido a la reciente carnicería del monte, que había acarreado seis muertes, cuerpos brutalmente asesinados en la improvisada pista de aterrizaje y habían puesto a todo el pueblo en un estado de ansiedad.

Alex sabía que Zach Tucker había intentado ocultar las noticias del ataque en la tranquila propiedad de Toms, pero a pesar de la vastedad del interior, las palabras viajaban rápido, y más rápido todavía en aquel aislado pedazo de tierra de poco más de quince kilómetros cuadrados pegado a la orilla de Koyukuk. La malas noticias, y particularmente aquellas que envolvían múltiples muertes inexplicables y de naturaleza violenta, tendían a llegar a los oídos de las personas como si volaran con las alas de los cuervos.

En las cuarenta y ocho horas que habían pasado desde que Alex descubriera los asesinatos y desde la decisión de Zach de transportar los cuerpos desde la escena del crimen hasta Harmony a la espera de que el tiempo mejorara para que los agentes de Fairbanks pudieran llegar y hacerse cargo de la investigación, la sensación de la población había pasado de la conmoción y la consternación al sentimiento de desconfianza y peligro, con una histeria creciente. La gente del pueblo solo había podido aguantar cuarenta y ocho horas sin exigir respuestas acerca de quién o qué había podido atacar con tanta crueldad a Pop Toms y su familia.

—Sencillamente no lo entiendo —dijo Millie Dunbar desde su asiento en el banco que había detrás de Alex. La voz de la anciana temblaba, no tanto por sus ochenta y siete años sino por el dolor y la preocupación—. ¿Quién querría hacer daño a Wilbur Toms y a su familia? Eran unas personas tan buenas. Cuando mi padre se instaló aquí comerció con el abuelo de Wilbur, que vivía río arriba, durante muchos años. Jamás tuvo un comentario negativo sobre ninguno de los Toms. Simplemente no puedo imaginarme quién puede haber sido tan malvado como para hacer una cosa como esta.

Uno de los hombres del pueblo, que se hallaba sentado al fondo de la iglesia, intervino:

—Yo por mi parte me pregunto si esto no tiene algo que ver con el muchacho, Teddy. Demasiado callado, ese chico. Se lo veía dando vueltas por el pueblo hasta tarde, pero si te cruzabas con él ni siquiera respondía cuando lo saludabas, simplemente actuaba como si fuera superior a los demás y no tuviera que responder. Me pregunto en qué andaba metido ese chico, y si tal vez estaba escondiendo algo.

—Oh, por favor —dijo Alex, sintiéndose obligada a defender a Teddy ya que él no estaba allí para poder hacerlo. Se dio la vuelta en la fila y lanzó una mirada de desaprobación a la zona que había detrás de ella, donde docenas de rostros se habían endurecido ante la sospecha por culpa de la acusación sin fundamento de Big Dave Grant—. Teddy era tímido con la gente que no conocía bien, eso es todo. Nunca hablaba mucho debido a las burlas que recibía por culpa de su tartamudez. Y sugerir que podría haber tenido algo que ver con el cruel asesinato de los miembros de su familia cuando se halla tendido junto a ellos sobre una losa fría es terriblemente cruel. Si alguno de ustedes hubiera visto las condiciones en las que quedaron...

Jenna apretó suavemente con la mano la muñeca de Alex, pero la advertencia no era necesaria. Alex no tenía intenciones de llevar más lejos aquel razonamiento. Ya tenía bastante con el hecho de revivir el horripilante descubrimiento en su cabeza una y otra vez desde que se había topado con Pop Toms, Teddy y el resto de su familia. No iba a quedarse allí sentada para repetir a todo el mundo lo brutales que habían sido los asesinatos. De qué manera las salvajes heridas habían lacerado la carne hasta los huesos y desgarrado las gargantas como si algún tipo de bestia infernal hubiera surgido de la noche fría para alimentarse de los vivos.

No, no era una bestia.

Era un ser salido de una pesadilla.

Un monstruo.

Alex cerró los ojos cuando la visión de la sangre y de la muerte comenzó a alzarse desde las zonas más oscuras de su memoria. No quería ir allí, nunca más. Habían pasado años y estaba a miles de kilómetros, quería dejar atrás aquella oscura realidad. Había logrado sobrevivir a aquello, aunque le hubiera costado tanto a lo largo del camino.

—¿Es cierto que no han encontrado ningún arma? —gritó alguien en medio de los reunidos—. Si no les dispararon ni los acuchillaron, ¿entonces cómo los mataron exactamente? He oído que había muchísima sangre derramada en el monte.

Desde su posición detrás del púlpito, Zach levantó una mano para acallar el subsiguiente aluvión de preguntas similares por parte de la multitud.

—Hasta que lleguen los expertos de Fairbanks, todo lo que puedo deciros es que estamos tratando este asunto como un caso de asesinato múltiple. Como uno de los oficiales encargado de la investigación, no tengo la libertad de discutir los detalles del caso con nadie en este momento, y tampoco creo que fuera acertado por mi parte especular.

—¿Pero qué nos dices de las heridas, Zach? —Esta vez fue Lanny Ham quien alzó la voz, con un tono de voz ligeramente más nervioso del habitual—. He oído que los cuerpos parecen haber sido atacados por animales. Animales grandes. ¿Es eso cierto?

—¿Qué es lo que piensa Alex, ya que ella fue quien encontró los cuerpos? —preguntó otra voz en la sala—. ¿Alguien cree que algún animal haya podido hacer semejante carnicería?

—Roger Bemis dijo que él vio un par de lobos merodeando cerca de su propiedad al lado oeste del pueblo el otro día —intervino Fran Littlejohn, que dirigía la pequeña clínica de la villa. Normalmente era una mujer razonable, pero ahora había una fuerte nota de preocupación en su voz—. Está siendo un invierno duro, y solo acaba de empezar. ¿No es posible que alguna bestia hambrienta decidiera atacar el lugar de Toms?

—Es una condenada posibilidad. Y si han sido lobos, ¿quién nos dice que no vendrán por aquí, ahora que han podido probar el sabor de la carne humana? —sugirió otra persona paranoica.

—Que todo el mundo se contenga, por favor —dijo Zach, en un intento de infundir la calma que se perdía más y más a medida que las voces dentro del edificio subían de tono en proporción con el nivel de histeria.

—Yo vi un lobo justo antes de caer la noche la semana pasada. Era un macho grande y negro, merodeando por la parte trasera del contenedor de Pete. No le di mayor importancia en ese momento, pero ahora...

—Y no olvidéis que hace unos pocos meses hubo aquellos lobos que mataron a los perros que conducían trineos en Ruby. Los periódicos decían que no quedaron de ellos más que las entrañas y los collares de cuero...

—Tal vez lo más inteligente sea emprender alguna acción —dijo Big Dave desde su lugar al fondo del recinto—. En lugar de estar aquí parados esperando que los agentes federales muevan el culo y vengan a echarnos una mano, tal vez lo que necesitamos es organizar una cacería. Una cacería de lobos.

—No fueron lobos —murmuró Alex, mientras acudía a su mente, en contra de su voluntad, la imagen del rastro de sangre que había visto en la nieve. Aquello no había sido hecho por un lobo, ni ningún otro tipo de animal.

Y entonces... ¿quién lo había hecho?

Sacudió la cabeza, negándose a permitir que los pensamientos la condujeran a una respuesta que esperaba que no fuera cierta. Suplicaba que no lo fuera.

—No fueron lobos —dijo de nuevo, alzando la voz por encima del barullo paranoico que se desataba a su alrededor como una enfermedad—. Ningún lobo haría algo similar. Ni siquiera la bestia más salvaje podría hacer algo como esto.

—La señorita Maguire tiene razón —dijo Sidney Charles, uno de los habitantes más viejos nacidos en Harmony, y alcalde del pueblo durante mucho tiempo, aunque solo llevara este nombre oficialmente desde hacía algunos años. Hizo un gesto con la cabeza a Alex desde su asiento en la fila central de la iglesia. Tenía el pelo oscuro y salpicado de canas, recogido en una coleta con una cinta de cuero. Su piel morena ganaba arrugas alrededor de los labios y de los ojos. Era de una naturaleza bondadosa y jovial, pero ahora, sin embargo, estaba sombrío. Lo pesado que le resultaba hablar de la muerte se reflejaba en el hundimiento de sus hombros, normalmente erguidos—. Los lobos respetan a los humanos, como nosotros deberíamos respetarlos a ellos. He vivido mucho tiempo, el tiempo suficiente como para poder aseguraros que esos animales nunca harían una cosa tan horrible. Y si alcanzara a vivir cien años más, tampoco creo que llegaran a hacerlo nunca.

—Bueno, con el debido respeto, Sid, yo no me arriesgaré a comprobarlo —dijo Big Dave. Su comentario fue seguido de un eco de aprobación de otros hombres sentados cerca de él—. Hasta donde yo sé, no ha habido una sola temporada en la que no tuviéramos que lidiar con algunos lobos problemáticos. ¿No es cierto, oficial Tucker?

—Sí, es cierto —transigió Zach—. Pero...

Big Dave continuó.

—Ha habido lobos que han amenazado poblados humanos, así que es nuestro derecho poder defendernos. Demonios, es nuestro maldito derecho. Yo tengo claro que no pienso quedarme aquí esperando hasta que alguna bestia de patas largas decida atacar de nuevo.

—Yo estoy de acuerdo con Big Dave —dijo Lanny Ham, disparando una mirada desde su asiento. Se retorció las manos y paseó la mirada nerviosa por la habitación—. ¡Creo que debemos pasar a la acción antes de que se nos presente el mismo tipo de problemas aquí en Harmony!

—¿Hay alguien que me haya escuchado? —dijo desafiante Alex, dejando estallar su ira—. Os estoy diciendo que los lobos no son responsables de lo que le ha ocurrido a Pop Toms y a su familia. Han sido atacados por algo terrible, algo aterrador... pero no era un lobo. Lo que yo vi ahí fuera no puede haber sido provocado por ningún tipo de animal. Era otra cosa...

La voz de Alex se le atoró en la garganta cuando su mirada se alejó hacia el fondo de la iglesia y se encontró con unos ojos plateados tan penetrantes que la dejaron sin aliento. No conocía al hombre de pelo negro que estaba de pie entre las sombras junto a la puerta. No era de Harmony, ni de ninguno de los pueblos vecinos. Alex estaba segura de que nunca había visto aquellas mejillas afiladas y esa mandíbula de corte cuadrado, o la sorprendente intensidad de esa mirada. En todo el interior de Alaska no se había topado con aquel rostro, la clase de rostro que una mujer jamás olvidaría.

El extraño no dijo nada, ni siquiera pestañeó con sus oscuras pestañas cuando ella enmudeció súbitamente y perdió el hilo de sus pensamientos. Se limitó a devolverle la mirada por encima de las cabezas de la multitud como si ella fuera lo único que él veía, como si fueran las dos únicas personas en toda la habitación.

—¿Y qué crees que puede haber sido, querida?

El fino hilo de voz de Millie Dunbar sobresaltó a Alex haciéndole apartar la vista de aquella desconcertante mirada. Tragó saliva con la boca seca y se volvió para mirar a la dulce anciana y las otras personas que esperaban en silencio para oír qué era lo que ella creía haber visto en el poblado de Toms.

—Yo... no estoy segura del todo —dijo evasiva, deseando no haber abierto la boca. Sintió el calor de los ojos del extraño sobre ella y se sintió de pronto reacia a decir en voz alta lo que había estado pensando aquel día en el monte y durante todas las horas de tortura que habían pasado desde entonces.

—¿Qué es lo que viste, Alexandra? —insistió Millie, con una expresión que era una mezcla de miedo y esperanza—.

¿Cómo puedes estar tan segura de que no fueron esos animales los que mataron a esas buenas personas?

Alex negó levemente con la cabeza. Maldita sea, se había metido en eso ella sola, y ahora cien pares de ojos la estaban mirando, esperando una explicación. Y ya no podía escabullirse. No sin quedar como una idiota y además condenar a los inocentes lobos de la zona a estar en el foco de mira de Big Dave y de toda esa pandilla que parecía estar esperando el permiso para lanzarse a exterminarlos sin motivo.

«Mierda.»

¿Tenía otra opción más que decir la verdad?

—Vi... una huella —admitió en voz baja.

—¿Una huella? —Esta vez fue Zach quien habló, arqueando sus cejas de un castaño claro y mirándola fijamente desde su posición en el púlpito por encima de la congregación—. No me dijiste nada acerca de una huella. ¿Dónde la viste, Alex? ¿Qué tipo de huella fue?

—Era la huella de un pie... en la nieve.

Zach frunció el ceño.

—¿Te refieres a la huella de una bota?

Alex guardó silencio durante un largo momento, insegura de cómo expresar lo que estaba a punto de decir a continuación. Nadie dijo nada durante aquel largo silencio. Sentía el peso de todas las miradas concentradas en ella, toda la expectación del pueblo arraigada en aquella mujer alta y rubia que había pasado la mayor parte de su vida en Harmony pero que todavía se sentía en cierto modo una extranjera porque había venido con su padre desde los húmedos pantanos de Florida.

Era el recuerdo de aquellos pantanos bañados por el sol lo que llenaba ahora los sentidos de Alex. Podía sentir el sabor salado del agua en la lengua, y podía oler el dulce aroma de los cipreses cubiertos de musgo y la fragancia de las azucenas impregnando el aire. Podía sentir el vibrante sonido de las cigarras y el grave croar de las ranas dando la serenata en la oscuridad mientras ella observaba cómo su madre mecía a su hermano pequeño para dormirlo, en el porche de la cabaña, mientras les leía con esa dulce y amable voz que Alex tanto echaba de menos. Podía ver la dorada luna que lentamente ascendía hacia el brillante mar de estrellas que titilaba allá en lo alto.

Y podía sentir, incluso ahora, el escalofrío de miedo que atravesó su corazón cuando la noche fue destruida por la violencia del monstruo que acudió a alimentarse.

Todo estaba allí de nuevo ante ella.

Tan terriblemente real como entonces.

—Alex.

La voz de Zach la sobresaltó, haciéndola temblar y volver de nuevo al tiempo presente, a Harmony, Alaska, y al espantoso temor que sentía al considerar que el terror por el que había huido de Florida pudiera encontrarla otra vez.

—¿Qué demonios te ocurre, Alex? —Había impaciencia en el tono de voz entrecortado de Zach—. Necesito saber lo que viste. Todo lo que viste.

—Vi la huella de un pie —dijo con tanta firmeza como pudo—. No de una bota. Era la huella de un pie desnudo. Una huella muy grande, y muy parecida a una huella humana, solo que...

—Oh, por el amor de Dios —dijo Big Dave soltando una risotada—. ¡No los mataron los lobos, sino Pie Gigante! Ahora lo entiendo todo.

—¿Qué estás diciendo, Alex? ¿Se trata de algún tipo de broma?

—No —insistió ella, apartándose del incrédulo Zach para mirar al resto de los vecinos del pueblo. Todos la contemplaban como esperando que empezara a reír.

Todos a excepción del extraño de pelo negro que había al fondo.

Sus ojos plateados se clavaron en ella como arpones de hielo, solo que la sensación que ella tenía al sostener su mirada no era fría, sino más bien una sensación que le derretía los huesos. Y no había nada de burla en su expresión. Escuchaba con una intensidad que la conmovía hasta su centro.

Él la creía, mientras que todas las otras personas del lugar rechazaban su testimonio con educación —y algunas sin educación—, mirándola confundidos.

—No es ninguna broma —dijo Alex a los residentes de Harmony—. Nunca he hablado más en serio, te lo juro...

—Ya he oído bastante —anunció Big Dave. Comenzó a dirigirse hacia la puerta, y otros hombres rieron mientras se levantaron tras él.

—Sé que parece una locura, pero tenéis que escucharme —dijo Alex, desesperada porque la creyeran ahora que ya les había dicho la verdad.

Parte de la verdad, al menos. Si no aceptaban su palabra respecto a la huella que había visto en la nieve, jamás aceptarían algo mucho más increíble, mucho más aterrador... la verdad sobre quién tenía la culpa de los asesinatos de Toms y su familia.

Incluso Jenna la miraba boquiabierta como si hubiera perdido el juicio.

—Nadie puede sobrevivir a esa temperatura sin llevar ropas adecuadas, Alex. No puedes haber visto la huella de un pie desnudo en la nieve. ¿Lo sabes, verdad?

—Sé lo que vi.

A su alrededor, la reunión empezaba a disolverse. Alex volvió la cabeza para mirar al extraño, pero ya no pudo verlo. Se había marchado. Sin saber por qué aquel pensamiento la decepcionó. No entendía por qué se sentía tan impulsada a buscarlo. Estaba impaciente por el deseo de verlo, y desesperada por salir de allí.

—Está bien. —Jenna se levantó y dedicó a Alex una sonrisa simpática, aunque desconcertada, mientras le daba un fuerte abrazo—. Has pasado un trance muy difícil. Los últimos días han sido muy duros para todos, pero estoy segura de que especialmente para ti.

Alex retrocedió y sacudió débilmente la cabeza.

—Estoy bien.

La puerta de la iglesia se abrió y se cerró mientras otro grupo de personas salían al aire helado de la noche. ¿Estaría él allí? Ella tenía que saberlo.

—¿Has visto a ese tipo del fondo de la iglesia esta noche? —preguntó a Jenna—. De pelo negro y ojos de color gris claro. Estaba de pie cerca de la puerta.

Jenna negó con la cabeza.

—¿De quién estás hablando? Yo no he visto a nadie...

—No importa. Escucha. Creo que no voy a ir al bar de Pete esta noche.

—Buena idea —aceptó Jenna mientras Zach bajaba del púlpito y caminaba hacia ellas—. Ve a casa y duerme un poco, ¿de acuerdo? Siempre estás preocupada por mí, pero lo que ahora necesitas es darte un pequeño respiro. Además, llevo mucho tiempo sin tomar una cerveza y comer una hamburguesa con el pesado de mi hermano, solos los dos. Últimamente ha estado evitándome, lo que me hace preguntarme si no tendrá una novia secreta o algo así.

—Una novia, no —dijo Zach—. No tengo tiempo para eso cuando estoy casado con mi trabajo. ¿Te encuentras bien, Alex? Lo que has dicho es de lo más extraño y nada típico en ti. Si quieres hablar conmigo de lo que ha pasado, o con algún otro profesional...

—Estoy bien —insistió ella, cada vez más irritada y agradeciendo la ira que le estaba permitiendo devolver el pasado al cajón donde debía estar—. Mira, olvida lo que he dicho esta noche. No quería decir nada, solo estaba tomándole el pelo a Big Dave.

—Bueno, es un gilipollas y se lo merece —dijo Jenna, pareciendo más que aliviada por no tener que llamar a médicos de bata blanca para que se la llevaran.

Alex sonrió con una ligereza que en realidad no sentía.

—Me voy. Que os divirtáis en el bar de Pete.

Apenas esperó que le dijeran adiós. Fue como una ráfaga hasta la puerta, obstaculizada por un trío de señoras mayores que iban hablando y se movían muy lentamente. El pulso de Alex estaba acelerado cuando inspiró y la primera bocanada de aire frío de la noche llenó sus pulmones. Permaneció de pie bajo los aleros repletos de nieve de la cabaña de la iglesia y miró en todas direcciones, en busca del llamativo rostro que había quedado grabado en su memoria desde el primer instante en que lo vio.

No estaba allí.

Quienquiera que fuese, y fuera lo que fuese lo que le había conducido hasta Harmony mientras el resto de la población estaba varada por culpa del mal tiempo, simplemente se había adentrado en la oscuridad, desvaneciéndose en aquel aire helado.

Capítulo cinco

Kade se adentró en el páramo glacial del monte, alejándose unos sesenta kilómetros del diminuto pueblo de Harmony. Había muy pocas alternativas de viajar hasta aquel lugar para los humanos: en avión, en trineo tirado por perros o en una motonieve. Kade viajaba a pie, con su trenca y su equipo colgados a la espalda. Sus raquetas lo ayudaban a avanzar a través de la nieve que podría tragarse a un hombre hasta las orejas. El viento racheado era como una sierra mientras avanzaba paso tras paso, dejando surcos en la nieve, con la velocidad y resistencia sobrehumanas que eran parte de la naturaleza de la estirpe.

Su corazón y su alma de habitante alaskeño disfrutaban del frío y la dureza de aquella tierra, despertando la parte salvaje de su interior... esa parte salvaje que tan rápido crecía de nuevo en su tundra familiar.

Siguió el cauce del río helado Koyukuk al norte, hacia el lugar donde estaba localizada la casa de los Toms. Cuando se halló cerca de la zona donde se habían producido los asesinatos, su agudo sentido del olfato lo guio durante el resto del camino. A pesar de la espesa capa de nieve caída en las tormentas de los últimos días, para alguien de su raza el aroma de la sangre derramada seguía en el aire y lo guiaba como un faro hacia la escena donde había tenido lugar la reciente carnicería. Aquella que ya había visto en las imágenes de vídeo que Gideon había capturado en Boston a fin de prepararlo para la misión. Había ido hasta la pista de aterrizaje de Harmony después de la reunión en el pueblo para ver personalmente a los muertos que yacían en el suelo del patio del hangar. Las heridas eran truculentas en el vídeo. Verlas de cerca desde luego no había mejorado la impresión.

Pero Kade estudió las laceraciones —los órganos estaban prácticamente destripados—, con cabeza fría y mirada objetiva. No se había encontrado con ninguna sorpresa al visitar el depósito de cadáveres improvisado. No había sido ni un animal ni un ser humano quien había matado a la familia Toms.

Otra cosa los había asesinado brutalmente, tal como había insistido en la iglesia aquella mujer joven, la bonita rubia de ojos marrones llamada Alexandra Maguire.

Ella sí había sido una sorpresa.

Alta y delgada, con una belleza simple que no necesitaba adornos, la mujer había sorprendido a Kade al ponerse en pie y declarar que había visto algo extraño en la nieve. Por un lado, Kade no tenía noticia de que existieran testigos, con excepción del idiota que había grabado el vídeo y había cometido la insensatez de colgarlo en Internet. Localizar y silenciar aquel problema en particular figuraba entre las prioridades de Kade en la misión de la Orden, justo por debajo de la prioridad de identificar al vampiro o vampiros renegados responsables del sangriento ataque y ajusticiarlos con mano rápida y fría.

Pero ahora había una complicación añadida por aquella mujer, Alex.

Una arruga más en una situación que ya estaba llena de ellas. Fuera lo que fuese lo que vio, fuera lo que fuese lo que sabía acerca de los asesinatos del monte, ella era un problema con el que Kade tendría que tratar antes de que las cosas se complicaran todavía más. Desde luego tenía deberes peores que el de sonsacar información a esa atractiva rubia.

Una de esas cosas peores se avecinaba ante él en la oscuridad... Se trataba del grupo de casas y construcciones que comprendían la zona donde se asentaba la familia Toms. Los orificios nasales de Kade respondieron ante el aroma de la sangre, ahora cubierta por un manto de nieve. Desde una distancia de cien metros, el escenario parecía pintoresco y pacífico. Un puesto fronterizo tranquilo entre los abetos y abedules del bosque que lo envolvía.

Pero el hedor de la muerte permanecía en el lugar y se hacía más fuerte a medida que Kade avanzaba hacia el sólido edificio de troncos más cercano al sendero. Dejó las raquetas de nieve y subió los dos escalones hasta el porche. La tosca puerta estaba cerrada pero sin llave. Kade giró el picaporte y la empujó con el hombro para abrirla.

Un gran charco de sangre helada brillaba como ónix negro a la escasa luz de la luna, que se derramaba alrededor de Kade mientras permanecía de pie ante el umbral de la casa. La reacción de su cuerpo ante la vista y el aroma de la sangre cristalizada lo golpeó en el cráneo como un martillo. A pesar de que la sangre derramada era vieja e inútil para Kade, pues los de su raza solo podían nutrirse con la sangre de seres humanos vivos, sus colmillos crecieron en sus encías como respuesta automática.

Dejó escapar una maldición a través de esos colmillos extendidos y al levantar la cabeza divisó más sangre y más señales de lucha y sufrimiento: una mancha oscura que conducía de la habitación principal de la cabaña hasta el pequeño pasillo que había en el centro. Una de las víctimas había tratado de escapar del depredador que había acudido a matarlos. Kade dejó su trenca y sus raquetas de nieve y luego se adentró por el pasillo. Al huir hacia el dormitorio posterior, el humano había sellado su destino. Allí fue acorralado, y las intensas salpicaduras en las paredes y la cama deshecha decían a Kade bastante acerca de la brutalidad de aquel asesinato.

Otras dos vidas habían sido aniquiladas en aquel lugar, y a Kade no le agradó reconstruir las espantosas escenas de los asesinatos mientras se desplazaba por el resto del lugar y analizaba el ataque. Ya había visto bastante. Supo con una certeza total que las muertes tenían la marca de la lujuria de sangre. Quienquiera que hubiese matado a los humanos de aquel lugar lo había hecho con un fervor que excedía cualquier cosa que Kade hubiera visto antes... incluso el ataque del más salvaje y adicto de los renegados.

—Maldito cabrón —murmuró, con el estómago tenso por el asco mientras se apartaba de aquel lugar fantasmal y se dirigía hacia el bosque de los alrededores en busca de aire fresco. Tragó aire y disfrutó de la energía del invierno en los pulmones.

No era suficiente. El hambre y la rabia lo dominaban como

tirantes cadenas, haciendo que el calor de sus ropas y de su parka le resultara sofocante. Kade se lo quitó todo y se quedó desnudo en la penetrante noche de noviembre. La helada oscuridad lo calmaba, pero no demasiado.

Quería correr —necesitaba correr—, y sentir los fríos brazos de la jungla de Alaska abrazándolo. En la distancia, oyó el grave aullido de un lobo. Sintió cómo el grito resonaba en la médula de sus huesos y a través de sus venas.

Kade echó la cabeza hacia atrás y respondió.

Otro lobo contestó, este notablemente más cerca que el anterior. A los pocos minutos, la manada se hallaba junto a él, a pocos centímetros entre los grupos de abetos. Kade miró los penetrantes ojos de cada lobo. El macho alfa salió de entre los árboles, un gran lobo negro con cortes en el oído derecho. Avanzó solitario, moviéndose como una sombra entre la prístina blancura de la nieve.

Kade permaneció de pie ante el macho alfa, y luego se acercaron los otros, formando un círculo a su alrededor. Se encontró con sus ojos inquisitivos y envió la promesa mental de no hacerles daño. Ellos lo entendieron, tal como esperaba.

Y cuando les dio la orden silenciosa de que se marcharan, la manada se adentró en la densa cortina del bosque iluminado de estrellas.

Kade se unió a ellos y corrió como un lobo más de la manada.

En algún otro lugar de la noche oscura y fría, otro depredador caminaba por el terreno adusto y helado.

Había estado caminando durante horas, solo y a pie en aquel páramo vacío durante más noches de lo que podía recordar. Estaba sediento, pero su necesidad no era tan fuerte como la primera vez que se había adentrado en la fría noche. Su cuerpo ahora estaba nutrido, sus músculos, huesos y células tenían el poder de la sangre que había tomado recientemente. Demasiada sangre, había que reconocer, por eso su sistema todavía estaba nivelando la cantidad excedente.

Y ahora que era más fuerte y su cuerpo había revivido, encontraba difícil refrenar la emoción de la caza.

Al fin y al cabo era un cazador en estado puro.

Fueron esos instintos de depredador los que despertaron cuando el silencio de los bosques que atravesaba fue perturbado por los pasos rítmicos de un intruso de largas piernas. El olor de madera quemada y de piel humana sucia asaltó su nariz cuando la sombra oscura de un hombre envuelto en una pesada parka se materializó no muy lejos de donde esperaba y observó al cazador, en la oscuridad. Con cada paso que daba el humano se oía un ruido metálico, provocado por las pesadas cadenas y afilados cepos que sostenía en su mano enguantada. En la otra mano sujetaba un animal por sus patas traseras, una especie de roedor grande que había sido destrozado a lo largo del camino.

El cazador humano caminó con dificultad hacia una pequeña choza de troncos que había en el camino.

Pasó junto al otro cazador, inconsciente de la mirada que lo seguía con ávido interés.

Por un momento, el cazador se debatió sobre las ventajas de acorralar a su presa en los límites del diminuto refugio o practicar un poco de deporte entre los árboles del exterior.

Decidiéndose por la segunda posibilidad, avanzó un paso desde su lugar de observación y emitió un sonido grave desde el fondo de la garganta, en parte como advertencia y en parte como una invitación para que el humano, sobresaltado, echara a correr.

El cazador no le decepcionó.

—¡Oh, Dios! ¿Qué demonios es...? —El miedo hizo palidecer su rostro barbudo y lo dejó boquiabierto. Dejó caer su miserable premio a sus pies en la nieve y luego echó a correr torpemente y aterrorizado para cobijarse en el bosque.

Los labios del otro cazador se torcieron y los colmillos asomaron anticipando la persecución.

Dejó que su presa alcanzara una distancia deportiva, y luego salió tras ella.

Capítulo seis

Alex lo cargó todo en su vehículo para la nieve, con *Luna* a bordo frente a ella, alrededor de una hora antes del amanecer. Todavía estaba alterada por la reunión del pueblo la noche anterior, y sentía algo más que un poco de curiosidad por el extraño que aparentemente se había desvanecido en el monte de la misma forma rara en que había aparecido al fondo de la pequeña iglesia de Harmony.

¿Quién era? ¿Qué pretendía encontrar en el diminuto y remoto pueblo de Harmony? ¿Y cómo había llegado allí cuando la reciente tormenta de nieve había dejado incomunicados la mayor parte de los puertos?

¿Y por qué había sido la única persona en toda la asamblea de la noche anterior que la había escuchado con atención cuando ella habló de la huella del pie que halló en la nieve y no la hizo sentir como si hubiera perdido el juicio?

No es que nada de eso importara hoy. Ese señor oscuro, alto y misterioso se había marchado de Harmony, y Alex había cargado el trineo con tantas provisiones como podía transportar para proporcionar necesidades básicas a algunas personas que había tenido que desatender cuando su vuelo por el monte se vio interrumpido el otro día.

Ahora apenas disponía de tres horas de luz y la gasolina justa almacenada en el tanque extragrande para hacer un viaje de aproximadamente ciento sesenta kilómetros.

No tenía una buena razón para dar un rodeo hasta la propiedad de los Toms, que se hallaba a una hora de desvío de su camino. Ninguna razón, a excepción de una acuciante necesidad de respuestas. La esperanza —que temía fútil— de encontrar algún tipo de explicación de los asesinatos en la que no hubiera involucradas huellas de pies en la nieve y recuerdos desenterrados de la fosa de su infierno particular.

Mientras Alex conducía su vehículo por el sendero que iba hasta la casa de Pop Toms, *Luna* saltó fuera para retozar en la reluciente nieve recién caída.

—Quédate conmigo —advirtió Alex a la entusiasmada perra loba mientras disminuía la marcha del trineo al aproximarse al pequeño grupo de oscuras cabañas de madera.

Ver a *Luna* delante corriendo entusiasmada le trajo a la memoria el horrible recuerdo de lo ocurrido tres días atrás y el macabro descubrimiento del cuerpo del joven Teddy.

Y, al igual que ese día, *Luna* salió corriendo por su cuenta, ignorando las llamadas de Alex, que le advertía que esperara.

—¡*Luna*! —gritó Alex rompiendo el silencio de la tarde.

Apagó el motor de su vehículo y se bajó. Luego avanzó como pudo, malhumorada, a través de los cúmulos de nieve que difícilmente refrenarían la velocidad de *Luna*.

—¡*Luna*!

Varios metros por delante, la perra loba subió corriendo los escalones del porche de Pop y desapareció en el interior. ¿Qué demonios? La puerta estaba abierta, a pesar de que Zach se había asegurado de que todo quedara cerrado antes de que los cuerpos de Pop y su familia fueran trasladados. ¿Acaso el viento habría abierto la puerta?

¿O habría sido algo más peligroso que un vendaval del Ártico lo que se había acercado por allí desde que tuvieron lugar los asesinatos?

—*Luna* —dijo Alex mientras se acercaba a la construcción de troncos, odiando que le temblara la voz. El corazón comenzó a martillearle dentro del pecho. Tragó saliva para controlar su ansiedad y lo intentó otra vez—. *Luna*. Sal de ahí, muchacha.

Oyó movimiento dentro, luego un crujido y el ruido de una tabla de madera, como si esta protestara por el frío y por el peso de alguien o algo que estaba dentro junto a la perra.

Más movimiento, pasos que se acercaban hacia la puerta

abierta. Alex sintió que el miedo le recorría la espalda hasta la nuca. Se dispuso a buscar el revólver que tenía escondido bajo la parka en la parte inferior de su espalda. Agarró el arma y la sostuvo firmemente frente a ella con los dos puños, justo cuando *Luna* salió trotando despreocupada para recibir a Alex al pie de las escaleras.

Y detrás de ella, en el interior de la casa de Pop, había un hombre... el extraño de pelo negro que se hallaba la noche anterior en el fondo de la iglesia. A pesar del frío, llevaba tan solo unos tejanos azules anchos, que se estaba abrochando como si acabara de levantarse de la cama.

Sostuvo la incrédula mirada de Alex con una calma que ella difícilmente podía comprender, como si fuera lo más normal del mundo ser apuntado por un revólver cargado del 45 todos los días.

—Tú —murmuró Alex, formando una nube alrededor con su respiración—. ¿Quién eres tú? ¿Qué demonios estás haciendo aquí?

Él permaneció de pie inmóvil, inmutable, en la habitación principal de la casa. En lugar de responder a sus preguntas, levantó la barbilla, fuerte y cuadrada, para señalar la pistola.

—¿Te importaría apuntarla hacia otra parte?

—Sí, tal vez lo haga —dijo ella, con el pulso todavía acelerado y ya no solamente por el miedo.

El tipo era intimidante. Medía casi dos metros, tenía hombros anchos y musculosos y poderosos bíceps que parecían capaces de levantar el peso muerto de un alce macho. Debajo de un curioso diseño de tatuajes que danzaban artísticamente sobre su pecho, su torso y sus brazos en alguna especie de diseño tribal, su piel tenía el suave color dorado de un nativo del lugar. Su cabello parecía indicar el mismo linaje, negro azabache y liso, y las puntas parecían sedosas como las alas de un cuervo.

Solo sus ojos parecían los de alguien que no tenía una ascendencia únicamente alaskeña. De un color plateado pálido, penetrantes bajo las espesas y oscuras pestañas, mantenían a Alex sujeta de una forma que parecía física.

—Necesito pedirte que salgas fuera donde pueda verte —dijo ella, incómoda ante la situación y ante aquel hombre como mínimo desconcertante. A pesar de estar segura de que no tenía nada que hacer contra él, con balas o sin balas que la respaldasen, se esforzó por reproducir lo mejor que pudo el tono afectado de «nada de tonterías» que emplearía un oficial de policía—. Ahora mismo. Fuera de la casa.

Él ladeó la cabeza y dirigió la vista por encima de ella hacia la última y brumosa luz del día que aún quedaba.

—Preferiría no hacerlo.

«¿Que preferiría no hacerlo? ¿Estaba hablando en serio?»

Alex flexionó los dedos para agarrar mejor la pistola, y él levantó las manos lentamente para demostrar que no se resistía.

—Hay cerca de diez grados bajo cero ahí fuera. Cualquier hombre podría quedarse helado de manera crítica —dijo, teniendo el coraje de curvar los labios para esbozar una sonrisa divertida—. Mis ropas están ahí dentro. Como has podido ver, no iba vestido para recibir compañía ni para salir a dar un paseo por la tundra.

Su sentido del humor irónico y fácil desinfló la mayor parte de su temor. Sin esperar a que ella respondiera, y haciendo caso omiso del arma cargada que todavía lo seguía apuntando, él se dio la vuelta para dirigirse al interior de la casa.

Dios santo, esos fascinantes tatuajes envolvían también toda su espalda. Parecían moverse junto a él, acentuando la delgada y dura musculatura que se agrupaba y se flexionaba con cada paso.

—Tampoco es necesario que tú te quedes ahí fuera con este frío —dijo él, enloqueciendo el pulso de ella con su voz profunda al tiempo que desaparecía de su vista—. Guarda la pistola y entra aquí si quieres hablar.

—Mierda —soltó Alex resoplando.

Relajó los brazos, sin estar muy segura de lo que iba a ocurrir. Aquel tipo era increíble. ¿Era un arrogante o simplemente estaba loco?

Ella tenía en la mente la idea de lanzar un disparo de advertencia, solo para hacerle saber que iba en serio, pero en aquel mismo momento *Luna* soltó un ladrido y subió corriendo los escalones para entrar en la casa tras él. Chucho desleal.

Pronunciando una maldición en voz baja, Alex bajó la pistola y subió con cuidado las escaleras del porche para entrar por la puerta abierta de aquella casa que durante varios años había sido su segundo hogar. En aquel momento, la casa de Pop no podía haberle resultado más extraña. Extraña en todo sentido.

Sin la voz retumbante de Pop Toms para recibirla mientras entraba, la casa parecía más fría, más oscura, más vacía que nunca. Afortunadamente, allí no había sangre derramada, pues tanto él como Teddy habían corrido y habían sido perseguidos fuera antes de ser alcanzados por el asesino. Todo tenía el mismo aspecto como si todavía estuvieran allí, solo que Alex se sentía como si una realidad alternativa hubiera colisionado con la que ella conocía.

Fuera de lugar en el estrecho salón, había una bolsa negra de cuero con la cremallera abierta y colocada sobre el sofá de cuadros escoceses naranjas y marrones. Alex dio un vistazo rápido al contenido de la bolsa. Dentro no había nada más que alguna ropa y un desagradable cuchillo de caza que había sido extraído de su funda y colocado encima de un par de uniformes negros estilo militar.

Pero la cuchilla brillante y dentada que parecía propicia para terminar rápidamente con un oso pardo era tan solo un aperitivo respecto al resto de armas extendidas en el salón de Pop.

Un poderoso rifle con un rotundo cañón estaba apoyado en un rincón cerca de la puerta. Junto a este, en la mesilla llena de marcas que Pop Toms había construido con sus propias manos como regalo de bodas para su esposa tres décadas atrás, había una gran caja de municiones. Las puntas de las grandes y brillantes balas eran puntiagudas y con capucha, el tipo de munición capaz de atravesar en un instante la carne y los huesos más duros, sin piedad y sin posibilidad de que la víctima sobreviva. Otra arma, una semiautomática de 9 milímetros que superaba con creces su revólver del 45, descansaba en una funda negra cerca de la caja de balas huecas.

Habiendo vivido en el monte la mayor parte de su vida,

Alex no se acobardaba ante la visión de armas o de un equipo de caza, pero aquel arsenal y la conciencia de que el hombre que lo poseía había vuelto a entrar silenciosamente en la habitación, la hizo retroceder.

Alzó la vista y lo vio poniéndose una gruesa camisa gris de gamuza y doblándose las mangas hasta los antebrazos. El fascinante despliegue de tatuajes desapareció cuando se abrochó un par de botones de la parte delantera. En los confines de la habitación, Alex captó el aroma del aire ártico y de los pinos frescos, junto a un olor más salvaje que parecía emanar de él y despertar completamente los sentidos de ella.

Dios, ¿acaso llevaba tanto tiempo sin estar en compañía de un hombre que su instinto de supervivencia se había atrofiado? No creía que así fuera, y además no era la única hembra de la habitación que resultaba afectada por aquel extraño que parecía haber surgido de la nada. *Luna* había instalado su traidor trasero a los pies de él y lo contemplaba con adoración mientras él se inclinaba para rascarle detrás de las orejas. Normalmente la perra era precavida con los desconocidos y no se fiaba de los extraños, pero con él no ocurría.

Si necesitaba que alguien respondiera por el carácter de una persona, podía hacer muchas cosas peores que escuchar los instintos de *Luna*. Por esa razón, Alex tenía su propio cálculo interior para juzgar si podía confiar en alguien, una especie de instinto detector de mentiras que permanecía despierto desde que era una niña. Lamentablemente, para que funcionara, debía estar lo bastante cerca de la persona como para poder tocarla... incluso un simple roce de los dedos sobre alguien podía ser un contacto suficiente para saber si estaba mintiendo.

Por muy tentador que pudiera ser colocar sus manos sobre la piel desnuda de aquel hombre, eso supondría tener que bajar el revólver. Y francamente, no creía que fuera inteligente mostrarse tan amigable en este momento.

—¿Quién eres? —insistió Alex, preguntándose si él respondería esta vez—. ¿Qué estabas haciendo en la reunión de Harmony, y qué asunto te ha traído por aquí? Estás interfiriendo en la escena del crimen, por si no te habías dado cuenta.

—Me he dado cuenta. Y el metro de nieve que ha sepultado el lugar ha interferido mucho antes de que yo llegara —dijo sin disculparse, todavía acariciando a *Luna* en la cabeza y bajo la barbilla, mientras la perra prácticamente babeaba de placer.

Alex podía jurar que algo secreto estaba ocurriendo entre el hombre y el animal un momento antes de que *Luna* se levantara y fuera hasta ella para lamerle la mano.

—Me llamo Kade —dijo él, atravesándola con aquella mirada firme, inteligente y plateada. Se acercó y le ofreció la mano, pero Alex todavía no había decidido si podía confiar en él como para dársela. Él vaciló durante un momento y luego dejó caer su brazo a un lado—. Por lo que oí anoche tengo entendido que tenías un trato cercano con las víctimas. Siento mucho todo lo que ha pasado, Alex.

A ella le puso nerviosa la familiaridad con la que pronunció su nombre. No le gustó la forma en que su voz y su inesperada compasión pareció alcanzar el centro de su pecho y afectar sus sentidos. No lo conocía, y desde luego no necesitaba su compasión.

—Tú no eres de por aquí —dijo ella repentinamente, sintiendo la necesidad de mantener cierta distancia mientras las paredes parecían cernirse sobre ella cuanto más tiempo pasaba en su presencia—. Pero tampoco eres un extranjero. ¿O sí?

Él negó vagamente con la cabeza.

—Nací en Alaska y crecí al norte de Fairbanks.

—¿Quién es tu familia? —preguntó ella, tratando de que sonara como una conversación y no como un interrogatorio.

Él pestañeó, solo una vez, cerrando lentamente sus extraordinarios ojos.

—No conocerás a mi familia.

—Te sorprenderías. Conozco a mucha gente —dijo ella, aumentando la presión ante sus evasivas—. Pruébame.

Él curvó las comisuras de los gruesos labios.

—¿Me estás haciendo una proposición, Alex?

Ella se aclaró la garganta, cogida fuera de juego ante la insinuación, y todavía más por la forma en que se le había acelerado el pulso con esa pregunta suspendido en el aire.

Kade avanzó entonces hacia ella, con pasos largos y seguros y se detuvo a la distancia de un brazo.

Dios, era hermoso. Todavía más visto de cerca. Su rostro delgado tenía ángulos agudos y huesos fuertes, sus cejas y pestañas negras destacaban el intenso color invernal de sus ojos, ligeramente ovalados en los extremos. Ojos de lobo. Los ojos de un cazador.

Alex se sintió atrapada por ellos mientras él se acercaba aún más. Sintió el calor de su mano en la de ella, y luego un apretón firme y a la vez suave mientras extraía cuidadosamente el revólver de sus dedos.

Se lo ofreció de nuevo con la palma de la mano abierta.

—No necesitas usar esto, te lo prometo.

Cuando ella aceptó el arma en silencio y la guardó en su funda detrás de la espalda, él caminó hasta el sofá y envainó la siniestra cuchilla que había estado descansando en la parte superior de su bolsa abierta.

—Debes de haberte asustado mucho, al ser la primera en descubrir lo ocurrido aquí.

—No fue un buen día —dijo ella, quedándose muy corta—. Los Toms eran buenas personas. No merecían morir de esta forma. Nadie lo merece.

—No —respondió él con seriedad—. Nadie merece este tipo de muerte. Excepto las bestias responsables de lo que les ha ocurrido a tus amigos.

Alex lo miró mientras él cerraba la tapa de sus balas letales y volvía a guardar la caja en su bolso.

—¿Eso es lo que te ha traído hasta aquí con todas esas armas? ¿Alguien de Harmony te ha contratado para venir a liquidar a una manada de lobos inocentes? ¿O has venido aquí para hacerlo por tu cuenta?

Él inclinó la cabeza en su dirección.

—Nadie me ha contratado. Tengo un problema que solucionar. Eso es todo lo que necesitas saber.

—Un cazador de recompensas —murmuró ella, probablemente con más ponzoña de lo prudente—. Lo que ha ocurrido aquí no tiene nada que ver con los lobos.

—Eso es lo que dijiste anoche en la reunión. —Su voz sonaba más plana de lo que ella había oído hasta ahora. Y cuando la miró, fue con una sagaz intensidad que la hizo retroceder un paso—. Nadie te creyó.

—¿Tú me crees?

Si es que era posible, su dura mirada plateada se hizo más profunda. Como si pudiera ver a través de ella, y alcanzar los recuerdos que ella no podía soportar revivir.

—Dime lo que sabes, Alex.

—¿Te refieres a que te cuente más acerca de las pisadas que vi ahí fuera?

Él negó levemente con la cabeza.

—Me refiero a lo demás. ¿Cómo puedes estar tan segura de que esas muertes no fueron hechas por animales? ¿Viste al atacante?

—No, gracias a Dios —se apresuró a responder ella.

Tal vez se apresuró demasiado, porque él avanzó un paso hacia ella, frunciendo el ceño, evaluándola.

—¿Qué me dices del vídeo? ¿Hay más en alguna parte? ¿Algo más aparte del material que se grabó después de los asesinatos?

—¿Cómo? —Alex no necesitaba fingir confusión ahora—. ¿Qué vídeo? No tengo ni idea de lo que estás hablando.

—Hace tres días, alguien grabó un vídeo con un teléfono móvil y lo colgó en un sitio ilegal de Internet.

—Oh, Dios mío. —Horrorizada, Alex se tapó la boca con la mano—. ¿Y tú lo has visto?

El músculo que se tensó en su mejilla fue confirmación suficiente.

—Si sabes algo más acerca de las muertes que tuvieron lugar aquí necesito que me lo digas ahora, Alex. Es muy importante que tenga toda la información posible.

Si Alex había tenido la intención de soltarlo todo en la reunión del pueblo la noche anterior, ahora, de pie ante aquel hombre —ese extraño que la hacía vibrar inexplicablemente en todos los niveles de su ser—, las palabras se le atoraban en la garganta. No lo conocía. No estaba segura de poder confiar en él, aun si lograra atreverse a arrastrar hacia la luz sus sospechas más oscuras.

—¿Por qué estás aquí? —le preguntó suavemente—. ¿Qué estás buscando?

—Busco respuestas, Alex. Creo que busco lo mismo que tú... la verdad. Tal vez podamos ayudarnos el uno al otro de alguna forma.

El sonido agudo del teléfono móvil de Alex interrumpió el prolongado silencio. Sonó otra vez, dándole a ella la excusa que necesitaba para apartarse unos pasos del hombre cuya presencia parecía agotar el aire de la habitación. Alex se alejó de él y atendió la llamada.

Era Jenna, que la llamaba para recordarle que supuestamente habían quedado para cenar en el local de Pete. Alex murmuró una confirmación rápida, pero se quedó al teléfono después de que Jenna se hubiera despedido y hubiera colgado.

—Sí, no hay problema —dijo Alex cuando ya no había nadie al otro lado de la línea—. Estoy de camino justo ahora. Estaré allí en veinte minutos, como mucho. Bueno, hasta ahora.

Guardó el teléfono en el bolsillo de su parka y se volvió para mirar el rostro de la persona preferida ahora por *Luna*, que estaba sentada en el sofá con la perra a sus pies.

—Tengo que irme. Tengo entregas que hacer antes de que el sol se ponga y he quedado para cenar con una amiga en el pueblo.

Estaba ansiosa por marcharse, pero ¿por qué se sentía obligada a excusarse ante aquel hombre? ¿Por qué iba a importarle a él que se marchara si no podía escapar lo suficientemente rápido?

Alex chasqueó los dedos con delicadeza y llamó a *Luna* por su nombre. En mérito de la perra había que decir que se acercó tranquilamente sin parecer demasiado disgustada por tener que separarse del hombre.

—Haré saber al oficial Tucker que has estado aquí hoy —añadió ella, imaginando que podía convenir recordarle que tenía un trato amistoso con el policía.

—Hazlo, Alex. —Él no abandonó su pose relajada en el sofá de Pop Toms—. Ten cuidado ahí fuera. Te veré por aquí.

Alex captó la sonrisa que él desplegó lentamente mientras se dirigía con *Luna* hacia la puerta de la cabaña. Aunque no se atrevió a mirar atrás, podía sentir esos ojos plateados en la nuca, observándola mientras se subía a su motonieve con *Luna* y ponía el motor en marcha. Recorrió apenas cien metros antes de que otro pensamiento la asaltara.

No había visto ningún otro trineo aparcado en ninguna parte.

¿Entonces cómo demonios había recorrido él los más de sesenta kilómetros que había desde Harmony a través del páramo abierto?

Capítulo siete

Kade pasó las pocas horas de luz que quedaban en la cabaña de Toms. En cuanto fue seguro para su sensible piel de la estirpe aventurarse fuera, se puso en marcha de nuevo a pie, esta vez para dirigirse hacia las más de cuatro mil hectáreas de tierra que su familia poseía al norte de Fairbanks.

Se preguntaba cómo sería recibido en el Refugio Oscuro de su padre... él, el hijo pródigo, la oveja negra que no se arrepiente, que se marchó hacía más de un año sin dar ninguna excusa ni explicación, y sin mirar jamás atrás. Se sentía algo culpable por eso, pero no creía que nadie le creyera si lo decía.

Se preguntaba si Seth estaría en el recinto cuando él llegara, y si así era, se preguntaba qué diría su hermano acerca de los asesinatos que habían traído a Kade desde su hogar de Boston a investigar en nombre de la Orden.

Pero más que cualquiera de esas cosas, Kade se preguntaba qué era lo que Alexandra Maguire estaba ocultando.

Kade tenía bastante experiencia personal guardando secretos como para adivinar que esa atractiva mujer piloto especializada no estaba siendo enteramente honesta respecto a lo que sabía acerca de las recientes muertes. No era honesta con los habitantes del pueblo y las fuerzas de la ley locales y tampoco con él. Posiblemente ni siquiera estaba siendo honesta consigo misma.

Él podía haberla apretado para sonsacarle la verdad al encontrarla en la cabaña de Toms, pero Alex no parecía el tipo de persona a la que es fácil obligar a hacer algo que no quiere. Kade necesitaría ganarse su confianza para obtener la información que quería de ella.

Tal vez incluso tuviera que seducirla, una idea que consideraba de lo más interesante. Sí. Era un trabajo duro, estar cerca de Alexandra Maguire. Toda misión debería incluir una tarea tan pesada.

Los pensamientos acerca de cómo jugaría con ella la próxima vez que la viera hicieron que las horas y los kilómetros quedaran atrás rápidamente. Enseguida llegó a la enorme extensión forestal, la zona virgen que había sido propiedad de su familia durante cientos de años. El olor conocido de los bosques y de la tierra que yacían aletargados bajo la nieve le hizo sentir una opresión en el pecho. Durante mucho tiempo, aquella extensión de tierra había sido su hogar, su reino y su dominio.

¿Cuántas veces habían corrido Seth y él, gritando como salvajes a través de aquel bosque, compañeros de juegos, jóvenes señores de la caza? Demasiadas como para poder recordar el número.

Pero Kade recordaba la noche en que el idilio de su infancia compartida había terminado. Todavía sentía el peso de aquel momento a través de la helada sensación de terror que le aferraba la nuca a medida que se acercaba a la extensión del recinto formado por las construcciones de madera hechas a mano que comprendían el Refugio Oscuro de su familia.

A diferencia de la mayoría de comunidades civiles de la estirpe, este Refugio Oscuro no tenía vallado su perímetro ni un circuito de seguridad con cámaras. Tampoco había guardias apostados en el camino. Estaba tan recóndito en el monte que no había necesidad de esas cosas. El territorio mismo actuaba como el centinela de las muchas residencias y personas que habitaban allí. Duro, remoto, expansivo.

Si los depredadores de cuatro patas no disuadían a los visitantes humanos inesperados de adentrarse en la propiedad, el padre de Kade y los otros veinte rudos machos de la estirpe que vivían en el interior del Refugio Oscuro estarían encantados de disuadirlos personalmente.

Kade avanzó con dificultad a través del sendero nevado que conducía hasta la gran casa principal. Golpeó en el quicio de la puerta, incómodo ante la idea de entrar al lugar de manera imprevista.

El hermano menor de su padre acudió a la puerta y la abrió.

—¿Qué estás haciendo de pie en la nieve, Seth...?

—Tío Maksim —dijo Kade, inclinando la cabeza a modo de saludo cuando el rostro del otro hombre se iluminó al reconocerlo—. ¿Cómo estás, Max?

El macho de la estirpe tenía casi trescientos años, y como todos los de su raza, parecía estar en la plenitud de la vida por su rostro sin arrugas y su poblado cabello castaño.

—Estoy bien —respondió—. Esta es desde luego una agradable sorpresa, Kade. Tu padre estará encantado de tenerte en casa.

Kade contuvo el impulso de reírse ante aquella opinión, solo porque sabía que su tío trataba de ser amable.

—¿Está él aquí?

Maksim asintió.

—Está en su estudio. Dios, es un alivio verte otra vez y saber que todavía estás vivo. Has estado tanto tiempo lejos sin contactar... Me temo que muchos de nosotros supusimos lo peor.

—Sí —dijo Kade, con ironía intencionada—. Lo supongo. ¿Puedes decirle a mi padre que estoy aquí?

Su tío le dio unas suaves palmadas en el hombro.

—Haré algo mejor que eso. Ven conmigo. Te llevaré junto a él.

Kade siguió al corpulento hombre a través de la imponente residencia hasta el estudio privado que daba al lado oeste de la propiedad. Maksim golpeó la puerta con los nudillos, y luego la abrió.

—Kir. Mira quién ha vuelto a casa, hermano.

El padre de Kade apartó la vista del programa que tenía abierto en el ordenador y se dio la vuelta en su gran silla de cuero para mirarlos de frente. Kade observó que su severa expresión fue primero de sorpresa y alivio para transformarse luego en una expresión de confusión y más que ligera decepción al darse cuenta de que era el hijo pródigo, y no el favorito, quien estaba en el umbral. Frunció el ceño.

—Kade.

—Padre —replicó, sabiendo que no habría abrazos emocionados ni una cálida bienvenida cuando su padre se levantó de su asiento y caminó hasta la parte delantera de su gran escritorio.

Dirigió apenas una mirada a su hermano, que estaba de pie junto a la puerta, detrás de Kade.

—Déjanos solos, Maksim.

Kade más que ver sintió el silencio de su tío, que obedientemente se retiró de la habitación. Se quedó mirando a su padre, observando la dura desaprobación en su oscura mirada, que se clavaba en él desde el otro extremo de su estudio privado. Kade dejó su bolso de objetos personales y armas y se quedó esperando algún comentario desagradable de su padre.

—Olvidaste mencionar que tenías la intención de volver a casa cuando hablamos hace unos días. —Como Kade no ofreció ninguna excusa, su padre exhaló el aire con brusquedad—. La verdad es que no me sorprende. Tampoco te molestaste en decir gran cosa antes de dejarnos hace ya un año. Simplemente te marchaste sin pensar en tu responsabilidad o en tu familia.

—Era hora de que me marchara —replicó Kade después de una larga pausa—. Había cosas que tenía que hacer.

Su padre soltó una burla que sonó crispada por la animosidad.

—Espero que haya valido la pena. Le rompiste el corazón a tu madre, ¿te das cuenta? Hasta que llamaste el otro día, ella estaba segura de que habías muerto al unirte a esos guerreros de Boston. Y a pesar de que Seth sería la última persona en hablar mal de ti, puedo decirte que le has roto también el corazón. Tu hermano ha cambiado desde que te marchaste.

Y por supuesto, la culpa de eso y de todo lo demás era una pesada carga sobre los hombros de Kade. Sacudió la cabeza, sabiendo que era inútil tratar de defenderse o de defender la Orden. Lucan y los otros guerreros no necesitaban el apoyo de su padre ni su aprobación. Y tampoco era una necesidad para él.

Ya había sobrevivido sin eso durante una condenada cantidad de tiempo, y ya había renunciado a la necesidad de demostrarle algo a ese hombre.

—Entonces, ¿Seth está todavía fuera encargándose de esos asuntos tuyos?

Su padre reaccionó afilando la mirada ante la pregunta.

—Volverá pronto. Supongo que habrá tenido que alimentarse durante su ausencia, y probablemente esa es la razón de su retraso.

—¿Y qué tal está Patrice?

—Ya no forman pareja —fue la respuesta cortante de su padre.

Kade emitió un gruñido de reconocimiento. Hubiera deseado sentirse más sorprendido ante la noticia. Durante media docena de años había sido aceptado que Seth y Patrice, una de las compañeras de sangre que vivía en el Refugio Oscuro de la familia desde que era una niña, terminarían por formar una pareja unida por un vínculo de sangre. En cierto momento, Patrice lo había escogido entre los otros machos de la región, y para deleite de sus padres, Seth había aceptado formar pareja con ella. El problema era que parecía encontrar una excusa detrás de otra para aplazar el compromiso.

Sin una compañera para satisfacer su necesidad de sangre como vampiro, estaba forzado a alimentarse de la población mortal para poder obtener sustento. La mayoría de los machos de la estirpe daban la bienvenida al lazo eterno e irrompible que los liberaba de su esclavitud y sed de sangre y les proporcionaba una firme y amorosa fuente de fuerza y de pasión para toda la vida.

Pero había algunos que preferían permanecer sin ataduras, cazando donde querían, disfrutando de la persecución constante y la conquista de una nueva presa humana.

El propio Kade no tenía prisa por comprometerse con una compañera de sangre, y ese era otro motivo de desacuerdo con su padre y su madre, que compartían un lazo de sangre y estaban felizmente unidos desde hacía más de un siglo. Ellos ponían sus esperanzas en Seth. Él había sido el estudioso y cerebral, y se suponía que algún día tomaría las riendas como líder de la familia del Refugio Oscuro o formaría la suya propia.

Kade había sido siempre la estridente antítesis de su hermano. Era su veta temeraria la que probablemente lo había condenado a ojos de su padre, mientras que el cuidadoso control exterior de Seth le había dado aparentemente libertades ilimitadas.

—Bueno —dijo su padre después de un silencio prolongado—. Ya que ahora has entrado en razón y has vuelto a casa, confío en que esto signifique que estás preparado para tratar de formar parte de la familia una vez más. Dado que parece que has vuelto con poco más que algo de ropa, me encargaré de ingresar algún dinero en tu antigua cuenta.

—No he venido aquí para recibir limosnas —soltó Kade, sintiendo crecer su rabia ante aquella suposición—. Y en cuanto a quedarme, no es mi plan...

—¿Dónde está mi hijo? —Las palabras de Kade fueron interrumpidas por un pequeño ciclón que abrió las puertas del estudio de golpe e irrumpió en la habitación—. ¡Eres realmente tú! ¡Oh, Kade!

Agarró a Kade en un abrazo feroz, con el cuerpo vibrando de la emoción. Su madre estaba tan bella y espléndida como siempre. Más aún, pues su brillo se veía realzado por la gran barriga de embarazada que se notaba debajo de su jersey holgado blanco de invierno y los pantalones que llevaba. Tenía el pelo negro como el ébano y los ojos de un plateado pálido, igual que Kade y que Seth. La madre de Kade, Victoria, era una mujer que dejaba sin aliento. Al igual que su compañero, no aparentaba más de treinta años, pues su envejecimiento se hallaba detenido gracias al lazo de sangre que compartía con Kir.

—Oh, mi querido chico. ¡He estado tan preocupada por ti! Gracias a Dios que has vuelto y que has venido a verme, justo a tiempo. —Ella sonreía, completamente radiante—. Tendrás dos nuevos hermanos en menos de un mes. De nuevo gemelos idénticos, igual que tú y Seth.

Aunque ella parecía encantada ante esa perspectiva, a Kade se le retorció el estómago. El talento que Seth y él compartían, la habilidad de comunicarse y de dar órdenes a los animales depredadores, era un talento único que se transmitía genéticamente a través de su madre, de la misma forma que él y Seth compartían la suave piel dorada, el pelo oscuro y los ojos exóticos de Victoria. Pero a diferencia de ella, para Kade y Seth, en cuyas venas corría la sangre de la estirpe de su padre, el talento tenía un lado oscuro. Odiaba pensar que el mismo patrón pudiera repetirse en otros dos hermanos.

—Tienes buen aspecto, mamá. Me alegra verte tan feliz.

—Estoy mucho más feliz ahora que estás aquí. Verás que conservo tus habitaciones tal y como las dejaste. No pasa un solo día sin que espere y ruegue volver a tener a mis queridos hijos a salvo, viviendo de nuevo bajo el mismo techo como una familia.

Lo abrazó una vez más, y Kade se sintió fatal por lo que tenía que decir.

—No... no sé cuánto me quedaré. No he vuelto para vivir aquí, mamá. Estoy aquí por asuntos de la Orden.

Ella retrocedió y le cambió la expresión.

—¿No vas a quedarte?

—Solo hasta completar mi misión. Luego tengo que regresar a Boston. Lamento que hayas pensado...

—No puedes irte —murmuró ella, con los ojos inundados de lágrimas—. Perteneces a este lugar, Kade. Este es tu hogar. Somos tu familia. Tienes una vida aquí...

Él negó con la cabeza suavemente.

—Mi vida está ahora junto a la Orden. Ellos me necesitan, y tengo cosas importantes que hacer. Mamá, siento decepcionarte.

Ella sollozó tapándose la cara, y se alejó unos pasos. Tembló insegura por el movimiento repentino, y el padre de Kade fue inmediatamente a su lado, para abrazarla con actitud protectora. Le habló con suavidad, tiernamente, dirigiéndole palabras íntimas que parecieron calmarla un poco. Pero las lágrimas y sollozos no se interrumpieron completamente.

El padre de Kade la guio con cuidado hasta la puerta, deteniéndose solo para levantar la cabeza y dirigir una dura mirada a su hijo. Sus ojos se encontraron y se enfrentaron. Ninguno de los dos parecía dispuesto a bajar la mirada.

—Tú y yo no hemos acabado, Kade. Quiero que me esperes aquí hasta que termine de ocuparme de tu madre.

Obedeció la orden, pero solo durante un minuto. El tiempo transcurrido lo había hecho olvidar cómo se sentía cuando estaba en aquel lugar. No podía vivir bajo el mismo techo que su padre, igual que tampoco podía vivir bajo la sombra de Seth. Lo mataba hacer sufrir a su madre, pero si necesitaba algo que le recordara que no pertenecía a aquel lugar lo había obtenido con más claridad que nunca en la mirada que su padre le había dirigido antes de cruzar la puerta.

—Mierda —soltó Kade, mientras agarraba su bolsa y salía.

Caminó por el exterior, creyendo que el aire glacial le ayudaría a despejar la cabeza. Pero en lugar de eso, su mirada se topó con la visión de la cabaña de su hermano. Sabía que no debía entrar allí —en realidad no tenía derecho—, pero su necesidad de respuestas era más poderosa que cualquier sentimiento de culpa por invadir la privacidad de Seth. Kade abrió la puerta y entró.

No estaba seguro de lo que esperaba encontrar. ¿Una especie de caos o el revoltijo de una mente enferma? Pero las habitaciones de Seth estaban tan ordenadas como siempre; no había una sola cosa fuera de su sitio. Todos sus muebles y pertenencias estaban ordenados y perfectamente dispuestos. Había un libro de filosofía en la mesa de lectura junto al sofá, una colección de música clásica dando vueltas en el aparato estéreo de música. En la zona de informática de Seth había una carpeta de archivos que contenía copias impresas de hojas de cálculo que obviamente tenían que ver con el trabajo que hacía para su padre, y que estaban cuidadosamente colocadas bajo un pisapapeles de cristal.

Seth, el hijo perfecto.

Excepto que cuanto más miraba Kade alrededor más le parecía que la cabaña era un escenario y no un lugar verdadero. Las cosas estaban demasiado ordenadas. Demasiado cuidadosamente dispuestas, como si hubieran sido puestas ahí por la posibilidad de que alguien pudiera asomarse, en busca de algo que no encajara. O para hallar alguna señal de engaño, tal y como Kade estaba haciendo.

Pero Kade conocía a su hermano mejor que nadie. Era una parte de Seth, compartía con él algo que nadie podría compartir por causa del lazo inextricable con el que habían nacido por ser gemelos idénticos. Desde que eran niños formaban dos partes del mismo todo, inseparables, y se entendían el uno al otro de manera tácita.

Kade había creído que él y Seth eran diferentes en todo... hasta la primera vez que vio a su hermano dar a una manada de lobos la orden de perseguir y matar a un oso pardo.

Entonces eran tan solo unos críos, apenas tenían catorce años y estaban ansiosos por explorar los límites de sus fuerzas y sus habilidades sobrenaturales. Seth fanfarroneaba, haciendo alarde de haberse hecho amigo de una manada de lobos de la zona y de ser capaz de controlar la mente de más de un animal al mismo tiempo. Kade nunca había hecho eso —ni siquiera se había dado cuenta de que podía hacerlo—, y eso hacía que Seth estuviera entusiasmado con su demostración de superioridad.

Reunió a la manada con un aullido, y antes de que Kade se diera cuenta de lo que estaba pasando, él y Seth estaban corriendo en compañía de los lobos persiguiendo a la presa. Fueron hacia un oso pardo que estaba pescando salmones en el río. Seth ordenó a la manada que derribara al oso. Para sorpresa de Kade, le obedecieron. Pero mucho más sorprendente —e infinitamente más horrendo— fue ver a Seth participando en la carnicería.

Fue una batalla sangrienta y prolongada... y Seth se deleitó en ella. Pegajoso por la sangre y los restos del animal, llamó a Kade para que se uniera a él, pero Kade estaba horrorizado. Vomitó en la maleza, y nunca en su vida se había sentido tan enfermo y tan miserable.

Seth le hizo bromas en privado durante semanas después de eso. Acosaba a Kade, actuando como un demonio sobre su hombro, desafiándolo a poner a prueba los límites de su talento para comprobar quién de los dos era el más poderoso. Y Kade finalmente cedió estúpidamente. El orgullo lo volvió idiota, así que agarró el guante que Seth le lanzó.

Entrenó su habilidad hasta que llegó a resultarle tan sencilla como respirar. Aprendió a amar la sensación de la naturaleza indómita en su piel, embriagando sus sentidos, que estaban atrapados entre sus dientes y colmillos. Se volvió tan experto, tan adicto al poder de su talento, que pronto resultó imposible mantenerlo bajo control.

Seth estaba furioso de que la habilidad de Kade hubiera excedido la suya propia. Estaba celoso e inseguro, lo cual resultaba una combinación peligrosa. De repente encontró algo más que demostrarle a Kade, y sus inclinaciones violentas tomaron un cariz más inquietante.

En algún punto, Seth comenzó a hacer avances con su talento oscuro dirigiéndose a otras presas.

Él y su manada habían matado a un ser humano.

Ocurrió unos meses antes de que Kade fuera reclutado por la Orden. Asqueado y furioso, pretendía arrastrar a Seth delante de su padre y del resto del Refugio Oscuro y exponer cómo había roto la ley de la estirpe de un modo inexcusable. Pero Seth le suplicó que no lo hiciera. Le juró una y otra vez que había sido un terrible error, un juego que se le había ido completamente de las manos. Le había rogado a Kade que no lo denunciara. Le juraba que las muertes habían sido accidentales, y que nunca volvería a ocurrir.

Kade había dudado incluso entonces. Debería haber expuesto a la luz el secreto de Seth. Pero Seth era su hermano querido, la otra mitad de él. Kade sabía que la noticia del crimen de Seth destrozaría a su padres, y especialmente a su madre. Así que había guardado el secreto, a pesar de sentirse carcomido por la culpa en todo momento desde entonces.

Había protegido a Seth de la verdad y había protegido a sus padres del dolor de saberla, y cuando Nikolai lo llamó desde Boston diciendo que necesitaba reclutas para la Orden, Kade se apresuró a aprovechar la oportunidad.

Ahora, los asesinatos de la familia Toms lo habían traído de vuelta. Deseaba con todas sus fuerzas que su hermano no hubiera sido capaz de matar a una familia entera a sangre fría, pero temía que la promesa que Seth le había hecho un año atrás fuera demasiado difícil de cumplir.

Con ese pesado miedo en su mente, Kade comenzó a caminar hacia la puerta. Hasta la mitad del recorrido no se dio cuenta de que estaba caminando sobre la gruesa piel de un oso pardo. La piel cubría todo el suelo de la habitación, y a pesar de que el oso que Seth y sus lobos habían matado tanto años atrás ya no existía, el gruñido congelado de esta cabeza de oso muerto hizo detenerse a Kade. Retrocedió y se arrodilló junto a la mandíbula abierta del animal.

—Oh, Dios. Haz que me equivoque —susurró mientras metía la mano con cuidado en las enormes fauces de dientes afilados.

Metió la mano tan adentro como pudo y soltó un insulto

cuando sus dedos rozaron una tela suave y el pedazo de una bolsa en el fondo de la garganta del oso pardo.

Kade retiró la pequeña bolsa atada con un cordel, y oyó un sonido metálico cuando el resto descansó sobre la palma de su mano. Desató las cuerdas y vació el contenido. Varios anillos de oro se deslizaron en su mano, junto con una pulsera trenzada de cuero de la que colgaba un diente de oso y pequeños mechones de pelo cortados de una variedad de cabezas humanas. Había sangre seca acumulada en algunos.

No podía haber ningún error a la hora de interpretar lo que eran esas cosas...

Recuerdos que Seth por lo visto había estado coleccionando. Aquel era el escondite donde el asesino escondía los recuerdos extraídos de sus víctimas.

—Maldito cabrón —gruñó Kade con dureza—. Estás enfermo, maldito cabrón de mierda.

La ira y el dolor colisionaron en la boca de su estómago. No quería creer lo que estaba viendo. Quería inventar excusas, agarrarse a cualquier explicación posible excepto a aquella que resonaba en su cráneo como una campana de advertencia.

Su hermano era un asesino.

¿Habría sido él quien había atacado a la familia Toms de manera tan atroz?

Algo en el interior de Kade no podía aceptar la idea de que hubiera sido capaz de asesinar a una familia entera.

A pesar del terror que le invadía el estómago, necesitaba más respuestas antes de convencerse de que Seth se había convertido en esa especie de monstruo. Necesitaba una prueba. Demonios, necesitaba mirar a su hermano a la cara y exigir que le dijera la verdad, toda la verdad de una vez.

Y si resultaba que Seth era culpable, entonces Kade estaría preparado para hacer lo que tenía que hacer. Lo que debía haber hecho la primera vez que había tenido una prueba del desprecio que Seth mostraba hacia la vida humana.

Daría caza a su condenado hermano y lo mataría.

Capítulo ocho

*L*a mayoría de la multitud reunida en el bar de Pete esa noche se hallaba en la zona delantera, y el murmullo de la conversación competía con el barullo de un partido de hockey retransmitido en televisión vía satélite y los gemidos de una vieja canción de los Eagles en la máquina de discos que había cerca del lavabo unisex y la entrada al salón de juegos de la parte trasera. Alex y Jenna estaban sentadas la una frente a la otra en una de las mesas del centro del local. Habían terminado la cena hacía un rato y ahora estaban repartiéndose un pedazo de pastel de manzana casero de Pete mientras acababan los restos de sus cervezas.

Jenna había estado bostezando durante la última hora y comprobando su reloj, pero Alex sabía que su amiga era demasiado educada como para retirarse. Egoístamente, Alex quería prolongar el encuentro. Había insistido en pedir el pastel y una última cerveza, y también había introducido algunas monedas en la máquina de discos para tener la excusa de esperar que tocaran su canción antes de marcharse.

Cualquier excusa con tal de evitar regresar a su casa vacía.

Echaba de menos a su padre, ahora más que nunca. Durante mucho tiempo él había sido su amigo y confidente más cercano. Había sido su protector, capaz, servicial y fuerte cuando el mundo a su alrededor se había puesto patas arriba con violencia. Él sería el único que entendería los miedos indescriptibles que ahora la atenazaban. Él era el único con quien podría explicarse, el único que podría decirle que todo iría bien y lograr casi convencerla.

Ahora, excepto por su perra, estaba sola, y aterrorizada.

La urgencia de salir huyendo después de lo que había visto aquel horrible día en la propiedad de los Toms era casi irresistible. ¿Pero adónde iba a ir? Si huir desde Florida hasta Alaska no había sido suficiente para librarse del monstruo que acechaba en sus recuerdos, ¿cómo pretendía tener la posibilidad de escapar?

—¿Vas a estar dándole vueltas a ese tenedor toda la noche o vas a comer un trozo de pastel? —Jenna bebió el último trago de su cerveza y dejó la botella en la basta mesa de madera con un golpe suave—. Querías tomar postre, pero me lo estoy zampando yo.

—Lo siento —murmuró Alex mientras dejaba el tenedor—. Creo que no tenía tanta hambre como pensaba.

—¿Estás bien, Alex? Si necesitas hablar sobre lo que ocurrió la otra noche en la reunión, o sobre lo que viste en la propiedad de los Toms...

—No, no quiero hablar de ello. ¿Qué voy a decir? Estas cosas pasan. Les pasan cosas malas a personas buenas todo el tiempo.

—Sí, así es —dijo Jenna en voz baja, con los ojos débilmente iluminados por el brillo de la lámpara de estaño que había sobre su cabeza—. Escucha, estuve un rato con Zach esta tarde. Parece que los agentes estatales de Alaska en Fairbanks están muy ocupados en este momento, pero enviarán una unidad dentro de pocos días. De momento han descubierto un material de vídeo de la escena del crimen colgado en Internet por todas partes. Al parecer, algún estúpido estuvo allí con la cámara de su teléfono móvil no mucho después de que tú te marcharas, y luego descargó el vídeo en una página ilegal que supuestamente paga cien dólares por material que contenga sangre y vísceras.

Alex se inclinó hacia delante en su silla, concentrando toda su atención al oír la confirmación de lo que Kade le había contado en la cabaña de los Toms.

—¿Saben quién ha sido?

Jenna puso los ojos en blanco e hizo un gesto hacia la sala de juegos, donde había un pequeño grupo de porreros jugando a los dardos.

—Skeeter Arnold —dijo Alex, sin sorprenderse de que aquel gandul, siempre sin empleo pero con una copa en una mano y un cigarro en la otra, no sintiera ningún respeto por los muertos y fuera capaz de vender su imagen por un puñado de dólares—. Maldito bastardo. Y pensar que él y Teddy Toms habían estado juntos un rato antes...

No pudo acabar la frase; la realidad era demasiado cruda. Jenna asintió.

—Skeeter tiene habilidad para influir en chicos manipulables. Es un drogadicto y un fracasado. Llevo diciéndole a Zach desde hace un año o más que tengo la corazonada de que el chico está vendiendo drogas y alcohol entre las poblaciones indígenas. Lamentablemente, los policías necesitan esas malditas cosas llamadas pruebas antes de arrestar y procesar a alguien, y Zach continúa recordándome que lo único que yo tengo en relación a Skeeter Arnold son sospechas.

Alex observaba a su amiga, atenta a la tenacidad que brillaba en sus ojos.

—¿Echas de menos ser policía?

—Para nada. —Jenna frunció el ceño al considerar la idea, y luego negó firmemente con la cabeza—. Ya no podría seguir haciendo ese trabajo. No quiero ser responsable de limpiar las tragedias de alguien o sus cagadas. Además de eso, cada vez que acudía a un accidente de tráfico me preguntaba qué corazón iba a destrozar al dar mi informe. Ahora no tendría estómago para hacer el trabajo de un policía.

Alex se estiró para apretar suavemente la mano de su amiga, en señal de comprensión.

—Por lo que a mí respecta, pienso que eras una policía estupenda, y eso es porque te preocupas por los demás. Para ti nunca fue simplemente un trabajo, y eso se nota. Necesitamos más gente como tú que cuide de nosotros. Sigo pensando que quizás algún día vuelvas al trabajo.

—No —replicó ella, y el sentido interior que poseía Alex le dijo, a través del contacto de las manos, que eso era cierto—. Llegué a mi límite cuando perdí a Mitch y a Libby. ¿Te das cuenta de que esta semana se han cumplido cuatro años desde entonces?

—Oh, Jen.

Alex recordaba muy bien la noche de noviembre que se llevó la vida del agente marido de Jenna y de su pequeña hija. Toda la familia viajaba de vuelta a casa después de una cena especial en Galena cuando un montón de nieve helada se levantó por culpa del viento y golpeó el coche empujándolo contra el vehículo que venía en dirección contraria. El camión de dieciocho ruedas que los golpeó llevaba la carga completa en su enorme remolque: cinco toneladas de madera en su camino a los otros cuarenta y ocho estados del país.

Mitch, que conducía el automóvil, murió como consecuencia del impacto. Libby pasó dos días en el hospital, con huesos rotos, heridas y conectada a máquinas que la mantenían con vida, hasta que su pequeño cuerpo sencillamente no resistió más. En cuanto a Jenna, había estado en coma durante un mes y medio, y al despertarse supo la terrible noticia de que Mitch y Libby habían muerto.

—Todo el mundo dice que con el tiempo deja de doler tanto. Que con el tiempo sería capaz de consolarme a mí misma con los recuerdos felices de lo que tuve en lugar de sufrir constantemente por lo que he perdido. —Jenna soltó aire con dificultad y jugueteó con la etiqueta de su botella de cerveza vacía—. Han pasado cuatro años, Alex. ¿Debería haberlo superado?

—Superado —se mofó—. No soy la persona adecuada para que me preguntes eso. Papá murió hace seis meses, pero yo no me resigno a la esperanza de verlo aparecer de nuevo a través de la puerta. Es una de las razones por las que creo que tal vez debería...

Jenna la miró fijamente mientras sus palabras se iban apagando.

—¿Deberías qué?

Alex se encogió de hombros.

—Me refiero a que últimamente me he estado preguntando si las cosas serían mejor para mí si vendiera la casa y me mudara.

—¿Mudarte y abandonar Harmony?

—Abandonar Alaska, Jen. —Con la esperanza de dejar atrás toda la muerte que parecía seguirla allí donde huyera. Antes de que esta tuviera la oportunidad de alcanzarla otra vez—. Simplemente estoy pensando que tal vez necesite empezar de nuevo en alguna otra parte, eso es todo.

No podía leer la expresión de Jenna, que parecía atrapada en algún lugar entre la tristeza y la envidia. Antes de que su amiga, con gran poder de persuasión, pudiera lanzar un argumento a modo de contraofensiva explicando por qué Alex necesitaba quedarse, un rugido masculino de entusiasmo se oyó desde la barra.

—¿Qué ocurre? —preguntó Alex, ignorante del jaleo que había a su espalda—. ¿Ha ganado el equipo de Big Dave o algo así?

—No lo sé, pero él y su pandilla acaban de llegar corriendo a la barra. —Jenna lanzó una mirada hacia ellos y dejó escapar un insulto—. Eres mi mejor amiga, Alex, y sabes que soy condenadamente quisquillosa con mis amigos. No puedes estar ahí sentada con un pedazo de pastel a medio comer en plena noche de hockey en la taberna de Pete y dejar caer sobre mí distraídamente la bomba de que estás pensando en mudarte. ¿Desde cuándo? ¿Y por qué no me has hablado de nada de eso? Creí que como amigas lo compartíamos todo.

«No todo», reconoció Alex en silencio. Había algunas cosas que no tenía el valor de compartir con nadie. Cosas acerca de sí misma y cosas que había visto que la harían ser etiquetada como mentalmente inestable o claramente desquiciada. Jenna ni siquiera sabía que la madre de Alex y su hermano menor habían sido asesinados, y mucho menos de qué manera.

Masacrados.

Atacados por criaturas salidas de la peor pesadilla.

Alex y su padre se habían inventado una mentira más creíble mientras viajaban hacia Alaska para recomenzar sus vidas sin la otra mitad de la familia. Para todo el que preguntaba, la madre y el hermano pequeño de Alex habían sido atropellados por un conductor bebido en Florida. Habían muerto de forma instantánea y sin dolor.

Nada más lejos de la verdad.

Alex se había sentido culpable por perpetuar la mentira, especialmente ante Jenna, pero se consolaba a sí misma diciéndose que solo estaba protegiendo a su amiga. Nadie querría saber el horror del que Alex y su padre habían sido testigos y a duras penas conseguido escapar. Nadie querría creer que aquella maldad tan terrible —aquella sed de sangre y esa violencia— existían en el mundo.

Se dijo a sí misma que todavía continuaba protegiendo a Jenna, escudando a su amiga de la misma forma que el padre de Alex trataba de escudarla a ella.

—Simplemente he estado pensando en ello, eso es todo —murmuró. Y luego bebió el último trago de su cerveza caliente.

Tan pronto como lo terminó, una camarera con el cabello rubio platino apareció con otras dos cervezas frescas. La diadema rosa brillante que llevaba en su pelo teñido hacía juego con el tono chillón de su pintalabios, advirtió Alex cuando la joven se inclinó para dejar las botellas heladas sobre la mesa.

Alex negó con la cabeza.

—Oh, espera un momento, Annabeth. Ya hemos pagado la cuenta y no las hemos pedido.

—Lo sé —dijo ella, señalando con el pulgar por encima del hombro hacia la zona de la barra—. Alguien de ahí ha pedido una ronda para toda la casa.

Jenna gruñó.

—Si es de parte de Big Dave yo no me la tomo.

—No es de él —dijo Annabeth, sonriendo abiertamente con el rostro entero iluminado—. Es de un tipo que jamás había visto... alto, con el cabello negro y de punta, unos ojos increíbles y absolutamente atractivo.

Ahora fue el turno de gruñir de Alex. Sabía que tenía que ser Kade, incluso antes de darse la vuelta en su asiento y buscarlo con la mirada entre la pequeña multitud de hombres reunidos en la barra. Sobresalía entre los demás, con su cabeza de pelo sedoso y oscuro en el centro del grupo.

—Increíble —murmuró ella mientras la camarera se alejaba de la mesa.

—¿Lo conoces? —preguntó Jenna.

—Es el tipo que vi anoche al fondo de la iglesia. Se llama Kade. Lo he visto hoy de nuevo en la propiedad de los Toms cuando estaba haciendo mi reparto.

Jenna frunció el ceño.

—¿Qué demonios está haciendo por aquí?

—No estoy del todo segura. Lo encontré en la cabaña de Pop Toms, como si se hubiera levantado de la cama en plena tarde. Y además estaba armado... Me refiero a que tenía un rifle de alta potencia, cuchillo, revólver y balas para rato. Sospecho que ha venido a prestar ayuda para nuestro supuesto problema con los lobos.

—No me extraña que Big Dave parezca tenerle tanto cariño —remarcó Jenna con ironía—. Bueno, creo que no puedo beber otra cerveza, aunque sea gratis. Estoy derrotada. Tengo que visitar un momento a Zach para entregarle unos archivos que me pidió, y luego debería irme a casa.

Alex asintió, tratando de no pensar en el hecho de que Kade estaba en la misma habitación que ella ni en el ritmo de su pulso, que parecía dispararse ante la idea.

Jenna se puso de pie y descolgó su abrigo largo del gancho de una pared.

—¿Qué vas a hacer tú? ¿Quieres que te lleve a casa?

—No. —Por más que fuera tarde y el gentío en el bar de Pete parecía aumentar ahora que Kade estaba allí, todavía la sacudía la expectativa de lo que la esperaba en casa—. Vete, no te preocupes por mí. Voy a acabarme este pastel y tal vez me tome una taza de café para ayudarlo a bajar. Además, prefiero ir caminando las dos manzanas que hay hasta casa. El aire frío me sentará bien.

—De acuerdo, si estás segura. —Después de su asentimiento, Jenna le dio un abrazo rápido—. No hables más de mudarte, ¿de acuerdo? No sin consultármelo antes, ¿de acuerdo?

Alex sonrió, pero sintió la sonrisa como un esfuerzo débil.

—De acuerdo.

Observó a su amiga mientras salía de la taberna, la policía que había en ella fue incapaz de resistirse a lanzar una mirada asesina al extraño que había llegado al pueblo. Por encima del ruido del lugar, Alex oyó el sonido metálico del viejo cencerro colgado en la puerta mientras Jenna la cerraba de un golpe al salir.

Alex cortó un trocito de pastel con su tenedor, pero se detuvo antes de llevárselo a la boca. ¿Qué demonios estaba haciendo? No tenía nada de hambre, y lo último que necesitaba era una taza de ese café aceitoso y desagradable de Pete que la mantendría despierta toda la noche una vez consiguiera ponerse en marcha para ir a casa.

Dios, estaba siendo ridícula. Lo que realmente necesitaba era volver a casa, dar de comer a *Luna* antes de que la perra lo pusiera todo patas arriba como represalia por haber sido abandonada toda la noche, y después tratar de dormir profundamente, para variar. Podría pensar en todo por la mañana, cuando tuviera la cabeza más clara. Las cosas entonces tendrían más sentido. Al menos eso esperaba, porque no se imaginaba que pudiera ocurrir algo que lograra desequilibrarla todavía más de lo que estaba.

En cuanto se levantó y se encogió dentro de su parka, Alex advirtió que las dos cervezas que había bebido le iban a obligar a vaciar la vejiga. Estupendo. Usar el servicio de Pete suponía tener que caminar por delante de la barra y de Kade. Consideró la opción de ignorar la urgente presión de sus tuberías, pero las dos manzanas que separaban la casa de la taberna, con el aire helado, serían una tortura. Podría ser incluso desastroso.

¿Qué importaba que Kade viera que ella estaba allí? Desde luego no tenía por qué hablar con él. Ni siquiera tenía que mirarlo.

Sí, un plan brillante. Solo que se vino abajo en el momento en que se apartó dos pasos de la mesa.

Sintió los ojos plateados de Kade deslizándose a través de la multitud para apuntarla a ella como dos rayos láser. Su mirada fue a través de cada una de sus terminaciones nerviosas de esa misma manera ardiente y eléctrica. Alex trató de ignorar el efecto que provocaba en ella, lo que resultó un poco más fácil cuando separó la voz estridente de Big Dave de las demás y lo oyó jactarse por sus recientes hazañas con la caza mientras Kade sonreía y asentía como si fuera uno de sus mejores amigos.

Veinticuatro horas en la ciudad y ya era uno de los muchachos del grupo. Que lo disfrutara.

Disgustada, Alex pasó por delante de la máquina de discos hasta los servicios. Dejó escapar un pequeño suspiro de alivio al hallarlos desocupados y se apresuró a utilizarlos, poniendo los ojos en blanco mientras oía que los comentarios y risas continuaban al otro lado de la puerta cerrada. No fue hasta que estuvo de pie ante el lavabo lavándose las manos cuando alzó la vista hasta el espejo y este le devolvió su reflejo demacrado y cansado.

—Oh, Dios mío —susurró, deseando haber tenido tiempo al menos de darse un toque de maquillaje antes de salir de casa aquella noche. Y tal vez el tiempo suficiente de alisarse con el cepillo aquella mata de pelo alborotado por el viento y estropeado.

Hizo un intento inútil de recolocar en su sitio algunos de los cabellos sueltos, pero no era mucho lo que podía hacer. No le extrañaba que Kade la hubiera mirado de aquel modo. Parecía una Medusa andante que no hubiera pasado una noche de sueño decente en una semana... lo cual era bastante preciso si se detenía a pensarlo.

¿Tenía tan mal aspecto cuando lo había encontrado aquella tarde? Esperaba que no. Esperaba que él no hubiera pensado...

—Aquello clamaba al cielo. ¿Por qué demonios iba a importarle lo que él pensara? —dijo al rostro desesperado del espejo—. Ese hombre de ahí fuera es la última persona a la que necesitas impresionar.

Alex asintió ante su propio consejo, preguntándose al mismo tiempo si todo lo que había ocurrido últimamente la había hecho atravesar una línea invisible donde de pronto se consideraba aceptable tener conversaciones con el propio reflejo. Ya era bastante malo que hablara con *Luna* como si la perra pudiera entender cada palabra; esto ya era llevar las cosas un poco más lejos.

Inspiró profundamente y colocó el mechón de pelo rebelde detrás de las orejas, luego abrió la puerta del lavabo y salió.

—¿Todo bien?

Oh, Dios. Era Kade.

Estaba apoyado sobre la máquina de discos, donde finalmente estaba sonando la canción que ella había escogido hacía ya una hora. Le sonreía abiertamente, las comisuras de su ancha boca y la pálida luz de sus ojos dejaban ver su buen humor. ¿Acaso la habría oído reprenderse a sí misma mientras Sheryl Crow, irónicamente, cantaba acerca de su error favorito?

—He visto que ya has hecho amigos en Harmony.

Él gruñó y lanzó una mirada despreocupada al grupo de hombres que seguían bebiendo cervezas antes de volver a concentrar en ella toda su atención.

—Big Dave y algunos de los demás van a perseguir a la manada de lobos que ha estado merodeando últimamente por aquí. Me han pedido que me una a ellos.

Alex se burló.

—Enhorabuena. Estoy segura de que pasarás un buen rato.

Cuando ella se disponía a alejarse, él le dijo:

—También he oído hablar de una muerte en el monte el invierno pasado que parece un poco sospechosa. Un hombre nativo, que vivía en una cabaña unos quince kilómetros al noroeste de Harmony. Big Dave al parecer piensa que los lobos fueron también los responsables de esa muerte.

Alex se dio la vuelta y negó con la cabeza.

—¿Estás hablando de Henry Tulak? Era un borracho y estaba un poco loco. Lo más probable es que hiciera alguna estupidez y muriera por congelación.

Kade encogió uno de sus gruesos hombros.

—Big Dave y los demás han dicho que no pudo demostrarse nada porque el cuerpo de Tulak no fue descubierto hasta que el hielo se fundió en primavera. Lo único que quedaba de él era un puñado de huesos.

—Y si has vivido en el interior bastante tiempo, tal como dices, sabrías que nada dura mucho tiempo en el monte. Si los elementos no lo absorben, los carroñeros lo harán. Eso no significa que los lobos hayan matado al hombre.

—Tal vez no —dijo Kade—. Solo que corre el rumor de que la última vez que Tulak fue visto con vida decía que había visto a una manada de lobos merodeando por su zona. Decía que se sentía como si lo estuvieran vigilando, como si esperara la oportunidad de atacar.

La frustración de Alex se desató al oír esas tonterías perpetuadas, y especialmente por parte de Kade, que ella había supuesto más inteligente que Big Dave y esa pandilla de estúpidos.

—Big Dave diría cualquier cosa para envalentonar a sus

colegas. Es su temperamento. Si yo fuese tú, no me tomaría muy en serio lo que dice.

—Estoy aquí para reunir información, Alex. Hasta el momento, Big Dave parece ser la persona de más ayuda. Todo lo que he conseguido de los demás han sido respuestas evasivas y medias verdades. Nada que pueda interesarme.

De acuerdo, ahora era ella la ofendida. Su barómetro interno detectó un arranque de frustración y furia.

—¿Por qué has venido aquí realmente? ¡Hablando de evasivas y medias verdades! Mírate. Apareces aquí, nadie te conoce, nadie sabe ni siquiera de dónde vienes...

—Te lo he dicho, del norte de Fairbanks. Y vengo desde Boston, si es que vamos a comenzar a ser honestos el uno con el otro.

Entonces, él no era realmente de Alaska, había volado desde el exterior. No podía haberle resultado menos sorprendente. Con tanta despreocupación como pudo, apoyó la mano en su antebrazo y se inclinó hacia él, como si fuera un policía interrogando a un testigo que no quería cooperar.

—¿Cómo lograste llegar a Harmony cuando todo el mundo estaba aislado por el mal tiempo durante días? ¿Y cómo llegaste hasta la propiedad de los Toms teniendo en cuenta que estabas en Harmony anoche?

—Fui caminando. Con raquetas de nieve, por supuesto.

—Caminaste más de sesenta kilómetros en plena noche. —Alex se rio, pero sin sentido del humor. Escuchó el pinchazo de sus instintos mientras mantenía la mano en su brazo, esperando que sus sentidos le indicaran si él era digno de confianza. No registró nada. Él era tan claro como un cristal, ilegible. Sin embargo, no podía ignorar que la respuesta que pretendía que ella se tragara era una estupidez—. Es increíble. Estás ahí parado acusándome de mentirte cuando lo único que me has dicho acerca de ti es que te llamas Kade y que eres un cazador de recompensas que pretende liquidar a una manada de lobos inocentes.

Él negó muy débilmente con la cabeza.

—Nunca he dicho que haya venido aquí a matar lobos por una recompensa ni por otra razón. Tú has hecho esa suposición. Y te equivocas.

—De acuerdo, la descarto entonces. ¿Qué estás haciendo aquí y por qué has venido con esa cantidad de armas? ¿Qué es exactamente lo que quieres, Kade, el no-cazador de lobos del norte de Fairbanks vía Boston?

—Te lo dije cuando hablamos esta tarde. Quiero respuestas. Necesito descubrir la verdad, la verdad completa, respecto a lo que les ha ocurrido a tus amigos. Creo que tú puedes ayudarme, Alex. Creo que tal vez seas la única persona que puede hacerlo.

Él le miró la mano, que seguía apoyada en su brazo. Alex la retiró bruscamente, sintiendo su voz profunda vibrando en su interior. Sus palabras la hacían sentir que podía confiar en él, aunque sus instintos no pudieran confirmarlo ni negarlo.

Ella no quería cogerle simpatía, maldita sea. No quería confiar en lo que él dijera cuando su corazón estaba latiendo a toda velocidad y sentía la urgencia de salir corriendo. De huir, antes de cometer el error de dejar entrar a aquel hombre en su infierno privado cuando no sabía nada acerca de él.

—¿Qué estás tratando de conseguir? —preguntó ella suavemente, deseando tener la fuerza para marcharse y dejarlo ahí parado en lugar de ceder a la curiosidad y anhelar saber más—. ¿A qué tipo de juego estás jugando?

—No sé lo que quieres decir —dijo él, a pesar de la intensa firmeza de su mirada, que indicaba que no había mucho que escapara a su aguda inteligencia—. ¿A qué juego crees que estoy jugando?

Alex le devolvió la mirada, esforzándose por leer en sus ojos todas las cosas que probablemente no le diría.

—Me has dicho que no eres un cazador de lobos, pero permites que Big Dave y los demás hombres crean que lo eres. Me dices que quieres información de mí, y sin embargo no me das nada a cambio. ¿Eres uno de los tipos de esa pandilla o no lo eres? ¿Así que quién eres, Kade?

Algo osciló en su expresión.

—¿Lo ves siempre todo en términos de bueno o malo, blanco o negro? ¿Hay algo más aparte de eso en tus juicios?

—Sí, lo hay. —Realmente no se lo había planteado en esos términos, pero tenía que reconocer que encontraba cierta comodidad en plantearse las cosas de ese modo tan claro. Lo bueno era bueno y lo malo era malo. En su experiencia había una línea muy clara que separaba el bien del mal.

Y Kade seguía sin responder a su pregunta.

Para su sorpresa, él alargó la mano y le rozó la mejilla con los dedos para apartarle un mechón de pelo de la cara. Sabía que debería impedir ese gesto al que no había dado permiso, pero la calidez de su caricia, a pesar de lo breve que fue, era demasiado agradable para ser rechazada.

—Puedes ser honesta conmigo, Alex. Puedes confiar en que digas lo que digas no te haré daño.

Que Dios la ayudara, pero sentía la tentación de soltárselo todo allí mismo.

No sabía absolutamente nada de aquel hombre y, sin embargo, al mirarlo a los ojos, seguía sintiendo el rastro de su calor en la piel y quería creer que realmente podía confiar en él. En algún rincón asustado de su corazón, del corazón de una pequeña niña, esperaba que él fuera capaz de desterrar algunos de los demonios que la habían angustiado durante casi toda su vida.

Sentía, inexplicablemente, que si le hablaba acerca de las bestias que habían matado a su madre y a su hermano menor y le explicaba que tenía la certeza de que eran las mismas bestias que habían matado a la familia Toms, Kade lo entendería. Sentía que él, entre toda la gente, sería el más fuerte de sus aliados.

—Puedes contármelo —le dijo él, con su voz profunda, suave y persuasiva—. Háblame de esa huella en la nieve. ¿Sabes quién hizo esa huella, verdad? Dímelo, Alex. Quiero ayudarte, pero necesito que tú me ayudes primero.

—Yo... —Alex tragó saliva, sintiendo que era más difícil de lo que esperaba armarse de coraje—. Lo que vi... es casi imposible de explicar con palabras...

—Lo sé. Pero todo está bien, te lo prometo. Estás a salvo conmigo.

Ella respiró nerviosa y captó de repente el olor de humo acre y un hedor de ropa sin lavar que venía de algún lugar próximo. Tan pronto como registró esa peste rancia vio que Skeeter Arnold y dos de sus colegas musculosos salían de la habitación de juegos de la parte trasera del bar. Con un teléfono móvil decorado con calaveras en una mano y una cerveza en la otra, Skeeter inclinó la botella en la dirección de Kade al pasar.

—Gracias por la invitación, colega. Ha sido todo un detalle de tu parte.

Kade apenas le dirigió la mirada a Skeeter, pero Alex no pudo disimular su asco. Y estaba agradecida, porque el asco que sentía por Arnold Skeeter había extinguido algo de la locura transitoria que la estaba llevando a pensar que podía confiar en aquel extraño que la estaba utilizando como un instrumento para lograr sus fines.

—Sospecho que no le tienes mucho cariño a ese chico —dijo Kade mientras Alex apenas lograba contener un escalofrío interior de repugnancia.

Ella gruñó.

—¿Recuerdas ese vídeo que me mencionaste en la cabaña de los Toms, ese que había sido colgado en Internet? Bueno, pues fue ese cretino quien lo hizo.

La mirada de Kade se afiló al observar a Skeeter al otro lado de la habitación. Su mirada era más que intensa... era letal. Y mientras Alex lo observaba, advirtió que la parte de sus tatuajes que asomaba a sus antebrazos, la parte visible bajo las mangas remangadas de su camisa, no eran del color henna que ella recordaba sino de una tonalidad más intensa azul oscuro.

Desde luego eso era muy raro.

Tal vez había tomado una cerveza de más y por eso veía tatuajes que cambiaban de color. O tal vez simplemente lo recordaba mal. Se había quedado tan sorprendida al encontrarlo inesperadamente en la cabaña de los Toms, por no mencionar el hecho de que aquel cuerpo increíble estaba prácticamente desnudo, que era perfectamente factible que confundiera el color de la tinta. Excepto que jamás había visto un trabajo artístico tan sorprendente en un cuerpo, y la visión de él, allí de pie, abrochándose los pantalones como si acabara de levantarse de la cama, era una imagen que ardía de forma indeleble en su memoria.

Después de un largo minuto quemando a Skeeter Arnold con la mirada, Kade finalmente volvió a dirigir la vista hacia Alex.

—Me ocuparé de él más tarde. Lo que tú tienes que decirme es más importante.

Alex retrocedió un paso, sintiendo que aquel hombre era un peligro a pesar de que le estuviera hablando en el mismo tono suave de antes. Pero algo era diferente. Había en él un aire amenazante que le ponía los nervios de punta.

Y que le recordaba el hecho de que cuando ella le había preguntado si era malo o bueno él no había respondido.

—Creo que es mejor que me marche —murmuró ella, dando otro paso atrás para luego esquivarlo rápidamente.

—Alex —oyó que él la llamaba.

Pero continuó avanzando, pasando a través de la gente agrupada en la barra y desesperada por sentir el aire frío y librarse de la respuesta visceral y turbadora que le provocaba Kade.

101

Capítulo nueve

Kade soltó un grave gruñido mientras observaba a Alex cruzando la taberna hasta la salida.

Tal vez había ejercido una presión un poco excesiva, y debería haber sabido que esa táctica fallaría simplemente por el breve rato que había pasado con ella, estudiando la forma en que se comportaba. Alexander Maguire solo se clavaría sobre sus talones con más fuerza si alguien se inclinaba hacia ella.

Y encima de eso, él lo había empeorado todo teniendo la mala idea de tocarla.

Había sido incapaz de resistirse, y una parte de él reconocía que ella parecía agradecer el contacto. Justo hasta el momento en que ese gandul de pelo grasiento con la mirada perdida y nariz aguileña pasara caminando a su lado y los interrumpiera. Ya solo por eso, Kade sentía la urgencia de golpearlo, sin contar con el hecho de que además había sido el tipo que había colgado una prueba visual del ataque de un vampiro para hacerla circular por toda la red.

En cuanto al trato con Alex, Kade había visto el miedo en sus ojos al presionarla en busca de respuestas. Se mostró aterrorizada a la hora de soltar las palabras, pero él estaba seguro de que había estado muy cerca de expresar abiertamente todo lo que sabía. Y el frío que sentía en el estómago le indicaba que ella sabía mucho más aparte de lo concerniente al ataque y asesinato de la familia en el monte.

¿Podía estar al tanto de la existencia de la estirpe?

¿Habría visto alguna vez a alguien de su raza?

Dios santo, ¿y si había descubierto algo más que una huella inexplicable en la propiedad de los Toms?

Si tuviera información que pudiera implicar a Seth en las muertes —o liberarlo de culpa, por muy débil que fuera la esperanza—, Kade tenía que saberlo. Tenía que saberlo ahora mismo.

Y si ella efectivamente tenía alguna noción acerca de la existencia de la estirpe, Kade se imaginaba que sería mucho más fácil borrarle la memoria en las sombras de un aparcamiento poco iluminado que en medio del gentío de un bar.

La siguió por el terreno cubierto de nieve. Ella ya había recorrido un pedazo de tundra arada y caminaba con brío por delante de las camionetas y la media docena de vehículos para la nieve del aparcamiento de Pete. Ella ni siquiera se inmutó cuando sonó la campana de la puerta, mientras que Kade saltaba desde el porche y la alcanzaba enseguida.

—¿Siempre sales huyendo cuando estás asustada?

Eso la hizo detenerse. Se dio la vuelta, con una expresión extraña en su rostro, como si su comentario la hubiera tocado de cerca. Pero luego pestañeó y la expresión desapareció, siendo reemplazada por una mirada afilada y una inclinación terca de la cabeza encapuchada.

—¿No renuncias nunca, ni siquiera cuando sabes que no vas a ganar?

—Nunca —dijo él, sin vacilar.

Ella murmuró un brusco insulto y continuó caminando, en dirección a la calle. Kade la alcanzó con unas pocas zancadas.

—Ibas a decirme algo cuando estábamos en la taberna, Alex. Algo importante que realmente necesito saber. ¿Qué era?

—¡Dios! —Ella se volvió hacia él, con la ira reflejada en sus ojos castaños—. Eres imposible, ¿lo sabes?

—Y tú eres preciosa.

No supo por qué lo dijo, simplemente le resultó demasiado difícil mantener el pensamiento dentro de su cabeza, teniéndola ahí, azotada por el viento y salvaje, con las mejillas rosadas por el frío del Ártico y el pelo rubio enmarcándole la cara con ondas despeinadas por debajo del cuello de piel de la capucha de su parka.

Si Brock o cualquier otro de los guerreros de Boston lo hubiera oído ahora habría supuesto que solo estaba jugando con aquella mujer, complaciéndola con halagos para conseguir lo que quería de ella. El propio Kade quería creer que esa era la razón de lo que acababa de espetarle. Pero mientras miraba a Alexandra Maguire, su sencilla belleza iluminada por la luna encima de su cabeza y el brillo multicolor de las luces de neón del bar en las ventanas que había detrás de él, Kade supo que no estaba jugando a ninguna clase de juego. Se sentía atraído por ella, ferozmente atraído, y quería que ella entendiera que él no era su enemigo.

No estrictamente, por lo menos.

La indignación de ella se convirtió en algo más parecido a la confusión y comenzó a apartarse de él.

—Realmente tengo que irme.

Kade levantó la mano pero contuvo el impulso de sujetarla físicamente.

—Alex, sea cual sea el secreto que guardas, puedes decírmelo. Déjame compartir parte de la carga contigo. Déjame protegerte de eso que te tiene tan asustada.

Ella negó con la cabeza y frunció sus cejas de un castaño claro.

—No te necesito. Ni siquiera te conozco. Y si tuviera la necesidad de compartir algo, tengo amigos con quienes hacerlo.

—Pero no se lo has contado a nadie... —No era una pregunta, y ella lo sabía tan bien como él—. No hay ni una sola persona en tu vida que sepa lo que escondes dentro de ti. Dime si me equivoco.

—Cállate —murmuró ella, con la respiración humeante en el aire helado y la voz ligeramente quebrada—. Simplemente cállate. Déjame sola. No sabes nada de mí.

—¿Existe realmente alguien que te conozca, Alex?

Se quedó tan quieta y callada que Kade estaba seguro de que acababa de cruzar otra línea que la apartaba aún más lejos de él. Pero ella no se dio la vuelta para darle la espalda y marcharse. No lo insultó ni lo golpeó ni llamó a nadie del bar de Pete para que saliera y lo hiciera en su lugar. Se quedó allí parada, mirándolo a los ojos con un silencio que parecía expresar que estaba rota y perdida.

Su deber como guerrero de obtener información crucial y borrar después sus recuerdos por el riesgo potencial que representaban para la Orden, colisionó con la urgencia repentina de ofrecerle consuelo, de proteger a esa mujer que insistía en afirmar que no lo necesitaba.

Kade avanzó un paso hacia ella y luego la tocó de nuevo. Solo un ligero roce de las yemas de sus dedos en un mechón de cabello dorado agitado por el viento. Ella no se movió. Había dejado de resoplar a través de los labios separados, y a esa distancia, Kade podía oír el latido de la sangre en sus venas mientras su corazón latía rápidamente.

—En la barra me preguntaste si era un buen tipo o un mal tipo —le recordó él, con la voz grave y ronca al notar el calor del cuerpo de ella mezclándose con el suyo mientras se acortaba más aún el espacio que los separaba. Él negó con la cabeza lentamente—. No es algo que yo pueda contestar, Alex. Tal vez descubras que tengo un poco de las dos cosas. Tal como yo veo el mundo, las cosas tienen distintas tonalidades de gris.

—No... no puedo vivir así —dijo ella, con un tono de voz completamente sincero—. Eso lo haría todo mucho más complicado, sería demasiado difícil saber lo que es verdad y lo que no. Demasiado difícil saber lo que es real.

—Yo soy real —dijo Kade, manteniendo la mirada mientras le acariciaba la curva de la mandíbula—. Y tú también eres muy real para mí.

Ella soltó una suave respiración ante el contacto y separó los labios. Kade llevó su boca hacia la de ella y le dio un beso impulsivo y electrizante.

Sujetó su rostro tiernamente con la palma de la mano mientras rozaba con sus labios los de ella y saboreaba el suave y húmedo calor de su boca. El beso de Alex fue dulce y abierto y entregado... condenadamente bueno. La sensación de su cuerpo apretado contra el de él envió una sacudida de fuego que la inundó, abrasando cada una de sus terminaciones nerviosas con el sello de sus delgadas curvas y su cálido aroma a viento y a madera.

Él ya no estaba pensando en reunir información ni en encontrar un lugar para borrar su memoria después de obtener los datos que necesitaba. Y la sensación que sentía ahora no tenía tampoco nada que ver con eso de ofrecerle consuelo o protección.

Todo lo que sentía por esa mujer era necesidad, un deseo de una intensidad aterradora.

Un hambre que crecía y era más devoradora cuanto más tiempo permanecía Alex entre sus brazos.

Con un simple beso no planificado ella lo ahogó en una ciénaga de lujuria y sed de sangre. No se había alimentado desde su llegada a Alaska, un descuido que ahora le estaba costando caro, pues la sed exigía ser saciada con cada latido a la vez que su miembro vibraba duro y caliente entre sus piernas.

Desde alguna parte de la niebla de hambre que empapaba su conciencia, Kade oyó el ruido de un vehículo que se acercaba al aparcamiento. Quería ignorar el gruñido grave del motor de la camioneta, pero luego una voz masculina llamó desde las sombras.

—¿Alex? ¿Va todo bien por ahí?

—Mierda —susurró ella, apartándose—. Esto ha sido un error.

Kade no dijo nada mientras ella se apartaba varios pasos más; de hecho hablar hubiera resultado muy difícil, puesto que los colmillos le llenaban la boca. Ella no lo miraba, y a Kade le pareció muy conveniente, pues si lanzaba una mirada a sus ojos justo ahora que habían perdido su color gris claro para transformarse en color ámbar que le traicionaba señalándolo como un miembro de la estirpe, el impulso enfermizo de besarla habría dado pie a una catástrofe de enormes dimensiones.

—Nunca debí permitirte hacer eso —susurró ella antes de escabullirse de su lado.

Kade lanzó una mirada sesgada y cautelosa por encima del hombro al vehículo detenido que llevaba los colores de los agentes del estado de Alaska. Alex se dirigía hacia él.

—Hola, Zach. ¿Qué ocurre? Creía que Jenna estaba en tu casa.

—Acaba de marcharse. Me dijo que estabas en el bar de Pete, así que pensé en acercarme a tomar una cerveza contigo. —La voz de Tucker se transportaba a través del aire frío—. ¿Qué demonios haces aquí fuera? ¿Estás con alguien?

—No, con nadie —dijo ella. Kade más que ver sintió que Alex lanzaba una mirada rápida hacia el lugar que él ocupaba en las sombras—. Acabo de salir. ¿Me llevas a casa?

—Claro, sube —dijo Zach Tucker, y Alex abrió la puerta y subió al vehículo.

Kade apretó las mandíbulas, refrenando la lujuria que aún corría a través de él mientras observaba cómo ella cerraba la puerta y se marchaba con aquel hombre. Él había captado el rastro de una mentira en el tono casual del agente, y suponía que Zach Tucker no sería el único hombre de Harmony feliz de emplear cualquier excusa con tal de compartir la compañía de la atractiva Alexandra Maguire. Kade sintió el fuerte impulso de ir tras ella, aunque hubiera estado encantada de escapar de él.

Pero si necesitaba algo para distraerse de esa idea lo tuvo de sobras cuando las puertas de la taberna se abrieron con estrépito para dar paso a Skeeter Arnold y a tres de sus colegas.

Kade observó a un grupo de unos veinte chicos sonriendo con satisfacción al ver que se disolvía y Skeeter se quedaba solo mientras sus amigos se subían a un viejo F150. Cuando Skeeter comenzó a dirigirse hacia el terreno trasero, Kade salió de las sombras para seguirlo e intercambiar algunas palabras acerca de los riesgos de molestar a un grupo de vampiros.

Pero antes de que Kade avanzara dos pasos hacia el gilipollas, se encendieron dos faros en el aparcamiento y un Hummer negro se dirigió hacia Skeeter Arnold por detrás. El vehículo brillaba bajo las débiles luces del aparcamiento, y en comparación con los otros cacharros que había allí, Kade estaba seguro de que quien lo conducía no era del lugar. Cuando el todoterreno aminoró la marcha deliberadamente para ir al mismo ritmo que Skeeter, que se había detenido para asomar la cabeza por la ventana abierta del copiloto, la furia de Kade creció a la altura de sus sospechas.

¿Qué demonios quería alguien que conducía un Hummer con un tipejo del nivel de Skeeter Arnold? Alguien le dijo algo en un tono apenas audible y él soltó una risita y asintió con entusiasmo.

—Sí, seguro. Por el precio adecuado, me interesa saber

más sobre el asunto —dijo, al tiempo que abría la puerta y subía al interior del vehículo.

—¿En qué demonios está metido? —murmuró Kade mientras el vehículo se alejaba a toda velocidad, levantando la nieve en su estela.

Tenía la sensación de que fuera cual fuese la transacción que tuviera lugar entre Skeeter Arnold y su nuevo socio iba a tratarse de algo mucho más gordo que los pequeños asuntos que solía manejar.

Un antigua canción country, ardiente y sentimental, salía del tablero de mandos del coche de Zach mientras Alex miraba el espejo de uno de los lados del coche, observando cómo el aparcamiento de Pete se desvanecía entre las sombras tras ella.

—Gracias por llevarme, Zach.

—De nada. Tenía que salir de todas formas, porque no me quedan huevos ni salsa caliente. Desayuno de campeones, ya sabes. Y un policía soltero de treinta y cinco años sin sensibilidad para la nutrición.

Alex le dirigió una sonrisa de cortesía mientras recorrían el último tramo de dos manzanas hasta su casa. Ella se sentía tan aliviada como tonta por haber huido corriendo de Kade, pero la verdad era que agradecía el rescate. Dios sabía que lo necesitaba, antes de verse tentada a hacer con él algo más de lo que podía hacer en aquel espacio abierto entre las camionetas y vehículos de nieve.

¿En qué estaba pensando al permitir que un completo extraño la afectara de ese modo? No era el tipo de chica que permitía que un hombre se aprovechara de ella por medio de halagos y con manos largas... Y siendo una mujer joven y soltera en el interior de Alaska, conocía a muchos hombres que lo intentaban.

Excepto con Kade esa noche... Había sido como una especie de juego, tan fluido como el arte de la seducción que parecía emerger de él. Y a pesar de que no le había visto la cara hasta ayer —tenía que reconocerlo—, a ella le resultaba cualquier cosa menos un extraño.

Kade parecía conocerla —entenderla—, a un nivel que la dejaba atónita. Parecía capaz de mirar en lo profundo de su interior, en los lugares oscuros que ni ella misma se atrevía a enfrentarse, y eso era lo que más la aterrorizaba de él.

Era esa desconcertante sensación la que la había llevado a desear escapar desesperadamente de él esa noche.

—Hogar dulce hogar —dijo Zach, interrumpiendo sus pensamientos mientras se detenían a un lado de su casa de madera desgastada—. Jenna probablemente te lo haya dicho, pero me han comunicado que la unidad de agentes de Fairbanks estará por aquí a finales de la semana. —Alex asintió y él levantó el brazo derecho hacia su asiento para inclinarlo un poco más—. Sé que esto no puede ser fácil para ti. Diablos, no es fácil para mí tampoco. Yo conocía a Wilbur Toms y a su familia desde hace muchos años. No entiendo cómo una cosa tan espantosa les puede haber pasado a ellos. Pero la verdad saldrá a la luz, Alex. Así será.

El rostro de Zach, medio iluminado por la pálida luz, parecía turbado y cauteloso. Y después de lo que ella había soltado en la reunión del pueblo, no le sorprendía nada que sus instintos de policía le dijeran que estaba ocultando algo.

—Si hay algo más que recuerdes acerca de la escena del crimen, Alex, necesito que me lo digas, ¿de acuerdo? Cualquier cosa. Necesito saberlo todo cuando llegue la unidad de Fairbanks y comience a indagar en torno al pueblo.

—Claro —murmuró ella—. Sí, Zach. Si se me ocurre algo más desde luego que te lo diré.

Incluso mientras afirmaba esto, sabía que no volvería a hablar de la huella en la nieve ni del miedo que sentía en los huesos, el miedo de que algo terrible anduviera suelto en el páramo helado, no muy lejos de donde estaban sentados ahora. Aquello que temía era peor que cualquier peligro que pudiera encarnar un hombre o un animal. Era monstruoso. No sería detenido por Zach Tucker ni por un grupo de policías, y Alex estaba dispuesta a hacer todo lo necesario para olvidarlo.

Iba a tratar de olvidar todo lo ocurrido en los pantanos de Florida tanto tiempo atrás. Lo mejor era dejarlo pasar, enterrarlo y continuar.

O moverse.

Huir.

—Que duermas bien —dijo Zach mientras ella bajaba del vehículo y cerraba la puerta—. Puedes llamarme a cualquier hora, ¿me oyes?

Ella asintió.

—Gracias, Zach. Y gracias de nuevo por traerme.

Él le dedicó una sonrisa rápida que ya había desaparecido cuando puso el motor en marcha y empezó a conducir. Mientras Alex se dirigía hacia la puerta principal de la vieja casa que había compartido con su padre desde que era una pequeña niña asustada, desarraigada del mundo entero —de toda su realidad— la idea de huir de allí cobró aún más fuerza. Si lo hacía le sería mucho más fácil dejar sus recuerdos atrás. Empezar de nuevo en otra parte sería la mejor manera de purgar los miedos que la perseguían, y que se habían vuelto más oscuros ahora, más espantosos que nunca.

No podía volver a enfrentarse de nuevo a un horror como ese.

Tampoco podía pretender, influida por un estado de falsa confianza, que nadie —ni siquiera un hombre como Kade— pudiera mantenerse firme contra un mal de cuya existencia solo ella tenía noticia. Involucrarse con él de alguna manera era lo último que necesitaba. Sin embargo, eso no le impedía preguntarse qué pensaría él de ella ahora y hubiera deseado disculparse antes de abandonarlo en la noche helada.

Trató de no pensar en la forma en que su boca, electrizante y ardiente, se adaptaba tan perfectamente a la suya. Trató de no pensar en la forma en que latía todavía su corazón, en el nudo que aún notaba en el estómago cada vez que recordaba el momento de estar entre sus brazos. Trató de no pensar qué podría haber pasado si Zach no hubiera aparecido cuando lo hizo, pero imaginarse con Kade —tal vez juntos en la cama desnudos, tal vez desabrochándose la ropa fuera de control en medio del aparcamiento de Pete si no podían llegar más lejos— era algo perturbadoramente fácil de hacer.

—Oh, esto no está bien —murmuró por lo bajo mientras abría la puerta y entraba para ser recibida con los besos y el feliz movimiento de cola de la perra—. Lo sé, *Luna*, sé que llego tarde. Lo siento, pequeña. Ha sido un largo día para mí también. Vamos, ahora voy a ocuparme de ti.

Alex se encargó de soltar a la perra en el patio para que hiciera sus necesidades mientras preparaba un cuenco de comida y agua fresca. Después de que *Luna* regresara dentro y engullera sus croquetas, Alex se quitó la parka y la ropa mientras avanzaba por el pasillo hacia el cuarto de baño para darse una ducha retrasada pero indulgentemente larga y caliente.

La lluvia de agua caliente contra la piel desnuda no contribuyó a sofocar el calor del beso de Kade. Se enjabonó, tratando de recordar cuánto tiempo llevaba sin permitir que un hombre recorriera con sus manos, en lenta apreciación, su cuerpo desnudo. ¿Cuánto tiempo llevaba sin intimar, sin intimar verdaderamente con alguien? El momento de debilidad que había pasado con Zach unas pocas semanas después de la muerte de su padre en realidad no contaba. Había sido apenas una noche, un par de horas en realidad. Estaba en un naufragio emocional y suponía que solo necesitaba a alguien que la ayudara a alejarse de todo, aunque fuera únicamente por un rato.

¿Era eso lo que estaba haciendo con Kade? ¿Se estaba agarrando a él, fabricando algo entre ellos que en realidad no estaba ahí, que no podía estar ahí por culpa del nuevo trauma que debía atravesar ahora?

Tal vez solo era eso, una sensación temporal de ir a la deriva y en busca de un puerto seguro. Esta noche Kade le había dicho que con él estaría a salvo. Mientras que una parte de ella lo creía —una parte instintiva y fundamental—, también sabía que el fuego que él había avivado en su interior tan solo con un beso era cualquier cosa menos seguro. No podía dejar de sentir que acercarse a él sería el mayor riesgo que podía correr. Él veía demasiadas cosas de ella, sabía demasiado. Y esta noche le había hecho sentir demasiado.

Alex gruñó al inclinarse hacia delante en la estrecha bañera y ducha combinada, apoyó el antebrazo contra las baldosas resbaladizas y dejó descansar la cabeza contra el brazo mientras el agua caliente se deslizaba por su cuerpo. Cerró los ojos y allí estaba Kade, con su llamativo rostro cincelado, con sus brillantes y penetrantes ojos. El calor dentro de ella todavía estaba allí, un calor que le hizo susurrar su nombre mientras bajaba la mano que tenía libre para tocarse como deseaba ser tocada por él.

Se relajó en un estado de gozo resignado, dejando que el agua caliente, el vapor y la imagen de él derritieran todo lo demás.

Capítulo diez

$\mathcal{K}$ade se echó hacia atrás en la oscuridad, observando desde el interior de un apretado bosquecillo de abetos y pinos, a unos quinientos metros del lugar hasta donde había llegado Skeeter Arnold, a quien había seguido. Más de treinta kilómetros apartado de Harmony, situado cerca de la base de una pequeña montaña y un estrecho afluente del río Koyukuk, la parcela de tierra de diez acres y los edificios bajos y blancos estaban cercados por una verja de acero de más de cuatro metros de altura y alambre de púas en espiral. Había luces y cámaras de seguridad alrededor de todo el lugar, y el par de guardias uniformados trataban de mantenerse en calor junto a la casucha donde se guardaban los equipos militares y rifles de asalto.

Kade hubiera supuesto que el amistoso lugar era una prisión de máxima seguridad, si no fuera por la visión de una placa de metal erosionada atornillada a la puerta donde se leía en letras negras desconchadas: COLDSTREAM MINING COMPANY.

Fuera en el patio, un grupo de trabajadores estaba ocupado descargando cajas de embalaje selladas de varios tamaños de dos grandes contenedores de carga aparcados cerca de lo que parecía ser algún tipo de almacén. Algunas cajas de embalaje eran conducidas con ruedas hasta el almacén de la instalación, mientras que otras eran llevadas hasta la entrada de seguridad.

Muy curioso, pensó Kade, diciéndose que las más de dos horas que Skeeter había estado dentro del edificio principal no podían ser solo por una entrevista de trabajo.

Kade estaba más que ansioso por interrogar al humano sobre los asuntos que manejaba allí —y sobre el resto de sus
aventuras de negocios— pero si el nuevo amigo de Skeeter no
lo soltaba en los próximos minutos, el interrogatorio tendría
que esperar hasta otro momento. Era más importante la necesidad de comunicarse con la Orden y hacerles saber lo que había descubierto hasta ahora. También necesitaba aclarar su cabeza en relación a Alexandra Maguire.

Para su completa irritación, su libido se reanimaba con la
ansiosa idea de regresar a Harmony y encontrarla de nuevo.
No debería sorprenderle que los pensamientos sobre ella hir-
vieran a fuego lento bajo la superficie de su conciencia. El beso
que se habían dado todavía lo encendía por dentro, no con llamas pero sí con brasas que solo necesitaban el más ligero rastro de combustible para inflamarse.

Y esas eran malas noticias.

Era una mala noticia desear a esa mujer tan desesperadamente, sobre todo cuando su misión dependía de que ella
guardara silencio. Debía desviar sus sospechas costara lo que
costase. Borrar el riesgo que ella representaba para su misión,
para los objetivos de la Orden y la seguridad de toda la nación
de la estirpe.

Fuera lo que fuese lo que Alexandra Maguire supiera acerca de las muertes en el monte —fuera lo que fuese lo que su-
piese acerca de la raza de Kade en general—, tenía que ser si-
lenciado, y rápidamente.

¿Había sido aquel mismo día cuando él había considerado
seducirla para obtener su verdad si era necesario? Ahora ese
plan se había visto seriamente truncado, porque si algo había
demostrado aquel beso era que permitirse a sí mismo estar
cerca de Alex —aunque fuera en el nombre del deber— no iba
a ser fácil. Ella ya había tenido un efecto imprevisto en él, en
parte por el carácter tan abiertamente independiente que
mostraba como si fuese una máscara cuidadosamente colocada sobre su rostro, y a la vez con la huella de vulnerabilidad
que él había podido atisbar esa noche.

No, regresar para ir a ver a Alex a casa no era una opción.
Además, dudaba de que ella viera con buenos ojos que él la
acechara después de la abrupta forma en que se había alejado

en el estacionamiento de Pete. Demonios, en realidad hasta donde sabía, Zach Tucker podría estar tal vez todavía con ella. Estaba claro que eran amigos, y sin duda el cuidadoso agente apelaría a la necesidad de ordenarlo todo en compartimentos claramente diferenciados. Desde su sombrero abombado y su uniforme meticulosamente abrochado hasta la parte superior de sus botas cuidadosamente atadas, el oficial Tucker tenía una apariencia de buen chico, atractivo, rutinario y con todo claro.

Excepto que había algo en ese hombre que preocupaba a Kade. En parte era la relación aparentemente fácil que mantenía con Alex, a pesar de que los celos no eran un sentimiento que Kade padeciera a menudo. Pero eso no impedía que ahora apretara los dientes al pensar en ese tipo, o que se preguntara si no sería conveniente hacer una viaje rápido de regreso a Harmony solo para comprobar que Alex estaba bien. Y retomar las cosas donde las habían dejado en el aparcamiento de Pete era una opción. Por no mencionar que era de lo más tentadora.

Antes de que la idea pudiera arraigar todavía más, Kade la desechó murmurando un insulto por lo bajo.

Malditas malas noticias. Al parecer esta misión no iba a ser más que eso.

Con ese pensamiento persiguiéndole los talones, Kade se escabulló de su vigilancia a Skeeter Arnold y sus nuevos compinches de seguridad y se encaminó en dirección al Refugio Oscuro de su padre, que se hallaba a una pocas horas a pie. Podía esperar allí durante las horas de luz del día, informar al cuartel de la Orden sobre los progresos de la investigación hasta ahora y comprobar si Gideon podía descubrir algo interesante acerca de Coldstream Mining Company, la empresa minera.

Skeeter Arnold había perdido la noción del tiempo. Iba en el asiento de atrás del Hummer negro y se sorprendió al ver que el reloj del caro tablero de mandos marcaba las seis de la mañana.

¿Había transcurrido toda la noche?

Le parecía que había salido de la taberna de Pete hacía apenas unos minutos y ahora allí estaba, de vuelta otra vez. Solo que ahora era diferente.

Él era diferente.

Lo sentía por la manera en que su cuerpo se apoyaba tan derecho en el asiento de cuero, con la espalda erguida y los hombros levantados en lugar de encogidos, como era habitual. Se sentía de alguna manera poderoso, y sabía que la fuente de ese poder estaba sentada junto a él: inmóvil, silenciosa, irradiando un control letal, como una fría y oscura amenaza.

Skeeter no sabía su nombre. Ni siquiera podía recordar lo que le había dicho.

Tampoco importaba.

—No dirás a nadie lo que ha ocurrido esta noche —dijo la voz ahogada desde la profundidad de la capucha de la parka negra de piel—. Irás a casa inmediatamente y destruirás todas las copias del vídeo sobre la matanza.

Skeeter asintió obedientemente, ansioso de complacer.

—Sí, amo.

Recordó que cuando el conductor del Hummer se acercó a él diciéndole que quería compartir una información acerca de una interesante fiesta privada, él había pensado que la transacción le proporcionaría una buena cantidad de dinero que guardar en su bolsillo.

Sobre eso se había equivocado.

Y cuando fue llevado hasta el lugar donde se localizaba la vieja empresa minera para acudir a la supuesta fiesta privada, se había equivocado al suponer que el hombre alto de traje caro e impecable camisa blanca era realmente un hombre. Era mucho más que eso.

Era algo... de otra naturaleza.

Skeeter se había asustado un poco al ser escoltado por guardias armados desde el vehículo y a través del edificio principal, hasta un área de seguridad que parecía algún recinto de investigación, con brillantes mesas de acero inoxidable y un equipo informático de varios millones de dólares. Era todo muy extraño, aunque lo que más le comía la cabeza era el gran cilindro vertical que parecía una especie de jaula con gruesas cadenas de metal y grilletes amarrados al suelo.

Mientras hacía suposiciones sobre su utilidad, el individuo

con el que iba a entrevistarse —el mismo individuo que ahora se hallaba sentado junto a él— entró en la habitación para interrogar a Skeeter acerca de muchas cosas. Le hizo preguntas acerca del vídeo que había rodado con el teléfono móvil en la propiedad de los Toms. Le preguntó qué sabía de los asesinatos y si había sido testigo de la criatura que atacó a los humanos.

Skeeter recordaba su confusión ante el extraño modo en que las preguntas eran formuladas, y en aquel momento tuvo miedo de haberse metido en una situación mucho más peligrosa de lo que creía. Pero ya no había oportunidad de echarse atrás. Se había metido en algo mortalmente serio. Lo supo en aquel momento.

También le habían hecho preguntas acerca de Alexandra Maguire y de los rumores que circulaban en el pueblo en torno a las muertes. Cuando él informó acerca del extranjero que había llegado a Harmony, el tipo grande y musculoso con el pelo negro y ojos de lobo que había salido de la nada hacía un par de noches haciendo preguntas similares a los habitantes del pueblo, el aire en la habitación pareció hacerse más pesado y tirante, como una niebla.

Skeeter recordó el temor que sintió cuando el hombre alto de traje caro cogió un teléfono satélite de una mesa cercana y abandonó la habitación durante unos minutos.

Recordaba haberse sentido inquieto, necesitaba distraerse del desastre que podía estar esperándolo al otro extremo de ese teléfono. Preguntó a los trabajadores del laboratorio para qué se usaba la jaula, observando cómo los tres, con sus monos blancos, comprobaban algunos de los accesorios y accionaban los controles de los ordenadores que hacían operar las distintas funciones de esa cosa.

Skeeter suponía que no podía ser para retener a un ser humano. El tamaño de la jaula, al igual que el tamaño de la mesa y de las pesadas y resistentes cadenas fijadas a ella, parecía diseñado para algo mucho más grande que cualquier hombre. Un oso, tal vez, se dijo Skeeter, al no obtener respuesta de ninguno de los guardias armados.

Pero alguien tenía una respuesta para él, por muy imposible que resultara creerla.

—Fue construida para alguien de mi raza —dijo el hombre alto de traje caro mientras volvía a entrar en la habitación.

A Skeeter ahora le parecía diferente. Todavía se veía rico e importante, y todavía emanaba de él la misma corriente de poder letal, pero su rostro parecía más tenso, sus facciones más agudas y más pronunciadas.

Skeeter recordaba haber visto una repentina chispa de luz ámbar brillando en la afilada mirada que se negaba a dejarlo libre, aunque cada célula de su cuerpo le gritaba que saliera de allí a toda prisa. Recordaba haber captado el fugaz destello de unos afilados dientes blancos, recordaba haber pensado que en cuestión de segundos estaría agonizante... y luego sintió un fuerte golpe contra su cuerpo que lo tumbó al suelo.

Skeeter no pudo recordar mucho después de ese momento de puro terror.

Todo se desvaneció y se volvió negro.

Pero no había muerto.

Se despertó un rato después y toda su confusión y todo su miedo habían desaparecido.

Ahora pertenecía al poderoso individuo que se hallaba sentado junto a él, el vampiro que lo había convertido aquella noche en algo también diferente de un ser humano. La lealtad de Skeeter estaba asegurada a través de la sangre, su vida misma dependía de su amo.

—Me comunicarás toda la información que puedas reunir —dijo la voz que le ordenaba ahora todas las cosas.

—Sí, amo —respondió Skeeter, y ante un gesto con la cabeza de su amo, bajó del vehículo y esperó hasta que este diera la vuelta y se marchara por la carretera.

Cuando hubo desaparecido de la vista, Skeeter atravesó a pie el aparcamiento de Pete hasta la solitaria motonieve que todavía estaba aparcada allí. Se subió en ella y giró la llave del motor. No ocurrió nada. Lo intentó de nuevo con el mismo resultado, luego soltó un taco y de pronto se dio cuenta de que había olvidado reponer combustible la noche anterior.

—Buenos días —lo saludó una voz familiar mientras unas cadenas de nieve crujían en la carretera helada—. ¿Necesitas una mano?

Skeeter negó con la cabeza sin mirar a Zach Tucker. Era el

colmo de la mala suerte tener que encontrarse hoy con el único policía de Harmony.

Tucker no aceptó su rechazo. El vehículo se acercó a la motonieve de Skeeter y se detuvo mientras el agente bajaba para coger una lata roja de gasolina del maletero.

—Se ha hecho tarde, ¿verdad? —preguntó mientras se acercaba y desenroscaba la tapa del tanque de gasolina de la Yamaha—. Pareces un poco andrajoso esta mañana, Skeeter. Debes de haber estado de fiesta con nuevos amigos fuera del pueblo o algo así. A propósito, bonito Hummer.

Skeeter no ofreció ninguna explicación, y se limitó a observar cómo la lata roja se vaciaba en su motonieve.

—Esta vez sin cargo —dijo Tucker al terminar. Pero cuando Skeeter pensó que el policía simplemente se iría, vio que en lugar de eso lo miraba a la cara y le susurraba con dureza—. Creí que te había dicho que te tranquilizaras por un tiempo. Abandona tus malditos negocios y fiestas hasta que resolvamos lo que ha ocurrido aquí. Y en cuanto a la grabación, colgar el vídeo de ese maldito teléfono móvil en esa asquerosa página web fue simplemente la cosa más estúpida que se te podía ocurrir. ¡Ahora tengo a esos gilipollas de Fairbanks tocándome las pelotas por haber perdido el control de la escena del crimen!

Tucker estaba furioso, y en circunstancias ordinarias eso habría preocupado a Skeeter.

Pero hoy no.

—¿Tengo que recordarte que corremos el riesgo de que nuestra pequeña operación nos estalle en la cara? Los agentes estatales vendrán a finales de esta semana para avanzar en la investigación. No quiero que les des razones añadidas para fisgar alrededor y descubrir qué más se está cociendo aquí. ¿Lo has entendido?

Skeeter lo ignoró, y se apartó de él para sentarse en el trineo.

—¿Eres un maldito estúpido o simplemente estás colocado?

—No he estado más lúcido en mi vida —respondió Skeeter.

—Quiero saber con quién has estado de fiesta esta noche.

¿Dónde fuiste? Dios santo, ¿no habrás sido tan imbécil como para contarles algo acerca de mí o de nuestro acuerdo?

—Nada de eso es de tu incumbencia. Lo que tú quieras ya no me importa. Tengo otras prioridades.

Cuando Skeeter encendió el motor, Tucker le puso la mano en el hombro.

—Si me jodes en esto, puedes estar seguro de que te tiraré debajo de un autobús. Serás arrestado por posesión de droga con intento de distribución. Hazme una mala jugada y te juro que te entierro.

Skeeter sostuvo la dura mirada de su compañero de negocios, que ahora guardaba silencio.

—Eso no sería inteligente, oficial Tucker. —Vio la expresión de conmoción en los ojos del policía y tuvo una pequeña sensación de triunfo por haberla provocado—. Pero gracias por la gasolina.

Skeeter aceleró el vehículo y abandonó el aparcamiento. Cuando llegó a casa de su madre al final de la manzana, se sentía lleno de su nuevo poder y ansioso por seguir las órdenes de su amo. Aparcó la motonieve y corrió hacia la puerta trasera de la casa, consciente pero no preocupado de las fuertes pisadas de sus botas en el suelo de madera del pasillo.

No llevaba ni un minuto dentro del apartamento cuando su madre comenzó a subir las escaleras, con sus quejas apagadas haciendo eco por debajo de su habitación. Él sabía que iba a asaltarlo para quejarse de nuevo, y no podía decir que se sintiera decepcionado cuando lo hizo.

—¡Stanley Elmer Arnold! —gritó, golpeando la puerta—. ¿Tienes idea de la hora que es? ¡Pedazo de inútil! ¿Cómo te atreves a pasar fuera toda la maldita noche, haciendo que me preocupe por ti, para después volver a casa al amanecer y despertarme de un sueño profundo? ¡No eres más que un perdedor y un...!

Skeeter apareció ante la puerta en el pasillo junto a ella y le agarró firmemente la garganta interrumpiéndola antes de que más palabras tuvieran la oportunidad de salir de su boca.

—Cállate, bruja —le dijo con dureza—. Estoy trabajando.

Si ella hubiera pronunciado una sola sílaba más cuando él apartó la mano, Skeeter la hubiera matado allí mismo. Y ella lo supo, por Dios. Entendió que las cosas ahora eran diferentes.

Sin hacer ruido, se apartó de él, temblando un poco en sus zapatillas raídas y su bata de felpa apelmazada. Lentamente, se dio la vuelta y se marchó por donde había venido.

Skeeter Arnold ladeó la cabeza al verla retirarse, luego sonrió mientras regresaba a las tareas más importantes que lo esperaban en aquel condenado apartamento que él llamaba hogar.

Capítulo once

Era extraño estar de nuevo en sus antiguas habitaciones del Refugio Oscuro de su padre, como si caminara dentro de un sueño lejano, recordando un hogar que ya no parecía pertenecerle de la misma manera. Fiel a su palabra, sin embargo, la madre de Kade se había asegurado de que nada hubiera cambiado de lugar desde que se marchó un año atrás. Después de la larga noche que había pasado en Harmony, pudo apreciar los cojines gruesos y mullidos de su sillón reclinable de cuero, que estaba perfectamente situado frente a la enorme chimenea de piedras de río donde se oía el crepitar de la leña al arder en el fuego.

Kade se echó hacia atrás y se rio a través de su teléfono satélite mientras Brock le contaba todo lo que se había perdido en Boston en el último par de noches.

—Te estoy diciendo, amigo, que si no tenemos cuidado, esas mujeres que hay por aquí van a dejarnos en ridículo. Por la forma en que están desempeñando las misiones a la luz del día, el resto de nosotros empezamos a parecer idiotas.

Desde que Kade había telefoneado a los cuarteles del recinto de la Orden hacía unos minutos, Brock lo había estado agasajando con historias sobre algunas de las compañeras de sangre de los otros guerreros de la estirpe y sus actuales esfuerzos por ayudar en lo que hasta hacía muy poco había sido una especie de club solo de hombres. Ahora las misiones de la Orden se habían convertido en un asunto de todos, pues todo el mundo arrimaba el hombro para detener a un maníaco de la estirpe hambriento de poder, llamado Dragos, que desataba su infierno personal tanto en contra de la humanidad como de la estirpe.

Los recursos de Dragos eran tan extensos como su dinero, y por lo visto tan negros como sus planes. Su acción más abyecta había sido capturar y mantener prisioneras a un número desconocido de compañeras de sangre, que habían sido reunidas durante décadas y usadas para engendrar un ejército de asesinos salvajes. Con el saqueo de los cuarteles de Dragos perpetrado por la Orden unas pocas semanas atrás, su operación se había visto interrumpida y desmantelada, según sospechaba la Orden.

Encontrar a las compañeras de sangre cautivas antes de que él pudiera hacer daño a nuevas capturadas era uno de los objetivos prioritarios de la Orden ahora. Que ellas murieran o se salvaran podía ser una cuestión de tiempo, y por eso Lucan había accedido a utilizar todo el arsenal de armas de la Orden, incluyendo aquellas mujeres tan especiales y con dones únicos que algunos de los guerreros tenían como compañeras.

Estaba la compañera de Río, Dylan, que tenía la habilidad de ver los espíritus de otras compañeras de sangre muertas, y que si tenía suerte podía extraer de ellas información importante. Estaba Elise, la compañera de Tegan, que tenía el talento de oír los pensamientos oscuros y corruptos de los humanos. Ella acompañaba a Dylan a los refugios, casas privadas y albergues para vagabundos y su habilidad servía para evaluar las motivaciones de las personas con las que se topaban a lo largo del camino.

La compañera de Gideon, Savannah, usaba su habilidad táctil para leer la historia de un objeto, con la esperanza de encontrar restos que pudieran guiarles hasta alguna de las desaparecidas. La compañera de Nikolai, Renata, cuyo poder para atacar con la mente incluso al más fuerte de los vampiros hacía de ella una aliada formidable en cualquier misión, servía de guardaespaldas al servicio de las otras compañeras de sangre durante las misiones que tenían lugar a plena luz del día.

Incluso la compañera de Andreas Reichen, Claire, que acababa de recuperarse de una dura experiencia en manos de Dragos y de sus socios, estaba al parecer involucrada en los

LARA ADRIAN

asuntos de la Orden. Usando su don de introducirse en los
sueños, había estado tratando de entablar contacto con algunas de las compañeras de sangre que se sabía que habían desaparecido en los últimos años.

—Ya sabes —añadió Brock con ironía—, cuando Niko me
reclutó para esto hace un año, esperaba que solo fuese una
buena excusa para dar una patada en el culo a algún renegado.

Kade sonrió, recordando sus patrullas iniciales alrededor
de Boston, que normalmente consistían en eliminar a los feroces adictos a la sangre de la ciudad y hacer que las cosas ex-
plotaran.

—¿Echas de menos la simplicidad de los primeros meses
de trabajo, verdad?

Brock gruñó en señal de asentimiento.

—Hablando de renegados, ¿cómo va en ese congelador?
Han pasado dos días. ¿Tienes ya la situación controlada?

—Estoy siguiendo algunas pistas, pero nada sólido hasta
ahora. Probablemente me quedaré por aquí algunos días más,
tal vez una semana.

Brock soltó un insulto que informó a Kade sobre lo que
pensaba de ese pronóstico.

—Mejor tú que yo, amigo mío. Mejor tú que yo. —Hizo
una pausa antes de preguntar—. ¿Has podido ver a tu familia?

—Sí —dijo Kade, echando la cabeza hacia atrás para contemplar las gruesas vigas del techo de la cabaña—. Mi regreso
a casa fue casi tan bien como esperaba.

—¿Eso es bueno?

—Por decirlo de alguna forma, habría tenido una recepción más calurosa estando fuera a veinte grados bajo cero en
la oscuridad.

—Vaya —dijo Brock—. Lo siento, amigo. En serio.

Kade negó con la cabeza.

—Olvídalo. No necesito hablar acerca de mi recibimiento
en casa. Solo quería entablar contacto y reportar cierta información en la que Gideon podría estar interesado.

—De acuerdo, lánzalo.

—Encontré al gilipollas que colgó el vídeo del ataque a los
humanos. Se llama Skeeter Arnold, vecino de la localidad,
probablemente un traficante de poca monta. Lo observé salir

124

del bar y subirse a un coche con chófer. Fue llevado hasta una especie de oficina de una compañía minera en las afueras. El nombre que había en la puerta era Coldstream Mining Company. Mete a Gideon en esto cuando tenga oportunidad. Tengo curiosidad por saber qué tipo de negocios puede tener ese sujeto con ellos.

—Lo sabrás —dijo Brock—. Ten cuidado por ahí. No dudes en pedirnos cualquier cosa que puedas necesitar más tarde.

Kade se rio a pesar de lo incómodo que se sentía al pensar en toda la misión.

—Estaré en contacto —dijo, y colgó la llamada.

Mientras dejaba el teléfono en la mesita de noche que había junto a él, sonó un firme golpe en la puerta principal de la cabaña.

—Sí, está abierto —dijo él, esperando ver a su padre. Se preparó para el sermón de desaprobación que esperaba oír—. Pasa.

Pero fue Maksim quien entró en lugar de su padre, provocando en él una expresión de alivio que difícilmente podía ocultar. Se levantó, sonriendo, e hizo un gesto a su tío para que se uniera a él junto al fuego.

—No sabía que volverías —dijo Max—. Al menos no tan pronto. He oído que no te fue bien con mi hermano el otro día. Desearía que no hubiera sido tan duro contigo.

Kade se encogió de hombros.

—Nunca hemos sido uña y carne. Sin duda no esperaba que lo empezáramos a ser ahora.

—Ahora eres uno de los guerreros de la Orden —dijo Max, con los ojos brillantes de entusiasta conspiración y en su voz profunda un tono que apenas ocultaba la admiración—. Estoy orgulloso de ti, sobrino. Orgulloso del trabajo que estás haciendo. Es un trabajo honorable, siempre ha habido algo honorable en ti.

Kade quería rechazar la alabanza innecesaria, pero oírla —particularmente de Max, que a pesar de ser un par de siglos mayor que Kade, siempre había sido como un hermano para él— era demasiado agradable como para fingir que no importaba.

—Gracias, Max. Significa mucho, viniendo de ti.

—No necesitas darme las gracias. Estoy diciendo la verdad. —Miró fijamente a Kade por un largo momento, luego se inclinó hacia delante, con los codos apoyados en las rodillas extendidas—. Has estado fuera un año. Debes de haber hecho cosas importantes para Lucan y su Orden.

Kade sonrió, sintiendo el punto de vista de Max a kilómetros de distancia. Al igual que él, Max tenía ansias de aventura. A diferencia de él, Max se había comprometido a servir como segundo de a bordo al padre de Kade, líder de los Refugios Oscuros de Fairbanks. La lealtad de Max lo había constreñido en una prisión de más de cuatro mil hectáreas, y aunque nunca sería capaz de eludir su deber o su promesa ante su rígido e intransigente hermano, Max apreciaba el concepto de riesgo y recompensa, coraje y honor, tanto como Kade.

Por eso y porque Kade sabía que la lealtad de Max se extendía hasta él, sabía que confiarle algunos detalles de su trabajo y experiencias con la Orden y su misión actual no estaría fuera de lugar.

—He oído que hubo cierto revuelo en las Fuerzas de la Ley del este hace algunos meses —dijo Max, observando a Kade con entusiasmo, a la espera de que contara algo.

—Lo hubo —reconoció él, recordando una de las primeras misiones en las que había estado implicado y el principio del problema que la Orden tenía ahora con ese loco llamado Dragos—. Conseguimos información que puso al descubierto que un directivo de alto rango de la agencia no era lo que parecía. Ese tipo había estado operando bajo un nombre falso y alimentando una rebelión secreta durante décadas... y más todavía en realidad. En estos momentos aún estamos tratando de descubrir hasta dónde alcanza la corrupción, pero no está siendo fácil. Cada vez que nos acercamos a ese maldito bastardo, él se esconde mejor.

—Entonces tendréis que perseguirlo más duramente —dijo Max, hablando como uno de los guerreros de Boston—. Continuad golpeándolo, acorralándolo desde todos los ángulos, hasta que esté demasiado exhausto como para huir y ya no tenga más elección que detenerse y luchar. Y entonces lo destruiréis, de una vez y para siempre.

Kade asintió con gravedad, atendiendo a la sabiduría del

consejo de Max y deseando que su persecución de Dragos fueran tan simple y tan clara como eso.

Lo que Max no sabía —lo que ni él ni ningún otro debía saber— era que Dragos tan solo representaba la punta de un iceberg de lo más traidor. Dragos tenía un arma secreta, una que había estado escondiendo durante siglos. Alrededor de la época en que Kade se había unido a la Orden, habían descubierto la existencia de una criatura que debería llevar mucho tiempo muerta. Un Antiguo. Uno de los habitantes de otro mundo sedientos de sangre que engendraron la raza entera de la estirpe en la tierra milenios atrás.

Dragos era el nieto de esa criatura, y había estado criando un ejército de vampiros asesinos despiadados e imparables durante más tiempo del que nadie quería considerar.

Si esa noticia llegaba a las comunidades de la estirpe en Estados Unidos y en el extranjero, se desataría el pánico general.

¿Y qué pasaría si se colaba entre las poblaciones humanas la noticia de que no solo existían vampiros caminando entre ellos, sino que además un megalómano pretendía hacerse con el poder y esclavizarlos a todos?

Sería el Apocalipsis.

Kade tenía que sacarse de la cabeza aquel escenario tan tormentoso.

—Mientras el resto de la Orden está haciendo precisamente lo que tú dices, yo tengo que encargarme de algo en Alaska. Estoy investigando acerca del ataque a algunos seres humanos en el monte: una familia entera, que fue exterminada en una noche.

Max frunció el ceño.

—¿Renegados?

—Esa es nuestra sospecha. —Y la esperanza de Kade, aunque cada minuto de su misión lo conducía más y más lejos de la posibilidad de ese resultado—. ¿Tú no has oído nada sobre ningún problema en los Refugios Oscuros, verdad? ¿Ha habido rumores de alguien inclinado a la lujuria de sangre?

Max negó lentamente con la cabeza.

—Nada de eso. Hubo un incidente en el Refugio Oscuro de Anchorage hace unos nueve meses. Un muchacho idiota casi desangró a un humano en una fiesta, pero ese ha sido el único problema en la región últimamente.

Las noticias desde luego no hacían sentirse mejor a Kade. Porque si no había renegados sueltos, eso solo dejaba una dirección razonable hacia donde dirigir la culpa.

—Me pregunto si Seth habrá oído algo —murmuró, tratando de que no asomara el miedo y la furia en su voz—. Desde luego odiaría no poder verlo mientras estoy aquí.

—Él también odiaría no poder verte —dijo Max, y Kade pudo notar que lo decía sinceramente.

Él no sabía nada sobre Seth. Al igual que todos los demás, no tenía ninguna pista.

Solo Kade lo sabía.

Y la carga de ese conocimiento le resultaba una carga cada vez más pesada en el estómago.

Max se echó hacia atrás en su sillón y se aclaró la garganta suavemente.

—Hay algo que quiero decirte, Kade. Algo que necesitas entender... sobre tu familia y sobre tu padre.

—Adelante —dijo Kade, no del todo seguro de si quería oír lo mucho que su padre adoraba a Seth y cuánto deseaba que Kade fuera más parecido a él.

—A mi hermano, tu padre, no le resulta fácil mostrar su afecto. Especialmente contigo.

—Qué curioso, no lo había notado. —Kade sonrió con un bueno humor que realmente no sentía.

—Nuestra familia guarda un oscuro secreto —dijo Max, y Kade sintió que su cuerpo se entumecía—. Kir y yo teníamos un hermano menor. Nunca lo supiste, estoy seguro. Muy pocos lo saben. Se llamaba Grigori. Kir lo quería mucho. Todos lo queríamos. Grigori era un chico inteligente y encantador. Pero también era un poco salvaje. Incluso de joven se rebelaba contra la autoridad y se atrevía a enfrentarse a situaciones peligrosas sin ningún temor.

Kade se sorprendió sonriendo al pensar que a él también le hubiera gustado Grigori.

—A pesar de sus faltas, Kir adoraba al chico. Pero algunos años más tarde, cuando se supo que Grigori se había convertido en renegado y que, preso de la lujuria de sangre, había matado, Kir lo rechazó radicalmente. Tan simple como eso —dijo Max, chasqueando los dedos—. Nunca volvimos a ver a Grigori. Kir no quiso volver a hablar de él desde que oímos la noticia de que se había convertido en renegado. Desde ese momento en adelante, Kir se convirtió en un hombre distinto.

Kade escuchaba, reacio a aceptar la punzada de compasión que sintió por su padre por la pérdida que había sufrido.

—Tal vez a tu padre le preocupa saber que no podría volver a soportar de nuevo ese tipo de dolor —sugirió Max—. Tal vez lo que ocurre simplemente es que a veces ve demasiadas cosas de Grigori en ti.

Y por lo visto había decidido rechazarlo prematuramente y depositar todas sus esperanzas en Seth.

—No importa —murmuró Kade, y en parte lo pensaba. Estaba demasiado ocupado lidiando con la vida y la muerte reales como para preocuparse por cuánto podían pesarle las expectativas de su padre—. Valoro la información, Max. Y la perspicacia. También aprecio que hayas venido.

Max, receptivo como siempre, captó la suave indirecta y se puso en pie.

—Debes de tener cosas que hacer. No quiero entretenerte.

Cuando estiró la mano, Kade en lugar de aceptarla le dio un breve abrazo.

—Eres un buen hombre, Max. Un buen amigo. Gracias.

—Cualquier cosa que necesites, Kade, solo tienes que pedírmela.

Fueron juntos hasta la puerta, y Kade la abrió justo cuando un par de mujeres, envueltas con abrigos de invierno y cada una transportando una manta de plumas doblada, pasaban caminando por delante de la cabaña. Una de ellas alzó la vista y tardó en reaccionar.

—Oh... ¿Kade? —preguntó, y luego su bonito rostro se iluminó con una brillante sonrisa—. ¡Kade! He oído que habías vuelto a Alaska, pero no me había dado cuenta de que estabas aquí.

—Hola, Patrice —dijo él, sonriendo con educación a la compañera de sangre que su hermano gemelo había dejado plantada un par de años atrás.

Junto a él, Max se había quedado muy quieto. Kade podía notar el calor que irradiaba del hombre mientras Patrice continuaba charlando animadamente, dulce y hermosa con su

brillante cabello rojo y sus ojos de color verde oscuro iluminados por la luz del fuego que se colaba a través de la puerta.

—Ruby y yo íbamos a ver la aurora boreal desde uno de
los salientes. ¿Alguno de vosotros quiere venir?

Kade y Max dijeron que no, pero fue la negativa de Max la
que más apagó la sonrisa de Patrice, aunque trató de ocultarlo
con el borde de la manta que sostenía. Mientras las compañeras de sangre se alejaban, Kade advirtió que el vampiro no podía apartar los ojos de ellas.

O, mejor dicho, de una de ellas.

—¿Patrice? —preguntó Kade, aturdido por el vehemente
deseo insatisfecho que había visto en los dos.

Maksim apartó la mirada de ella para dirigirla a Kade.

—Está prometida con otro. Nunca interferiría en eso, por
mucho que tarde Seth en aceptar el precioso regalo que le ha
sido dado. Ese ignorante y arrogante bastardo.

Kade observó cómo su tío abandonaba el porche y continuaba a través del terreno nevado hasta sus habitaciones.

No sabía si reírse por la virulencia de la declaración de
Max, o si maldecir a Seth por arruinar potencialmente otras
dos vidas.

Capítulo doce

Alex echó agua hirviendo de la tetera en la vieja y abollada cafetera sobre el hornillo. Mientras que la cocina se llenaba con el aroma de café recién preparado por segunda vez esa mañana, volvió a la mesa pequeña donde estaba desayunando con Jenna. O, más bien, donde Alex estaba desayunando. Jenna no había hecho más que mordisquear sus patatas fritas caseras y apenas había tocado sus huevos revueltos.

—Dios, cómo odio el invierno —murmuró, recostándose en la raquítica silla de madera y dirigiendo una mirada pensativa a la oscuridad, que seguía apretándose gruesa y profunda contra las ventanas a las ocho de la mañana—. Algunos días tengo la sensación de que no va a terminar nunca.

—Terminará —dijo Alex, que estaba sentada frente a su amiga y veía cómo la angustia se ahondaba en los ojos de Jenna.

Por supuesto, no era en realidad ni la oscuridad ni el frío lo que le pesaba. No le hacía falta a Alex mirar el calendario sobre la pared al lado del teléfono para comprender la melancolía creciente de Jenna.

—Vamos —dijo Alex, intentando sonar alegre—. Si el tiempo sigue despejado hasta el fin de semana, estaba pensando que podríamos volar a Anchorage. Ir de compras, quizás, o al cine. ¿Te apetece un fin de semana de chicas en la ciudad?

Jenna le devolvió la mirada y sacudió la cabeza.

—No creo.

—Venga. Será divertido. Además, ahora me lo debes. Acabo de usar los últimos restos que quedaban de café Red Goat para ti. Tengo que ir a la tienda de los hermanos Kiladi para comprar más.

Jenna sonrió, con gesto triste.

—¿Los últimos restos de tu café Red Goat? Dios, debes de estar preocupada por mí. Me ves en un estado lamentable, ¿no es cierto?

—¿Lo estás? —preguntó Alex con cautela, empleando una pregunta directa que requería una respuesta directa. Tendió una mano sobre la mesa para estrechar la de Jenna. Contemplaba a su amiga, escuchando el instinto interior que siempre parecía saber si alguien le estaba contando la verdad o una mentira—. ¿Vas a estar bien esta vez?

Jenna mantuvo su mirada como si no pudiera separarse de ella. Suspiró brevemente.

—En realidad no lo sé, Alex. Los echo de menos. Me dieron un motivo para levantarme por la mañana, ¿sabes? Me sentía necesaria, mi vida tenía un sentido mayor cuando Mitch y Libby formaban parte de ella. No sé muy bien si volveré a tener eso.

Se trataba, entonces, de la verdad, por muy dolorosa que fuera. Alex reconoció la confesión de su amiga apretándole la mano con ternura. Pestañeó, soltando a Jenna de la atadura invisible de su mirada inquisidora de la verdad.

—Tu vida tiene sentido, Jenna. Tiene mucho sentido. Y no estás sola. Sin ir más lejos, nos tienes a Zach y a mí.

Jenna se encogió de hombros.

—Mi hermano y yo desde hace tiempo estamos cada vez más distanciados, y mi mejor amiga ha estado diciendo muchas tonterías últimamente sobre la necesidad de recoger sus cosas y largarse.

—Pura palabrería —dijo Alex, sintiendo un aguijón de remordimiento tanto por la cobardía que la estaba llevando a darle muchas vueltas a la posibilidad de salir corriendo otra vez, como por la verdad a medias que ahora mismo le estaba contando a Jenna con la esperanza de hacer que se sintiera mejor.

Se levantó y llevó las tazas hacia el hornillo.

—¿Entonces a qué hora dejaste el bar de Pete anoche?

—preguntó Jenna mientras Alex volvía a servir café y regresaba a la mesa con las tazas.

—Salí un poco después que tú. Zach apareció por allí y me trajo a casa.

Jenna sorbió brevemente y devolvió la taza a la mesa.

—¿Ah, sí?

—Me trajo, y nada más —dijo Alex—. Él venía para tomar una cerveza conmigo en el bar de Pete, pero yo ya estaba volviendo a casa.

—Pues, conociendo a mi hermano, lo más probable es que solo buscara una excusa para meterte en su camioneta. Le has gustado desde que éramos adolescentes, ya lo sabes. A lo mejor, más allá de su pose de hombre duro y de todo lo que dice sobre estar casado con su trabajo, sigue estando loco por ti en secreto.

Alex no lo creía. La única noche que pasaron juntos fue prueba suficiente para ambos de que fuera lo que fuese lo que tenían entre ellos nunca trascendería de ser más que una amistad. Conocía a Zach desde hacía casi una década, pero ella lo sentía más como un extraño que a Kade, al que conocía de un solo día.

Asombrosamente, a pesar de la manera en que Kade la desestabilizaba emocionalmente, en el fondo se sentía más protegida con él en un plano físico que con Zach, un condecorado oficial de policía.

Dios mío. Lo que eso decía exactamente de su propio criterio, desde luego Alex no quería saberlo.

Mientras reflexionaba sobre ese asunto y sorbía largamente su café, empezó a sonar el teléfono de la cocina. Alex se levantó y contestó la línea de negocios con voz automática.

—Fletamentos y Entregas Maguire.

—Hola.

Esa sola palabra —ese grave y ahora íntimamente familiar rugido de una voz— penetró por sus oídos y atravesó su cuerpo como una carga de electricidad.

—Ah... hola, Kade —dijo, deseando ser capaz de sonar menos estupefacta. ¿Y no podría al menos recuperar el aliento?—. ¿Cómo conseguiste mi número?

Desde el otro lado de la pequeña cocina, las cejas de Jenna

se levantaron con gesto de sorpresa. Alex se dio la vuelta y se apoyó en la encimera, esperando esconder parte del ardor que le estaba ruborizando las mejillas.

—No hay muchos Maguire en Harmony —dijo la voz al otro lado de la línea—. Tampoco hay muchos pilotos. Así que ensayé una conjetura y probé el único número que encontré que cubría ambos requerimientos... un tal Hank Maguire de Fletamentos y Entregas Maguire.

—Oh. —La boca de Alex esbozó una sonrisa—. ¿Y cómo sabes que no es mi marido?

Él respondió con una risa grave que sonó aterciopelada.

—Te puedo asegurar que no besas como una mujer casada.

Todo su interior se sobresaltó y se estremció al recordarlo, y le costaba mucho mantenerse quieta cuando empezó a pensar en los labios de Kade sobre los suyos y en el ardiente regreso mental que había disfrutado a solas la noche anterior en la ducha.

—Así que... ¿por qué has llamado? ¿Quieres... quiero decir, es una llamada de negocios?

Dios santo, estuvo a punto de añadir las palabras «o de placer» pero tuvo el buen sentido de reprimirlas antes de cometer la imprudencia de soltarlas. Lo único que necesitaba era estar pensando en Kade y el placer en una misma frase. Ya lo había probado lo suficiente. Lo suficiente para saber que significaba peligro y complicaciones, y de eso ya tenía demasiado.

—Se supone que voy a encontrarme con Big Dave y otros tipos en Harmony hoy —dijo Kade, despreocupadamente, dándole el mejor motivo posible para no querer tener nada que ver con él.

—Ah, sí —respondió Alex—. La gran caza de lobos.

Y allí estaba, permitiendo que sus hormonas desatadas la cegaran ante el hecho de que aún no sabía a qué estaba jugando exactamente. La ira estalló con amargura en su garganta.

—Pues, diviértete. Tengo que irme...

—Espera —dijo, cuando Alex estaba a punto de colgar el teléfono—. Se supone que tengo que salir hoy con Big Dave, pero en realidad tenía la esperanza de contratar a una guía para que me llevara donde Henry Tulak.

—Henry Tulak —dijo Alex lentamente—. ¿Por qué te interesa ver su cabaña?

—Es solo que... Necesito saber cómo murió ese hombre, Alex. ¿Me llevarás?

Su voz sonaba sincera y extrañamente resignada. Ya que parecía tan importante para él, Alex se encontró dando rodeos en vez de aceptar directamente.

—¿Y qué pasa con Big Dave?

—Le daré mis disculpas la próxima vez que lo vea —respondió, sin mostrar una mínima preocupación por darles plantón al fanfarrón de la ciudad y a sus amiguetes—. ¿Qué dices, Alex?

—Bueno, me parece bien. —Pero Dios, no hacía falta que se sintiera tan excitada ante la idea de estar con él—. Amanecerá más o menos a mediodía, así que ¿por qué no nos encontramos en Harmony a las once? Habrá luz suficiente para viajar y un par de horas para revisar el lugar cuando lleguemos.

Kade emitió una especie de gruñido, como si lo considerara al otro lado de la línea.

—Preferiría no esperar el amanecer, si no te importa.

—¿Preferirías viajar en la oscuridad?

Llegaba a sentir la lenta sonrisa que se abría en su rostro mientras contestaba.

—A mí no me da miedo un poco de oscuridad, siempre que a ti tampoco. Ya estoy de camino, en dirección a tu casa. Podré llegar dentro de una hora.

Bueno, tenía que reconocer que era un hombre atrevido. Había una idea fija en su cabeza y no le asustaba ir detrás de ella.

—¿Te va bien si llego en una hora, Alex?

Ella miró el reloj y se preguntó cuánto tardaría en quitarse los desteñidos pantalones, ducharse, y hacer algo decente con su cara y su pelo.

—Sí, perfecto. Está bien, en una hora. Te veo entonces.

Al colgar el teléfono, Alex podía sentir la mirada de curiosidad de Jenna sobre su espalda.

—Era Kade, ¿verdad?

Ella se dio la vuelta con una sonrisa avergonzada.

—Pues sí.

Jenna se recostó en la silla y cruzó los brazos sobre su pecho, con un aspecto total de poli, aun vestida con sudadera y vaqueros descoloridos y con su melena de cabello oscuro sobre los hombros.

—¿Es el mismo Kade que estaba anoche en el bar de Pete, el mismo Kade que viste ayer en casa de Tom y con el que decías que no querías tener nada que ver? ¿Ese Kade?

—Sí, es él —contestó Alex—. Y antes de que digas nada más, lo único que voy a hacer es llevarlo donde estaba la casa de Tulak para que eche un vistazo.

—De acuerdo.

—Es una cuestión de negocios —dijo Alex, mientras se apresuraba en despejar los platos del desayuno y dejarlos en el fregadero. Apartó un pedazo de tostada empapada con huevo y se lo arrojó a *Luna*, que lo esperaba con la boca abierta—. Tal como lo veo yo, si sirve para alejar un fusil más de las manadas de lobo de la zona, estoy encantada de entretener a Kade con un viaje al campo.

Cuando volvió a la mesa para pasarle un trapo, Jenna la estaba mirando atentamente.

No hacían falta el inquietante detector interior de mentiras de Alex ni los años de entrenamiento como poli de Jenna para comprender el hecho claro e irrefutable de que Alex estaba enamorada. Loca de amor por un hombre que conocía desde hacía tan solo un par de días. Tentada a dejar que este hombre, que irradiaba un centenar de confusos matices de gris, en su pequeño y ordenado mundo donde todo era blanco y negro, la trastornara.

—Ten cuidado, Alex —dijo Jenna—. Soy tu amiga y te quiero. No quiero que sufras.

—Ya lo sé —dijo—. No voy a sufrir.

Jenna se rio en voz baja y gesticuló con la mano.

—Pues, ¿qué haces entonces perdiendo el tiempo cuando deberías estar preparándote para esta no-cita? Vamos. *Luna* y yo nos encargaremos de limpiar las cosas del desayuno.

Alex sonrió.

—Gracias, Jen.

—Pero cuando vuelvas de esta no-cita —gritó Jenna,

mientras Alex corría por el pasillo—, voy a querer el apellido de este tío y su número de la seguridad social. Y una historia médica completa, también. ¡Sabes que no te miento!

Alex lo sabía, pero ya estaba riéndose a carcajadas, flotando sobre una sensación bienvenida, aunque insólita, de emoción y de esperanza.

Capítulo trece

*K*ade no se había dado cuenta de cuántas ganas tenía de ver otra vez a Alex hasta que la vislumbró a través del cristal esmerilado de la puerta principal de su casa, cuando acudió para abrirle la puerta. Alta y esbelta, iba vestida con vaqueros oscuros y un forro polar verde lima sobre un jersey blanco de cuello alto. Con el cabello de color rubio cálido recogido en trenzas justo por encima de los hombros, tenía una emergente frescura primaveral en el declive del gélido invierno. Acercando su rostro a la ventana, le sonrió a través de los cristales helados, y un rubor repentino apareció en sus mejillas. La belleza natural de su rostro se realzaba con un ligero toque de rímel.

—Hola —dijo, mientras abría la puerta, que no estaba cerrada con llave, para dejarlo entrar—. Me encontraste.

Kade inclinó la cabeza para asentir.

—Te encontré.

—Déjame adivinarlo —dijo, con la sonrisa aún intacta—. ¿Has hecho todo el camino a pie como el otro día en el páramo?

Hizo un gesto sonriente señalando la motonieve que había estacionado en su patio.

—Hoy he decidido conducir.

—Por supuesto. —Mantuvo la puerta abierta—. Pasa. Solo tengo que encontrar mis botas y el equipo y podemos irnos.

Al verla desaparecer por una esquina del salón, Kade avanzó por la pequeña y acogedora casa, recorriendo con la mirada los muebles sencillos y la atmósfera cálida y relajada. Sentía el olor de Alex en el lugar, la veía en las líneas limpias y sencillas del sofá y las sillas, en las maderas oscuras y rústicas de las mesas y en los verdes, marrones y cremas terrenales del tejido de la alfombra bajo sus pies.

Entró en la habitación con sus botas de cordones ya calzadas y con una gruesa parka de color caqui sobre sus hombros.

—Ya estoy lista. Deja tu vehículo donde está. Saldremos por detrás y llevaremos el mío a la pista de aterrizaje.

Kade se detuvo un par de pasos detrás de ella.

—¿La pista de aterrizaje?

—Sí —dijo, con total naturalidad—. No hay pronóstico de nieve para los próximos dos días, así que ¿por qué perder tiempo en el vehículo cuando podemos ir en avión?

—No sabía que íbamos a volar. —Sintió una breve punzada de incertidumbre, algo totalmente ajeno a él—. Está oscuro allí fuera.

—Mi avión sabe distinguir entre el día y la noche —dijo Alex, mientras una luz juguetona bailaba en sus ojos marrón suave—. Vámonos. A no ser que te dé miedo un poco de oscuridad, Kade.

Estaba jugando con él, y a él le encantaba. Le dirigió una sonrisa, dispuesta a aceptar cualquier desafío que le lanzara.

—Adelante.

Con Alex en el control y Kade contento de ir montado detrás de ella en el trineo, aunque solo fuese por la excusa que le daba para envolverla en sus brazos, avanzaron rápidamente por los helados terrenos baldíos de la ciudad hasta el lugar donde su avioneta monomotor estaba amarrada en la risible pista de aterrizaje de Harmony. Aparte del hangar donde los cuerpos de la familia Toms aún seguían almacenados temporalmente, el aeropuerto consistía en una breve pista de nieve compacta y luces de aterrizaje que apenas sobresalían sobre los montones más altos de nieve.

La Havilland Beaver de Alex tenía por compañía a una sola vecina, una pequeña Super Club que estaba equipada con neumáticos gruesos en vez de los esquíes rectos de la de Alex. Una ráfaga de viento recorría el terreno despejado de la pista de aterrizaje, impulsando una nube de nieve polvorienta sobre el suelo como una planta rodadora.

—Es un lugar concurrido, ¿verdad?

—Peor es nada. —Aparcó la máquina de nieve y se bajaron—. Sube. Tengo que revisar el motor antes de que podamos despegar.

A Kade le podría haber irritado sentir que una fémina le daba órdenes, si no fuera porque estaba intrigado con la confianza que tenía Alex en lo que hacía. Se subió a la cabina abierta de mando de la avioneta y cerró la puerta. Aunque la Beaver era una avioneta con el interior habilitado para la carga, a Kade le llamó la atención de inmediato la atmósfera claustrofóbica de la cabina. Con sus casi dos metros de altura y sus 115 kilos de peso sin armas ni ropa, era un hombre grande en circunstancias normales, pero al sentarse en el asiento del pasajero de la avioneta monomotor, sintió que los curvados paneles metálicos y las ventanas estrechas formaban una apretada jaula.

Alex entró por el lado del piloto y se sentó de un salto detrás del volante.

—Todo listo —anunció con voz alegre—. Ponte el cinturón y estaremos en el aire en un momento.

Tan lejos en el interior de Alaska, no era sorprendente ver que no existía ningún control de tráfico aéreo, y ninguna torre a la que consultar antes por radio para poder despegar. Todo dependía de Alex a la hora de abandonar la tierra y dirigirse en la dirección correcta. Kade observó cómo maniobraba, muy impresionado por la forma en que dominaba la avioneta y la ponía en marcha sobre la lamentablemente breve pista. Un minuto más tarde despegaron y ascendieron por la oscuridad, trepando cada vez más alto en un cielo matinal carente de luz, aparte del manto distante de estrellas que titilaban más arriba.

—Bien hecho —dijo, mirándola mientras aminoraba el ascenso y se dirigía después de un breve trecho a una zona donde había más viento y turbulencia—. Supongo que ya habrás hecho esto en un par de ocasiones.

Le respondió con una sonrisa.

—Llevo volando desde los doce años. Pero tuve que esperar hasta los dieciocho para hacer mi entrenamiento oficial y conseguir la licencia.

—¿Te gusta estar aquí arriba entre estrellas y nubes?

—Me encanta —dijo, asintiendo con aire pensativo mientras comprobaba algunos de los indicadores en el tablero de mandos, y luego volvió a contemplar el enorme vacío que tenían por delante—. Mi padre me enseñó a volar. Cuando era una niña, me solía decir que el cielo era un lugar mágico. A veces cuando me asustaba o cuando me despertaba después de tener una pesadilla, me llevaba con él... a la hora que fuese. Volábamos alto en el cielo, donde nada malo podía hacernos daño.

Kade notaba el afecto en su voz cuando hablaba de su padre, y también sintió el pesar de su pérdida.

—¿Cuánto tiempo hace que falleció tu padre?

—Hace seis meses. Tuvo alzhéimer. Hace cuatro años empezó a olvidar las cosas. Empeoró rápidamente y, después de un año, cuando sus reflejos en el avión comenzaron a verse afectados, por fin me dejó llevarlo al hospital en Galena. La enfermedad avanza a un ritmo distinto en cada caso, pero a papá pareció atraparlo enseguida. —Alex no pudo contener un hondo y melancólico suspiro—. Creo que se rindió en el mismo instante en que oyó el diagnóstico. No sé, pienso que quizá se estaba rindiendo ante la vida incluso antes.

—¿En qué sentido?

No quería que fuese una pregunta entrometida, pero mientras la hacía ella se mordió el labio, en un gesto reflejo que indicaba que probablemente sentía que ya le había dicho más de lo que hubiese querido. Por la mirada súbita e incómoda que le dirigió, podía ver que estaba intentando formarse una opinión sobre él, intentando decidir si era peligroso o no confiar en él.

Cuando por fin habló, su voz sonaba baja y su mirada estaba fija en el parabrisas como si fuese incapaz de decírselo y mirarlo al mismo tiempo.

—Mi... mi papá y yo nos mudamos a Alaska cuando yo tenía nueve años. Antes de eso vivíamos en Florida, en los Everglades, donde mi padre dirigía giras de hidroavión por las marismas y los cayos.

Kade la estudiaba en la penumbra de la cabina.

—Es un mundo completamente distinto al de aquí.

—Sí. Sin duda lo era.

Un estruendo metálico sonó de repente en algún lugar de la avioneta y la cabina empezó a vibrar con grandes sacudidas. Kade se aferró a su asiento, agradecido al ver que Alex no mostraba ninguna señal de pánico. Tenía toda su atención centrada en el panel de instrumentos y dio mayor velocidad a la avioneta. Las sacudidas y el ruido amainaron y el vuelo volvió a tranquilizarse.

—No te preocupes —le dijo, con un tono tan irónico como su expresión—. Como solía decir mi padre, es un hecho científico que algunos de los ruidos más alarmantes de los aviones solo se dejan oír de noche. Creo que ya estamos bien.

Kade se rio con cierta incomodidad.

—Voy a tener que confiar en ti respecto a este tema.

Sobrevolaron la curva de una cumbre y luego cambiaron ligeramente de dirección para atravesar el Koyukuk.

—¿Qué pasó entonces en Florida, Alex? —preguntó, volviendo al tema que no tenía ninguna intención de dejar. El instinto le decía que estaba cavando muy cerca de una mina de oro respecto a los secretos que parecía tener, pero no estaba interesado en progresar con su misión en esos momentos. Tenía un interés genuino en ella. Diablos, para ser honesto consigo mismo, tendría que reconocer que estaba empezando a sentir hacia ella un verdadero cariño, y quería comprender cualquier cosa que hubiese tenido que sufrir. Al oír el dolor por debajo de sus palabras, quiso ayudar a aliviarlo dentro de sus posibilidades—. ¿Algo os pasó, a tu padre o a ti, en Florida?

Ella movió la cabeza y le lanzó otra de esas miradas oblicuas y analíticas.

—No, a nosotros no... pero mi mamá y mi hermano pequeño...

Su voz se quebró, atragantándose en silencio. Kade podía sentir sus dos cejas frunciéndose mientras la miraba atentamente.

—¿Cómo murieron, Alex?

Durante un instante de asombro, mientras los ojos de Alex se fijaban en los suyos, sin pestañear y desnudos en su regreso al miedo, un susto helado empezó a tomar cuerpo en las entrañas de Kade. La pequeña cabina que compartían a unos dos mil quinientos metros de altitud sobre la tierra se hizo aún más estrecha, comprimiéndose bajo el terrible silencio de Alex a su lado.

—Los mataron —dijo, por fin, con palabras que aceleraron más aún el pulso de Kade cuando reflexionó sobre una causa posible, una causa terrible que convertiría esta relación con Alex en algo aún más imposible de lo que ya era. Luego ella se encogió de hombros y volvió a mirar al frente. Respiró hondo y soltó el aire—. Fue un accidente. Un borracho se saltó el semáforo en un cruce. Se estrelló contra el coche de mamá. Ella y mi hermanito murieron en el acto.

Kade frunció el ceño aún más mientras Alex recitaba apresuradamente los hechos, como si quisiera escupirlos fuera cuanto antes. Recitar parecía una descripción muy apta, porque algo de la explicación le parecía demasiado fácil, demasiado ensayado.

—Lo siento, Alex —dijo, incapaz de apartar de ella sus ojos, que la escudriñaban ahora desconfiados.

—Sí —respondió con voz rígida—. Al menos no sufrieron.

Volaron durante un rato sin hablar, observando cómo el oscuro paisaje debajo de la avioneta alternaba entre las áreas sin luz de bosque tupido y enormes montañas rocosas, y luego el brillo azul eléctrico de la tundra cubierta de nieve y de los cerros. Lejos en el cielo, Kade contempló la luminosidad verde y fantasmagórica de la aurora boreal. Se la mostró a Alex, y aunque ya la había visto desde la tierra en innumerables ocasiones desde su nacimiento hacía casi un siglo, nunca había estado en el cielo para poder ver los regueros de color bailoteando a lo largo del horizonte.

—Es increíble, ¿no? —reconoció Alex, evidentemente en su salsa mientras sobrevolaba trazando una larga curva para que pudieran disfrutar más tiempo de las luces.

Kade contemplaba el espectáculo de colores, pero sus pensamientos seguían fijos en Alex, aún intentando construir los hechos a partir de los retazos imprecisos de ficción que parecía querer que él creyera.

—Alaska no podía ser más diferente de Florida, ¿verdad?

—Claro que sí —respondió—. Mi padre y yo queríamos

volver a empezar de cero. Lo necesitábamos, después de que mamá y Richie... —Respiró hondo como si se reprimiera cuando estaba a punto de decir más de lo que quería—. Después de su muerte, mi padre y yo volamos a Miami para reservar un vuelo a algún lugar donde pudiéramos volver a reconstruir nuestras vidas. Había un globo terráqueo en una de las librerías de la terminal. Papá me mostró dónde estábamos, luego pidió que yo eligiera el lugar al que iríamos entonces. Elegí Alaska. Cuando llegamos, decidimos que Harmony sonaba como una ciudad amable para empezar una nueva vida.

—¿Y lo fue?

—Sí —dijo, con la voz un poco nostálgica—. Aunque se siente diferente ahora que él ya no está. He estado pensando que podría ser el momento de echar otro vistazo al globo terráqueo, ver otra parte del país durante algún tiempo.

Antes de que Kade pudiera hurgar más por esa vía, la avioneta se puso a vibrar y a sacudirse como antes. Alex volvió a acelerar, pero el ruido y el movimiento seguían.

—¿Qué pasa?

—Voy a tener que aterrizar ahora —dijo—. Allí abajo está la cabaña de Tulak. Intentaré parar lo más cerca posible.

—Perfecto. —Kade vio por la ventana cómo la tierra se acercaba mucho más rápido de lo que le habría gustado—. Intenta hacerlo con suavidad. No veo por ahí nada parecido a una pista de aterrizaje.

No tenía por qué haberse preocupado. Alex bajó la trémula avioneta sobre sus esquíes con un movimiento ligero, sorteando sin problemas un par de viejos abetos que parecían materializarse de repente en la oscuridad mientras seguían deslizándose sobre la nieve polvorienta. La cabaña estaba directamente delante de ellos ahora, pero Alex ralentizó la Beaver, haciéndola virar en una curva y navegando con muy poco margen de maniobra después de un aterrizaje tan abrupto.

—Dios, hemos tenido suerte —dijo mientras se detenían sobre la nieve.

—¿Tú crees? —El rostro divertido de Alex era más que expresivo mientras paraba el motor.

Descendió de un salto de la avioneta y Kade la siguió para inspeccionar el motor. Ella metió la cabeza dentro.

—Maldita sea. Bueno, eso explica el problema. Un par de tornillos deben de haberse desenroscado de la cubierta del motor, y se han caído.

Kade sabía tanto de cubiertas de motores como de hacer calceta. Y no le correspondía desear que el problema de la avioneta lo dejara abandonado con Alex en medio de la nada durante algunas horas. Mejor aún, algunas noches.

—¿Me estás diciendo, entonces, que no podremos volar hasta que consigamos ayuda?

—Estás mirando a la persona de ayuda —le dijo, sonriendo mientras volvía para coger su caja de herramientas de la bodega de carga de la avioneta.

Parte de la razón por la que Kade la había llevado consigo a ese lugar remoto era porque quería llegar definitivamente al fondo de lo que ella sabía de la muerte de los Toms. Ahora, después de la verdad a medias que le había contado sobre las muertes de su madre y su hermano, tenía otro motivo para interrogarla. Estaba seguro, por otra parte, de que si resultaba que Alex sabía algo de la existencia de la estirpe —y mucho más si ese conocimiento tenía que ver con la pérdida de sus parientes en Florida—, entonces aliviarla del peso de esos recuerdos sería un acto de generosidad.

Pero se trataba de algo más que de su misión. Había intentado convencerse a sí mismo de que no era así, pero la verdad era que el deber se convirtió en un asunto secundario en el momento en que llegó a la casa de Alex. La manera en que su pulso martilleaba en torno a esta mujer no tenía nada que ver con el plan. Su corazón seguía con fuertes palpitaciones después del apresurado aterrizaje, pero cuando Alex volvió al lugar donde él se encontraba, con una pinta elegante, hábil y sumamente adorable mientras se ponía a trabajar con el motor, las palpitaciones en su pecho se acomodaron hasta convertirse en un pesado latido.

—¿Te importa sujetarme la linterna? —Alex la encendió y se la pasó, luego se quitó un guante y buscó en la caja de herramientas un puñado de tornillos y pernos de tamaños diferentes—. Con un par de estos bastará hasta que lleguemos a casa.

Kade observó con mucho cuidado cómo Alex introducía cada tornillo en la cubierta del motor, y se preguntaba si los demás guerreros en Boston experimentaban el mismo orgullo y el mismo deleite al ver a sus parejas haciendo lo que mejor sabían hacer.

El pensamiento lo sorprendió en el mismo instante de pensarlo... ¿Desde cuándo era él alguien que pensaba en una pareja, y más aún que asociaba a Alexandra Maguire con semejante situación? En el mejor de los casos, ella sería un obstáculo pasajero en el cumplimiento de su misión para la Orden. En el peor de los casos, era un riesgo de seguridad para toda la nación de la estirpe... un riesgo que él tenía el deber de silenciar, y cuanto antes mejor.

Pero nada de eso importaba a su corazón, que latía como un tambor, ni tampoco a la precaria toma de conciencia que atravesaba cada vena y cada célula de su cuerpo mientras Alex terminaba su trabajo a solo unos pocos centímetros de él. Detrás de ella, en la remota distancia, la luz verde de la aurora boreal se juntaba con una creciente franja de intenso rojo. El color enmarcaba a Alex en el momento en que movía la cabeza para mirarlo, y Kade se preguntó si había visto en su vida algo tan bello como ese rostro aureolado por la magia helada del páramo de Alaska. Ella no dijo una palabra, solo mantuvo su mirada con la misma intensidad muda que él sentía recorriendo su interior.

Kade apagó la linterna y la colocó sobre la cubierta del motor, que estaba ahora cerrada. Se quitó los guantes y alcanzó la mano desnuda de Alex, apretando sus dedos fríos entre sus palmas para calentarlos. Siguió sujetándole la mano, pero dejándole la opción de alejarla si no quería que él la tocara. Ella no se resistió.

Entrelazó sus dedos con los de él, mirándolo a los ojos con una urgente y escrutadora intensidad.

—¿Qué quieres de mí, Kade? Por favor, necesito saberlo. Necesito que me lo digas.

—Creía que lo sabía —dijo, luego movió lentamente la cabeza—. Pensé que lo tenía todo controlado en mi mente. Dios, Alex... Conocerte lo ha cambiado todo.

Liberó una de sus manos para tocar la curva de la mejilla de Alex, deslizando los dedos entre la capucha de su parka y la tibieza aterciopelada de su rostro.

—Soy incapaz de leerte —dijo, frunciendo el ceño mientras miraba su cara—. Me incomoda no lograr comprenderte.

Kade tocó la punta de su nariz y esbozó una sonrisa irónica.

—¿Demasiadas gamas de gris para tu mundo en blanco y negro?

El gesto de Alex se mantuvo serio.

—Me asusta.

—No te asustes.

—Tú eres quien me asustas, Kade. Durante toda mi vida he huido de las cosas que me asustan, pero contigo... —Emitió un largo y trémulo suspiro—. Contigo no consigo alejarme.

Le acarició la mejilla y con las yemas de los dedos alisó los ligeros pliegues de su ceño, mientras Alex no dejaba de mirarlo intensamente.

—No hay motivo para que sientas miedo estando conmigo —le dijo, completamente seguro de lo que decía.

Pero luego inclinó la cabeza y apretó sus labios contra los de ella, y el beso que quería ser de tierno consuelo se incendió para convertirse en algo más salvaje cuando Alex se lo devolvió abiertamente, recorriendo su boca con la punta de la lengua. Todo el calor que había surgido entre los dos la noche anterior en el aparcamiento de Pete, resucitó otra vez, solo que ahora más rápido y más intenso después de las horas de deseo que Kade había vivido desde entonces. Esa mujer lo hacía arder, arder peligrosamente. El simple acto de besarla ya era un riesgo; con tanto deseo, los colmillos se alargaban debajo de las encías, y su visión se intensificaba con el diluvio de luz ambarina que pronto inundaría sus iris.

Seducirla no había sido su objetivo, fuese la que fuese su misión para la Orden, ni por mucho que le urgiera desentrañar los secretos de Alex para poder satisfacer su curiosidad personal.

Se alejó de ella, bajando la cabeza, volviendo el rostro para ocultar los cambios que no podía mostrarle. Cambios que pronto la iban a sorprender.

Cambios que sería incapaz de explicar.

—¿Qué pasa? —preguntó, con su dulce voz enronquecida por el beso—. ¿Te pasa algo?

—No. —Hizo un gesto con la cabeza, aún con cuidado para esconder la cara mientras luchaba por enfriar su lujuria—. No pasa absolutamente nada. Pero por Dios, hace demasiado frío para estar aquí fuera. Debes de estar helada.

—La verdad es que no siento nada de frío en este momento —respondió, obligándole a sonreír a pesar de la guerra que se libraba en sus entrañas.

—Deberíamos entrar. —No esperó su respuesta antes de caminar hacia la puerta del pasajero de la avioneta—. Voy a coger mis cosas. Entra tú. Ahora mismo te sigo.

—De acuerdo. —Alex dudó un momento, luego empezó a caminar hacia la cabaña, oyendo cómo sus botas crujían en la nieve—. Mientras tanto, trae algo de leña. La gente usa este lugar como un refugio en el camino, así que debe de haber algo en aquel cobertizo.

Kade esperó a que Alex entrara en la cabaña de madera antes de sacar su petate de armas de la avioneta y luego se dirigió en torno a la cabaña en busca del cobertizo. El aire del Ártico lo asaltó mientras caminaba por la nieve virgen. Kade celebraba el roce del viento helado.

Y en su interior seguía ardiendo por Alex.

La deseaba muchísimo, y sería necesario que un glaciar lo engullera entero para poder apagar una pizca del calor que lo inflamaba por dentro.

Capítulo catorce

*A*lex entró en la cabaña de un solo ambiente y cerró la puerta tras ella, para no dejar que entrara el frío y también con la intención de conseguir un minuto de privacidad para lidiar con el tumulto que sentía en su interior. Se recostó contra la golpeada pared de madera y exhaló un largo y trémulo suspiro.

—Contrólate, Maguire.

Quería fingir que el beso no significaba nada, que el simple hecho de que Kade se hubiese retirado primero debería indicarle que él pensaba que era una mala idea que las cosas se calentaran así. Pero las cosas ya estaban calientes. Más que calientes, y negarlo no iba a cambiar eso. No había ningún lugar al que Alex pudiera correr para escapar del deseo que sentía por Kade. Y lo más extraño de todo era que no quería huir de esa sensación. Por primera vez en su vida, había algo que la asustaba terriblemente pero que no la impulsaba a salir corriendo.

No, peor todavía, sus sentimientos hacia Kade la hacían querer acercarse más aún.

Y la asustaba mucho más la sensación que tenía de que Kade podía ser alguien lo suficientemente fuerte como para que ella pudiera abrirse y contarle lo que había ido acumulándose en su interior durante tanto tiempo. Una parte de ella quería creer que él podría ser el único hombre lo bastante fuerte como para mantenerse a su lado en cualquier tormenta, aun en una tormenta llena de monstruos, en la que la noche tenía dientes y el viento rugía, hambriento y con una sed de sangre.

Kade sí se mantendría a su lado.

Alex lo sabía de la misma manera en que siempre había sabido cuándo alguien le estaba mintiendo. Aunque no lograba leer sus sentimientos como hacía con otras personas, el mismo sentido innato le decía que Kade de alguna manera era diferente a los demás. No tenía nada que ver con ningún hombre que hubiera conocido ni con ninguno que pudiera llegar a conocer en su vida.

Ese mismo extraño pero inapelable instinto se puso en marcha en el vuelo desde Harmony, cuando estuvo a punto de contar la verdad, toda la verdad, sobre por qué ella y su papá habían huido de Florida. La verdad sobre qué era exactamente lo que mató a su mamá y a su hermanito.

Le había costado luchar contra ese impulso de querer confesarle la verdad a Kade, y al lanzarle esa elaborada mentira que había usado con tantos otros sin ningún remordimiento, el acto de no ser honesta con Kade la violentó terriblemente. Quién lo habría dicho. Había ocultado una de las verdades más básicas sobre sí misma a toda la gente de Harmony que la conocía desde su infancia, pero después de unos pocos días de flirteo con un extraño ya estaba lista para irse de la lengua.

Pero Kade ya no era un extraño para ella. No lo había sentido como un extraño, ni en esa primera noche en el fondo de la iglesia, cuando sus radiantes ojos de plata se habían fijado en su mirada desde el otro lado de la sala.

Y si lo que llevaban practicando desde entonces era un simple flirteo, ¿por qué sentía entonces que su corazón golpeaba contra su esternón cada vez que estaba cerca de él? ¿Por qué tenía la sensación, contra toda lógica y toda razón, de que pertenecía a ese hombre?

Ahora que el frío de los recuerdos de su pasado y la incertidumbre respecto a su futuro la estaban acorralando, necesitaba aferrarse a algo fuerte y cálido.

No a cualquier cosa, ni a cualquier persona... sino a él.

Lo que necesitaba ahora era el calor de Kade, la fuerza de Kade, aunque solo fuera por un tiempo breve.

El cobertizo detrás de la cabaña tenía una cantidad decente de leña cortada, que se mantenía seca y bien almacenada en el pequeño refugio que llevaba las iniciales de Henry Tulak sobre la puerta. La costumbre en la tundra era que los caminantes se cuidaran entre sí, dejando leña y comida para la persona siguiente y respetando la tierra para conservarla para otros y no solo para ellos mismos.

Mientras Kade sacaba la leña y la disponía en un montón, reflexionaba sobre qué podía dejar a cambio de la madera que quemaría para Alex en la cabaña. Se arrodilló para abrir la cremallera de su morral. Lo único que llevaba que pudiera ser útil para alguien en la tundra eran sus armas, pero los fusiles antirrenegados eran demasiado valiosos para poder dejarlos. Un cuchillo, entonces. Tenía más de uno en el morral.

Mientras buscaba en el bolso un cuchillo que estaría dispuesto a dejar, el tacón de su bota tocó algo duro y blanco que estaba atascado entre las tablas del piso del cobertizo.

—¿Qué diablos?

Se apartó para ver mejor lo que podría haber aplastado con su bota. Un diente de oso. La larga y afilada punta de marfil se había enganchado entre dos tablas, como si la hubiesen pisado innumerables botas antes de las suyas. Pero no era el diente en sí lo que le heló la sangre en las venas, sino la fina cuerda de cuero trenzado que estaba atada al diente.

El mismo tipo de cinta de cuero atada a otro diente de oso que había visto hacía poco tiempo.

La que encontró manchada con sangre humana ya seca y vieja, y oculta en el alijo privado de pequeños tesoros que guardaba Seth. La retorcida colección de recuerdos de un asesino.

Su hermano había estado allí.

Dios mío... ¿Había sido Seth quien asesinó al ser humano que encontraron en ese lugar el año pasado, muerto y comido por los carroñeros?

Kade quería negar la prueba que llevaba en su mano como una mera coincidencia, pero la sensación helada en su pecho le decía que su gemelo había estado en ese mismo lugar el invierno anterior, cuando Henry Tulak exhaló su último suspiro.

—Maldito cabrón —susurró Kade entre dientes, asqueado por el descubrimiento, aunque buscaba evidencia de lo mismo desde su llegada a Alaska.

Con esas pruebas mirándolo en plena cara, y con la certidumbre que solo un gemelo puede tener sobre su otra mitad, sabía que ya era imposible negar lo que sabía en su corazón desde hacía mucho tiempo. Su hermano era un asesino. No era mejor que los renegados que Kade siempre había odiado y que ahora cazaba como miembro de la Orden. Se sintió traspasado por la ira, por una indignación no solo ante Seth sino ante sí mismo, por el hecho de seguir queriendo creer que se equivocaba respecto a su hermano. En su corazón, Kade sabía que no había posibilidad de error ni de excusar a Seth ni la atrocidad de sus actos.

Kade desenganchó el diente de oso con la punta de su cuchillo y lo sujetó en el aire, contemplando con horror la evidencia que acababa de condenar a su hermano. Esa misma evidencia que a partir de entonces obligaría a Kade a hacer lo que era justo y legítimo, a hacer lo que era su deber, no solo por la Orden sino como un hombre cuyo código de honor personal exigía justicia.

Necesitaba encontrar a Seth y poner fin a sus matanzas.

Necesitaba marcharse de allí, ahora mismo. Estaba demasiado nervioso por su ira y por la resolución que acababa de tomar como para volar de regreso a Harmony con Alex. Se marcharía a pie para iniciar su caza personal, ya que quedaban aún un par de horas antes del amanecer a mediodía. Recorrería a pie toda la zona interior si fuese necesario. Convocaría la ayuda de los lobos para encontrar a Seth si no lograba descubrir su pista por su propia cuenta.

Kade guardó el amuleto del diente de oso en el bolsillo delantero de sus vaqueros y colocó el cuchillo sobre la leña, una ofrenda de intercambio a pesar del hecho de que ahora no le serviría la madera. Lo único que necesitaba era salir de ese lugar de inmediato y cumplir con la misión que lo había llevado a Alaska desde el inicio.

Después de recorrer el camino desde el cobertizo hasta la cabaña, Kade estaba hecho un polvorín de furia y mortífera intención. Pero al abrir la puerta de la cabaña, preparado para ofrecer a Alex una pobre excusa sobre por qué iba a tener que abandonarla allí, se sintió acogido por el aire cálido y el brillo dorado de un fuego que chisporroteaba en la pequeña estufa en el centro de la cabaña.

Y por Alex, que estaba sentada en medio de un nido afelpado de sacos de dormir y blandas mantas de lana. Su cabello rubio, liberado de sus trenzas, caía en ondas alborotadas sobre sus hombros desnudos. Desnudos como su largas y esbeltas piernas, que se asomaban por debajo de los jirones de la vieja manta que solo la cubría parcialmente.

Dios mío... la bella y seductora Alex, desnuda y esperándolo.

Kade carraspeó, repentinamente incapaz de formular una palabra, y mucho menos las excusas que tenía la intención de explicarle sobre su necesidad de partir de inmediato.

—Es que... encontré leña y cerillas en ese cubo —dijo Alex—. Se me ocurrió calentar las cosas aquí dentro.

¿Calentar las cosas? Si Alex se calentaba algo más, el cuerpo de Kade comenzaría a arder en llamas allí donde estaba. Su corazón aún latía con el espeluznante descubrimiento que acababa de hacer en el cobertizo, pero su ritmo ahora se hacía más profundo, más urgente. Sintió un músculo saltar violentamente en su mandíbula mientras miraba cómo la suave luz del fuego bailaba sobre la piel lisa y cremosa de la mujer.

—Alex...

Movió débilmente la cabeza, incapaz de encontrar palabras para negarse. Más de una docena de razones le decían que era una muy mala idea, sobre todo ahora que el deber le obligaba a descartar sus deseos personales y egoístas y concentrarse completamente en la misión que se le había encargado, pero esas razones se perdieron en la lujuria que inundaba su cerebro. El hambre lo poseyó, oleadas de deseo cubrían la furia que hacía solo un minuto lo estaban consumiendo allí fuera.

Era mala esa necesidad que sentía por ella. En esos momentos, en el fondo sabía que llevar las cosas con Alex a un nivel más íntimo era la peor idea imaginable.

Lo sabía, al menos, hasta que ella se levantó y empezó a caminar hacia él. La vieja manta que envolvía su cuerpo se arrastraba detrás de ella sobre el suelo y por delante se apartaba para mostrar, con cada paso que hacía, una imagen nítida de sus delgadas e interminables piernas. Mientras se acercaba y la fina tela se desplazaba para exponer la piel suave y blanca de su cadera izquierda, Kade vio la pequeña marca de nacimiento de color carmesí y en forma de lágrima y luna creciente que empujó toda la situación más allá del reinado de las ideas simplemente malas para introducirla directamente en la zona del desastre.

Era una compañera de sangre.

Y eso lo cambiaba todo.

Porque Alexandra Maguire no era una mujer mortal y humana con la que se podía jugar para sonsacarle información, con la que quizá se podía follar durante un tiempo para luego borrarle la mente y olvidarse luego de ella. Era como una pariente para alguien como él, una mujer que había que honrar y reverenciar, tan valiosa como el oro.

Era algo raro y milagroso, algo que él indudablemente no merecía, y de todo eso ella no sabía absolutamente nada.

—Dios mío. —Colocó el morral sobre el suelo. Sus asuntos con Seth y con la Orden tendrían que esperar—. Alex, hay algo... tenemos que hablar.

Ella le respondió con una sonrisa, un curva sensual y juguetona de los labios.

—A menos que quieras decirme que tienes algún tipo de enfermedad o que en realidad te gustan los hombres...

La miró intensamente, preguntándose si existirían pistas que él había perdido en el camino. Pero en los primeros momentos no había mirado a Alex más que como a una fuente de información, una testigo involuntaria que había que obligar a hablar por cualquier medio que fuese necesario. Después de charlar con ella, le había empezado a gustar. Y después de que empezara a gustarle, era difícil no desearla.

¿Y ahora?

Ahora era una cuestión de honor proteger a esta mujer a toda costa, y lo más fundamental era impedir que cayera en las manos de un hombre como él. La estaba exponiendo al peligro por el simple hecho de estar con él. La estaba arrastrando cada vez más lejos en su misión por la Orden y cada vez más cerca, sobre todo después de lo que acababa de ver, al horror de los juegos enfermos de su hermano. Si era la mitad del guerrero que había jurado ser, alejaría a Alex inmediatamente de ese lugar y la devolvería a su casa, para no volver a verla o a hablarle nunca más.

—¿Kade? —Alex inclinó ligeramente la cabeza mientras se acercaba, esperando todavía una respuesta, el tono de voz aún juguetón—. No es eso lo que tenías que decirme, ¿cierto?

—No. No es eso.

—Pues, mucho mejor —dijo ella, casi ronroneando al pronunciar las palabras—. Porque no tengo muchas ganas de hablar ahora mismo.

Kade respiró hondo mientras Alex se acercaba aún más, hasta llegar a poco más de un centímetro de distancia y con solo un patético jirón de lana entre los dos. Y el olor de ella... piel tibia, calor femenino, y la huella dulce y aromática de algo aún más huidizo que, como sabía ahora, tendría que ser la irrepetible fragancia sanguínea de la compañera de sangre.

Aun sin esa maldita marca de sangre, diablos, a pesar de ella, Alexandra Maguire era una combinación embriagadora que lo envolvía, lo traspasaba, como la más poderosa de las drogas.

Alex levantó los ojos para mirarlo, sus ojos de color caramelo más oscuros que nunca, parecían charcas profundas donde ahogarse.

—Quiero estar contigo, aquí y ahora, Kade. —Lentamente abrió la manta, desnudándose completamente para él mientras lo abrazaba, encerrando a los dos dentro de sus pliegues. El calor de su cuerpo desnudo lo quemaba, imprimiéndose en su recuerdo como una tea—. Estoy harta de sentirme helada todo el tiempo. Estoy harta de sentirme tan sola. Solo por ahora, quiero que me acaricies, Kade. Solo quiero sentir el tacto de tus manos sobre mi cuerpo.

No hacía falta que se lo pidiera dos veces. Kade sabía el valor que debía haber necesitado para confesar así su vulnerabilidad, para entregarse a él de esa manera. Tenía que reconocer que él mismo lo había deseado así. La deseaba desde el minuto en que la vio por primera vez. Ahora todas sus buenas intenciones, todos sus pensamientos sobre el deber y el honor, se esfumaron en un instante.

Recorrió con la palma de una mano la delicada línea de su columna vertebral. Con la otra mano, acarició la bella curva de su mejilla y la piel sedosa de su nuca. El pulso de Alex se aceleraba bajo la yema de su pulgar mientras tocaba la fina piel sobre su carótida. Mientras jugaba con los dedos sobre esa zona suave y erótica de su piel, ella cerró los ojos y ladeó la cabeza, ofreciéndole más acceso de lo aconsejable.

El pulso de Kade martilleaba, y cada pequeña sacudida del cuerpo de Alex respondiendo a sus caricias incendiaba su hambre más primitiva. Inclinó la cabeza y hundió su rostro en la cuna entre el cuello de Alex y sus hombros, atreviéndose a dar solo el más breve de los besos porque los colmillos le estaban llenando rápidamente la boca y su lengua anhelaba el sabor de ella. Dominó la tentación con un grave rugido, arrastrando la boca hasta la parte delantera de su garganta y luego más abajo, arrodillándose para cubrir un pecho perfecto con la palma de una mano y alzar el pezón rosado a sus labios.

Lo lamió y mordisqueó con cuidado para evitar rozarla con las afiladas puntas de sus colmillos mientras tironeaba el apretado botón, rodeándola con su lengua y disfrutando de los jadeos de placer. Con la otra mano alcanzó la dulce curva de sus nalgas y se puso a tocar desde atrás la juntura de su cuerpo. El cuerpo de Alex se sentía tan bien entre sus brazos, tan perfecto. La apretó contra él, dejando que sus dedos la penetraran más, apartando los resbaladizos pliegues de su sexo. Estaba húmeda y caliente, y su carne era un remanso de paz para los dedos que entraban en ella.

—Dios mío —gimió Alex, enarcándose para recibir su abrazo—. Kade...

Al oírla, él apartó su boca del pecho y volvió a sus labios, atrapando su suspiro en un beso largo y hambriento. Aunque ella igualara su frenético ritmo, él la conducía, con más urgencia de la que quisiera, pero estaba demasiado enardecido para llevar las cosas con lentitud. Además, era demasiado consciente de los cambios que estaba experimentando, cambios que habría que explicar, que requerirían un diálogo, algo que no interesaba a Alex antes y algo que él era incapaz de ofrecer en ese momento.

Siguió besándola, sin poder desprender su boca de la de ella, la llevó de espaldas al nido de mantas al lado del fuego. Él se desvistió con la ayuda de ella, quitándose rápidamente el abrigo y la camisa, las botas y los vaqueros. Kade se deshizo de las demás prendas mientras Alex dejaba de besarlo y deslizaba la punta de su lengua por el lado de su cuello. Kade se sacudió ante la ráfaga de deseo que le inundaba las venas. Sintió el torrente de sangre que recorría su cuerpo hasta llegar a la martilleante extensión de su miembro. Le picaba sobre la piel la transformación de los dermoglifos, el diseño de las marcas de la estirpe que cubrían su pecho, sus brazos y sus muslos. Los glifos, normalmente solo un matiz más oscuros que el color natural de su piel, debían de estar ahora saturados de un color cada vez más intenso que reflejaba el deseo que sentía por Alex.

—Mierda —gruñó, silbando mientras ella mordía suavemente la tierna piel bajo su mandíbula. No sabía cuánto más iba a poder aguantar. Cuando Alex bajó la mano para acariciar la extensión de su sexo, fue incapaz de reprimir un rugido animal. Ella rodeó con la palma de su mano la punta redonda de su pene, tocándola con curiosidad y urgencia mientras extendía la humedad sobre la piel sensible.

—Acuéstate conmigo —le dijo, con la voz ronca y el aliento convertido en un jadeo.

Él la cogió en sus brazos y se hundió con ella sobre el suelo cubierto de mantas de la cabaña, besándola mientras la apretaba suavemente debajo de su peso. Era tan blanda y tibia contra su cuerpo, con los brazos envolviendo sus hombros y los muslos abiertos en torno a sus caderas. Su pene se asomó a la húmeda grieta del sexo de Alex, desenfrenado con el deseo de hundirse en él, pero Kade solo hizo el amago de entrar, deslizándose entre los carnosos pétalos de su cuerpo mientras su boca jugueteaba a lo largo del latido intermitente de su cuello. Llevó la mano para tocarse y empezó a rozar su carne dura contra la blandura de ella, empleando la ancha punta de su miembro para acariciar el pequeño y apretado botón del clítoris. Alex gimió, curvándose para acoplarse a su ritmo, abriendo más las piernas para invitarlo a penetrarla más profundamente. Kade resistió la tentación, pero solo a duras penas.

Ella había pedido que la calentara, y lo estaba haciendo, pero la quería más caliente que nunca antes en su vida. La repentina e insondable necesidad de imprimirse sobre su cuerpo, para ofrendarle un placer que no se pareciera a nada de lo que había sentido antes, latía en su sangre como un tambor.

Asombrado por la sensación, se retiró un poco. Pero Alex se veía demasiado bien, se sentía demasiado bien, y antes de que pudiese recordarse a sí mismo que ella se merecía algo mejor, ya estaba besándole el cuerpo cada vez más abajo. Saboreó cada centímetro dulce, desde los breves montículos de sus pechos hasta el firme músculo de su vientre y la pequeña marca de nacimiento sobre su cadera que lo condenaba y hacía que todo este placer y necesidad egoísta fuese un error.

Fuese o no fuese un error, y por muy egoísta que resultara de su parte ceder al deseo por Alex, ya no estaba en condiciones de resistir. Sentirla detrás de él incrementó la llama en su sangre hasta hacerla hervir. El olor de Alex lo atraía como un imán hacia la zona poblada de rizos entre sus piernas. La besó allí, empleando sus labios y lengua y dientes hasta que ella se retorció contra su boca. Y aun así no desistía. La chupó y la acarició, dándole placer hasta que todo su cuerpo se enarcó y ella soltó un grito al quebrarse en las sacudidas del clímax.

Y aun así no desistía.

Siguió besándola y chupándola y acariciándola, llevándola a la ola de otro salvaje orgasmo, y entonces, solo entonces, se levantó para cubrirla con su cuerpo, penetrándola hasta el fondo y rugiendo cuando las cálidas, húmedas paredes de su sexo se contrajeron en torno a su miembro. Se hundió en ella, dándose cuenta de que él también necesitaba esa calidez, esa sensación, por efímera que fuera, de que no estaba solo. Necesitaba a Alex así, tal y como estaban en ese momento, tanto como ella creía necesitarlo a él.

El clímax de Kade se enroscó a la base de su pene, intensificándose con cada febril empujón. Cada vez más cálido, cada vez más tenso, hasta que no pudo aguantar un segundo más. Se tensó con el impulso y la penetró hasta el fondo, sepultando el rostro en el hombro de Alex y emitiendo un ronco grito cuando su semilla salió de su cuerpo en un ardiente y líquido estallido.

No habría podido aguantar aunque lo intentara, aunque no existía la amenaza de un embarazo siempre que no se intercambiara sangre. Pero eso también resultaba más tentador de lo debido. Los colmillos de Kade emergieron largamente de sus encías mientras se perdía dentro de la lava ardiente de

Alex. Oía el galope de su pulso, lo sentía en las reverberaciones frenéticas de su propio corazón. Y cuando su boca descansó en una apretada mueca contra la piel de Alex, sintió las palpitaciones de su sangre debajo de la superficie de su piel delicada.

—Dios mío... Alex —silbó, atormentado por las oleadas de sensaciones que ella despertaba en él.

Toda su naturaleza de la estirpe le exigía hacer suya a esa mujer, que reclamaba su sangre de la misma manera en que acababa de reclamar su cuerpo.

Kade reprimió duramente esa necesidad adicional, pero maldita sea, le costaba. La acurrucó contra su cuerpo, sujetándola desde atrás para ayudar a ocultar los cambios que había experimentado durante la pasión.

—¿Estás bien? —le preguntó Alex, mientras él luchaba por controlar sus impulsos y recuperar una pizca de pensamiento racional.

—Sí —logró decir después de un momento—. Mejor de lo que debería estar.

—Yo también —dijo, mostrando su sonrisa en la soñolienta satisfacción de su voz, que respiraba tibia y ligera sobre el antebrazo de Kade—. Por si acaso te lo preguntaras, mis servicios como piloto no suelen incluir el desnudarme con mis clientes.

—Bien —dijo Kade, con un breve gruñido, mientras la apretaba más contra su cuerpo, que aún ardía. Se dio cuenta de golpe de que no quería que se desnudara con nadie. No le habría hecho gracia la idea antes de lo que acababa de suceder entre los dos, y mucho menos iba a tolerarla ahora.

—¿Y tú? —preguntó ella mientras él se cubría con las mantas para ocultar de su mirada los glifos encendidos de su cuerpo.

—¿Yo qué?

—¿Tú... haces esto a menudo?

—¿Desnudarme con bellas pilotos del interior de Alaska en medio de la tundra? —Se demoró un momento, fingiendo que estaba reflexionando en serio sobre su respuesta—. Pues no. Creo que ha sido la primera vez.

Y era la primera vez que sentía ese feroz sentimiento de

posesión, que tamborileaba aún en su sangre cuando pensaba en Alex con otro hombre. Se preguntaba si el hecho de que fuese una compañera de sangre lo había atraído desde el principio. Pero aun en el acto de preguntárselo, sabía que la marca de sangre que la conectaba al mundo de sombras en que él residía como un miembro de la estirpe era la menor de las cualidades que le gustaban de Alexandra Maguire. Lo último que necesitaba ahora mismo era un enredo sentimental, mucho menos con una mujer que llevaba la marca de la lágrima y la luna creciente.

Pero estaba enredado. De hecho, acababa de atar unos cuantos nudos más en una situación ya imposible.

Maldiciéndose a sí mismo por haber actuado como el imbécil redomado que evidentemente era, Kade la besó en la coronilla y la acurrucó contra sí mientras dejaba pasar el tiempo, para que sus ojos recuperaran su aspecto normal y sus colmillos tuvieran la oportunidad de retirarse.

Tardó bastante, e incluso después de que su cuerpo se acomodara en un apacible descanso, su hambre por la mujer que tenía entre los brazos seguía despierta.

Capítulo quince

La luz del día se extendió delgada y gris en torno a la ancha boca de la cueva que se encontraba en medio del bosque. El depredador se había refugiado allí poco antes, cuando los primeros y débiles rayos del sol empezaron a arrastrarse en su camino a través de la oscuridad invernal. Existían pocas cosas más fuertes que él, particularmente en este mundo primitivo tan diferente al lugar lejano donde había nacido hacía ya tantos milenios, pero por muy avanzada que estuviera su especie, su piel lampiña y cubierta de dermoglifos era incapaz de procesar la luz ultravioleta, y unos pocos minutos de exposición lo matarían.

Desde la seguridad profunda de la oscura cueva, descansaba después de una noche deambulando y cazando, impaciente para que las hilachas de luz del amanecer se agotaran y volvieran a retirarse. Necesitaba alimentarse de nuevo. Aún sentía hambre, y sus células, órganos y músculos todavía requerían un rejuvenecimiento extensivo después del largo período de carencia y abuso que había sufrido en cautividad. El instinto de supervivencia luchaba con la conciencia que tenía de estar total e irremediablemente solo en esa inhóspita bola de detritus rodante.

Ya no quedaba ninguno como él, desde hacía mucho tiempo. Era el último de los ocho exploradores que chocaron contra el planeta, un náufrago solitario sin posibilidad de escapatoria.

Nacieron para conquistar, nacieron para ser reyes. En lugar de eso, uno tras otro, todos sus hermanos habían muerto en el naufragio, algunos por la dureza del nuevo entorno, otros en una guerra contra su progenie semihumana que tuvo lugar siglos más tarde. Mediante la traición y un trato secreto con su prole, solo él sobrevivió. Pero fueron esa misma traición y esos mismos tratos sucios los que lo habían esclavizado al hijo de su hijo, Dragos.

Ahora que estaba libre, la única cosa más atractiva que dar fin a su tiempo en aquel planeta abandonado era la idea de arrastrar a la muerte con él a su heredero traidor.

Aulló furioso al recordar las largas décadas de dolor y experimentos que le habían infligido. Su voz chocó contra las paredes de la cueva, con un rugido sobrenatural que desgarró sus pulmones como un grito de batalla.

Desde algún lugar no muy lejano respondió un revólver, de alguien que estaba en los bosques.

Hubo un repentino estrépito entre los helechos congelados allá fuera. Luego el golpe breve y firme de pisadas de animal... varias series de pisadas, corriendo cerca de la boca de la cueva.

Lobos.

La manada se dividió, la mitad corrió hacia la derecha de la entrada de la cueva, y la otra mitad salió como una flecha hacia la izquierda. Y detrás de ellos, a una distancia de unos pocos segundos, los sonidos de voces humanas, hombres armados en una obstinada persecución.

—¡Por aquí! —gritó uno de ellos—. ¡Toda la maldita manada ha subido por esa cadena de colinas, Dave!

—Que tus hombres vayan en dirección oeste —ordenó una voz atronadora a modo de respuesta—. Lanny y yo subiremos la ladera a pie. Hay una cueva por ese camino... hay una buena oportunidad de que uno o más de esos bastardos sarnosos se escondan dentro.

El zumbido de las revoluciones de los motores y el hedor de gasolina ardiente llenaba el aire mientras algunos de los hombres se aceleraban. Poco después, junto a la entrada de la caverna, a la luz del día que impedía la única vía de escape, cobraron forma las siluetas de dos personas que sostenían grandes rifles. El hombre que había delante era grande, con el pecho como un tonel, hombros anchos y un vientre que debía de haber sido musculoso en su juventud pero que ahora tenía michelines. El que estaba con él era bastante más bajo y unos cuarenta kilos más delgado, una criatura tímida con un hilo de voz.

—No creo que haya nada aquí, Dave. Y no estoy seguro de que sea una buena idea separarnos de los demás...

Confinado en las sombras, el único ocupante de la cueva se encogió detrás de una pared de rocas irregulares... pero lo hizo un poco tarde.

—¡Allí! Acabo de ver un par de ojos brillando ahí dentro. ¿Qué te decía, Lanny? ¡Tenemos a uno de esos malditos cabrones justo aquí dentro! —La voz del hombre grande estaba llena de entusiasta agresividad mientras levantaba su arma—. Enciende esa linterna y déjame ver a qué estoy disparando.

—De acuerdo, Dave. —Su nervioso compañero hurgó a tientas en la linterna hasta encenderla y enviar un rayo tembloroso hacia el suelo y las paredes de la cueva—. ¿Ves alguna cosa? Yo no veo nada por ninguna parte.

Claro que no, porque la mirada brillante que el hombre grande había visto hacía apenas un momento ya no estaba en el suelo, sino mirando a la pareja de humanos desde el techo de piedra por encima de sus cabezas, posada sobre ellos en la oscuridad como una araña.

El hombre grande bajó su arma.

—¿Qué demonios? ¿Dónde puede haberse metido?

—No deberíamos estar aquí, Dave. Creo que deberíamos buscar a los demás...

El hombretón avanzó unos pasos más dentro de la cueva.

—No seas tan pusilánime. Dame la linterna.

Cuando el más pequeño se acercó con la luz en la mano, su bota se quedó atrapada en una roca suelta. Dio unos tumbos, cayó de rodillas y soltó un aullido de dolor y de sorpresa.

—¡Oh, mierda! ¡Creo que me he cortado! —La prueba cobriza de eso se mostró en forma de una vaharada de olor repentino. El aroma a sangre fresca perforó los orificios nasales del depredador. Inspiró y expulsó el aire de sus pulmones a través de sus dientes y colmillos desnudos.

Debajo de él, en el suelo de la cueva, el pequeño hombre nervioso sacudió la cabeza hacia arriba. Su acongojado rostro quedó tenso de horror al ver a la extraña criatura, con sus ojos color ámbar y sedientos de sangre.

Lanzó un grito, con la voz tan aguda y entrecortada como la de una chica.

Al mismo tiempo, el hombre grande se dio la vuelta con su rifle.

Explotó en la cueva un estruendo de balas y una luz deslumbrante mientras el depredador daba un salto desde su lugar en las rocas para abalanzarse sobre la pareja de humanos.

Alex no podía recordar la última vez que había dormido tan profunda o tan ininterrumpidamente. Tampoco podía recordar haberse sentido tan agotada y saciada como después de haber hecho el amor con Kade. Se estiró debajo de la afelpada pila de mantas y sacos de dormir que había en el suelo, y luego se incorporó sobre sus codos para observar a Kade mientras este añadía más troncos al fuego en la pequeña estufa de la cabaña.

Se puso en cuclillas, con los gruesos músculos de su espalda y de sus brazos agrupándose y flexionándose. Su piel quedó bañada con el cálido brillo ámbar de la luz del fuego, mientras se daba la vuelta para colocar otro leño en la estufa. Su corto cabello negro estaba despeinado y de punta lo que le daba un aire más salvaje de lo normal, sobre todo cuando volvía la cabeza para mirarla, y ella recibía el asalto de los ángulos cincelados de sus mejillas y su mandíbula, y el penetrante color plateado de sus ojos coronados por negras pestañas.

Era hermoso. Todavía cortaba más el aliento sentado ahí desnudo frente a ella, con su mirada intensa e íntima, fija en la suya. El cuerpo de Alex todavía zumbaba con el recuerdo de su pasión, el placentero dolor que sentía entre las piernas latía un poco más caliente ahora por la forma en que él la miraba, como si quisiera devorarla otra vez.

—¿Hemos dormido todo el día? —preguntó ella, con la necesidad repentina de llenar el ardiente calor.

Él asintió brevemente con la cabeza.

—El sol se puso hace un par de horas.

—Has estado fuera, ya veo —dijo ella, notando que había nuevos troncos apilados junto a él.

—Sí —dijo él—. Salí hace un minuto.

Ella sonrió, arqueando las cejas.

—Espero que no hayas salido fuera así. No puede haber más de cero grados en la oscuridad.

Él gruñó, y su boca sensual se curvó con irónico humor.

—No noto que ningún miembro se me haya encogido.

No, aquel definitivamente no era un hombre que tuviera ni la más ligera inseguridad acerca de su masculinidad. Cada centímetro de su ser era duro, puro músculo esculpido, sin una pizca de grasa. Con casi dos metros de altura, tenía el aspecto brutal de un mítico guerrero, desde la gruesa masa de sus hombros y sus bíceps hasta los planos tallados de su pecho y la zona donde se estrechaban sus perfectas caderas. El resto de él era impresionantemente perfecto también, y ella podía dar fe de que sabía muy bien cómo utilizarlo.

Dios santo, era una obra de arte viviente, que solo resultaba realzada por el intrincado aunque sutil diseño de tinta que lo cubría... ¿qué tipo de tinta era esa? Esa que seguía el rastro de la piel dorada de su torso y de sus miembros como el camino agradecido de la lengua de una amante. Alex siguió los intrincados diseños con sus ojos, preguntándose si era tan solo un truco de la luz del fuego lo que hacía que el color henna de sus tatuajes pareciera adquirir un tono más oscuro mientras ella lo miraba con abierta apreciación.

Sonriendo como si estuviera acostumbrado a que las mujeres lo admiraran, se puso de pie y lentamente caminó hacia ella, que estaba en aquel nido improvisado en el suelo, totalmente desinhibido en su desnudez.

Alex sonrió suavemente y negó con la cabeza.

—¿Nunca te resulta aburrido?

Él arqueó una oscura ceja y luego se dejó caer, recostándose negligente a su lado.

—¿Aburrido?

—Las mujeres caen a tus pies —dijo ella, advirtiendo con cierta sorpresa que no le gustaba mucho la idea. De hecho le resultaba odiosa, y se preguntaba de dónde venía aquella punzada de celos, teniendo en cuenta que no podía reclamarlo como suyo simplemente porque hubieran compartido unas pocas horas bastante sudorosas —sí, de acuerdo, espectaculares—, disfrutando cada uno del cuerpo del otro.

Él le acarició un mechón de cabello suelto que se le venía la cara y le alzó un poco el rostro para que lo mirara a los ojos.

—Yo aquí solo veo a una mujer conmigo ahora. Y puedo asegurarte que estoy cualquier cosa menos aburrido.

Él le tomó el rostro entre las palmas de las manos y se lo besó, poniéndola de espaldas sobre las mantas. Su mirada se hizo más ardiente, y ella pudo notar la rígida presión de su erección empujando a un lado de su cadera mientras se apretaba contra ella.

—Eres una mujer especial, Alexandra. Más especial de lo que crees.

—Ni siquiera me conoces —protestó ella suavemente, necesitando recordarse eso a sí misma más que a él. Se conocían desde hacía... ¿un par de días? No era habitual en ella permitir que alguien entrara en su vida tan rápidamente, o tan profundamente, sobre todo después de tan poco tiempo. Entonces, ¿qué le pasaba con él? ¿Y por qué ahora, cuando todo en su vida parecía en precario equilibrio y corría el riesgo de caer por un precipicio al dar el menor paso? Un empujón fuerte en la dirección incorrecta y sucumbiría—. No sabes nada de mí, en realidad.

—Entonces cuéntamelo.

Ella lo miró a los ojos, sorprendida por su sinceridad, la súplica cruda que había en su voz.

—Contarte...

—Cuéntame qué te pasó en Florida, Alex.

Todo el aire pareció escapársele de los pulmones en aquel instante.

—Ya te lo dije...

—Sí, pero los dos sabemos que no fue un conductor bebido quien acabó con la vida de tu madre y de tu hermano. Les ocurrió algo más, ¿verdad? Algo que has mantenido en secreto durante todos estos años. —Habló con suave paciencia, alentando su confianza. Y que Dios la ayudase, se sentía preparada para entregársela. Necesitaba compartir aquello con alguien y, en su corazón, sabía que ese alguien era Kade—. Puedes contarme la verdad, Alex.

Ella cerró los ojos, sintiendo que las horribles palabras —los horribles recuerdos—, subían a través de su garganta como ácido.

—No puedo —murmuró—. Si lo digo, todo lo que he intentado dejar atrás... todo lo que me he esforzado tanto por olvidar... volverá a ser real otra vez.

—No puedes pasar toda la vida huyendo de la verdad —dijo él, y había algo que embrujaba en su voz. Una tristeza, una resignación que le indicaban que él entendía algo de la carga que había soportado desde hacía tanto tiempo—. Negar la verdad nunca lleva a ninguna parte, Alex.

—No, es cierto —respondió ella en voz baja. En su corazón, lo sabía. Estaba cansada de huir y se sentía enferma por luchar para mantener el horror de su pasado enterrado y olvidado. Quería liberarse de todo, y eso suponía enfrentarse a la verdad, por muy espantosa y muy incomprensible que pudiera ser. Pero el miedo era un enemigo poderoso. Tal vez demasiado poderoso.

—Estoy asustada, Kade. No sé si soy lo bastante fuerte como para enfrentarme a esto sola.

—Sí lo eres. —Le dio un tierno beso en el hombro, y luego volvió a mirarla a los ojos—. Pero no estás sola. Yo estoy contigo, Alex. Cuéntame qué pasó. Yo te estaré acompañando, si me lo permites.

Ella sostuvo su mirada implorante y encontró el coraje que necesitaba en la dura fuerza de sus ojos.

—Habíamos pasado un día estupendo juntos. Hicimos un pícnic en la orilla del lago y yo acababa de enseñarle a Richie cómo dar una voltereta hacia atrás en el muelle. Él tenía solo seis años, pero no era miedoso y siempre estaba ansioso por intentar hacer lo que yo hacía. Había sido un día perfecto, lleno de amor y de risas.

«Hasta que la oscuridad se cernió sobre el pantano y trajo con ella un nefasto terror.»

—No sé por qué escogieron a nuestra familia. He buscado la razón de por qué vinieron a atacarnos aquella noche, pero nunca he sido capaz de encontrar una.

Kade la acarició con cuidado mientras ella luchaba por encontrar las siguientes palabras:

—A veces no hay razones. A veces las cosas pasan y no hay nada que podamos hacer para que tengan sentido. La vida y la muerte no son siempre pulcras o lógicas.

«A veces la muerte emerge de las sombras como un espectro, como un monstruo demasiado horrible para ser real.»

—Eran dos —murmuró Alex—. Ni siquiera supimos que estaban ahí hasta que fue demasiado tarde. Estaba oscuro, y nos encontrábamos todos sentados en la galería, relajados después de cenar. Mi madre estaba en el porche columpiándose con Richie, leyéndonos cuentos de Winnie the Pooh antes de ir a la cama, cuando el primero de ellos salió de la nada y se abalanzó sobre ella.

Kade dejó la mano quieta.

—No estás hablando de un hombre.

Ella tragó saliva.

—No. No era un hombre. No era ni siquiera... humano. Era otra cosa. Algo malvado. La mordió, Kade. Y luego el otro agarró a Richie con los dientes, también.

—Dientes —repitió él, sin ninguna expresión de incredulidad en su voz, sino tan solo una grave y firme comprensión—. Te refieres a colmillos, ¿verdad, Alex? Los atacantes tenían colmillos.

Ella cerró los ojos ante la imposibilidad de continuar hablando.

—Sí. Tenían colmillos. Y sus ojos... brillaban en la oscuridad como carbones encendidos, y en el centro de ellos sus pupilas eran alargadas como las de los gatos. No podían ser humanos. Eran monstruos.

Kade le acarició con suavidad el rostro y el cabello mientras el terror de esa horrible noche planeaba en su mente.

—Estás bien. Ahora estás a salvo. No sabes cuánto hubiera deseado estar allí para ayudarte a ti y a tu familia.

El sentimiento era dulce, aunque inverosímil, puesto que él apenas podía ser unos pocos años mayor que ella. Pero por la sinceridad de su voz, ella supo que hablaba en serio. Sin importar las pocas probabilidades de ganar ni la inmensidad del horror al que tuviera que enfrentarse, Kade hubiera estado allí dispuesto ante el ataque. Hubiera logrado que ellos estuvieran a salvo, habría hecho lo que nadie podía hacer.

—Mi padre trató de luchar contra ellos —murmuró Alex—, pero todo ocurrió muy rápido. Y los monstruos eran mucho más fuertes que él. Lo golpearon como si no fuera nada. Por entonces, Richie ya estaba muerto. Era tan pequeño, no tenía ninguna posibilidad de sobrevivir a ese tipo de violencia. Mi madre gritó para que mi padre huyera y me salvara a mí si podía: «¡No dejes morir a mi hija!». Esas fueron sus últimas palabras. El que la tenía agarrada hundió sus enormes maxilares en su garganta. No la soltó, dejó su boca clavada con fuerza en ella. Era... Oh, Dios, Kade. Esto va a sonar a cosa de locos, pero... estaba bebiendo su sangre.

Una lágrima rodó por su mejilla, y Kade apretó los labios contra su frente, atrayéndola contra él y ofreciéndole el consuelo que tanto necesitaba.

—No suena a cosa de locos, Alex. Y siento mucho lo que tú y tu familia tuvisteis que soportar. Nadie debería tener que cargar con ese tipo de pérdida y de dolor.

Aunque ella no quisiera revivirlos, los recuerdos habían resurgido ahora después de haber estado enterrados durante tanto tiempo y ella se daba cuenta de que no podía contenerlos. No ahora que Kade estaba allí para sostenerla, haciéndola sentir más arropada y más a salvo que nunca.

—Desgarraron a mi madre y a Richie como animales. Ni siquiera hay animales capaces de hacer lo que ellos hicieron. Y... oh, Dios... había tanta sangre. Mi padre me cogió en brazos y echó a correr conmigo. Pero yo no podía dejar de mirar lo que estaba pasando detrás de nosotros en la oscuridad. No quería ver nada más, pero era tan irreal que mi mente no podía procesarlo. Han pasado muchos años, y aún no estoy segura de poder explicar qué fue lo que nos atacó aquella noche. Yo solo... quiero que tenga sentido, pero no lo tiene. Nunca lo tendrá.

Ella inspiró con dificultad, reviviendo un nuevo dolor, una confusión más reciente. Miró a los ojos serios de Kade y dijo:

—Vi el mismo tipo de heridas en la familia de Toms. Fueron atacados, tal como lo fuimos nosotros, por el mismo tipo de demonios. Están aquí en Alaska, Kade... y estoy asustada.

Durante un largo momento, Kade no dijo nada. Ella podía ver su aguda mente repasando todo lo que le había contado, cada uno de los detalles increíbles que hubieran hecho burlarse incrédulo a cualquier otro o afirmar que Alex necesitaba buscar ayuda profesional. Pero él no. Él aceptaba la verdad tal como era, no había asomo de duda en sus ojos ni en el tono de su voz.

—No tienes que seguir huyendo. Puedes confiar en mí. No va a ocurrirte nada malo mientras yo esté aquí. ¿Me crees, Alex?

Ella asintió, dándose cuenta de lo resuelta que era su fe en él. Confiaba en él a un nivel que era más que instintivo, desde lo profundo de su sangre. Lo que sentía por él desafiaba el hecho de que hubiera entrado en su vida hacía apenas una semana, y no tenía nada que ver con la manera en que se consumía por él físicamente... hambrienta de una forma que no estaba preparada para analizar.

Simplemente miró los ojos firmes de Kade y supo, en lo profundo de su alma, que era lo bastante fuerte para soportar cualquier carga que ella compartiera con él.

—Necesito que confíes en mí —le dijo suavemente—. Hay cosas que necesitas entender, Alex, ahora más que nunca. Cosas acerca de ti misma, y de lo que viste en Florida y también aquí. Y además hay cosas que necesitas saber acerca de mí.

Ella se sentó erguida, con el corazón haciendo un ruido sordo en su pecho, cargado con una recelosa expectación.

—¿A qué te refieres?

Él entonces apartó la mirada, siguiendo el suave camino de su piel con una caricia que bajó por su cuerpo desnudo hasta descansar en su cadera. Con la yema del pulgar, trazó un círculo sobre la diminuta marca que allí tenía.

—Eres diferente, Alexandra. Extraordinaria. Tendría que haberlo reconocido enseguida. Había signos, pero algo se me escapó. Estaba concentrado en otras cosas y... maldita sea.

Alex frunció el ceño, más confundida que nunca.

—¿Qué tratas de decirme?

—Tú no eres como las otras mujeres, Alex.

Cuando él volvió a mirarla ahora, la confianza que normalmente brillaba tan intensamente en sus ojos había desaparecido. Él tragó saliva, y el ruido seco de su garganta hizo que a ella la sangre se le enfriara un poco más en las venas. Fuera lo que fuese lo que tenía que decir, él era ahora quien estaba asustado, y ver ese rastro de inseguridad en Kade avivaba la ansiedad de ella inmediatamente.

—Tú eres muy distinta de las otras mujeres, Alex —dijo él vacilante—. Y yo... debes saber que yo tampoco soy como los demás hombres.

Ella pestañeó, sintiendo que un peso invisible se cernía sobre ella con el silencio que se extendía entre los dos. El mismo instinto que la había llevado a pedir más respuestas le rogaba ahora que retrocediera y fingiera que no quería saber... que no necesitaba conocer eso que inquietaba tanto a Kade y que tanto le estaba costando contar. Todo lo que podía hacer era observarlo y esperar, con el temor de que Kade estuviera a punto de convertir su mundo en una caída en picado aún más pronunciada.

La aguda vibración del teléfono móvil la sobresaltó como el beso de un alambre que tuviera vida. Sonó otra vez y ella se apresuró a coger el aparato, dando la bienvenida a esa excusa para escapar del extraño y oscuro comportamiento de Kade.

—Aquí estoy —dijo tras reconocer el número de Zach al abrir el móvil para atender la llamada.

—¿Dónde estás? —preguntó él, sin molestarse ni en saludar—. Acabo de pasar por tu casa y no estabas. ¿Te has ido con Jenna?

—No —dijo ella—. Jenna estuvo en mi casa esta mañana antes de marcharme. Debe de estar en la suya.

—Bueno, ¿y dónde demonios estás entonces?

—Estoy fuera de visita —dijo ella, un poco irritada por su tono cortante—. Un cliente contrató un vuelo esta mañana.

—Bueno, tenemos una situación difícil aquí en Harmony —la interrumpió Zach bruscamente—. Estoy en medio de una emergencia médica y te necesito para volar y atender a un herido crítico en el monte.

Alex aplacó de golpe la confusión emocional que tenía antes de la llamada.

—¿Quién está herido, Zach? ¿Qué ha pasado?

—Se trata de Dave Grant. Todavía no tengo la historia completa, pero él y Lanny Ham, junto a un grupo de hombres del pueblo salieron hoy de cacería. Se han metido en problemas, en problemas serios. Lanny Ham está muerto, y a Big Dave tampoco parece quedarle mucho tiempo. Los chicos tiene miedo de llevarlo en una motonieve, temen no llegar a tiempo para salvarlo.

—Oh, Dios mío. —Alex se sentó sobre las piernas dobladas, y sintió que una fría sensación de entumecimiento subía por su piel—. Las heridas, Zach... ¿qué es lo que les ha ocurrido?

—Según el testimonio de los otros hombres, algo los atacó. Dave está delirando y ha perdido mucha sangre. Pierde y recupera la conciencia de manera intermitente y dice un montón de cosas sin sentido acerca de una criatura que acecha en una de las cuevas del oeste de Harmony. Pero sea lo que sea aquello que los atacó a él y a Lanny... es algo malo, Alex. Realmente malo. Los desgarró a los dos de una manera espantosa. La noticia ha circulado por todo el pueblo y todo el mundo ha entrado en pánico.

Ella cerró los ojos.

—Oh, Dios mío... oh, Dios mío...

La mano de Kade descansó levemente en su hombro desnudo.

—¿Qué ocurre, Alex?

Ella sacudió la cabeza, incapaz de articular las palabras.

—¿Quién está contigo? —preguntó Zach—. Por el amor de Dios, Alex... ¿No estarás con ese tipo que estaba la otra noche en el bar de Pete?

Alex no creía que tuviera que responder a Zach Tucker acerca de cómo estaba pasando su tiempo, no cuando un hombre acababa de morir y la vida de otro hombre estaba pendiendo de un hilo. No cuando el horror de su pasado —el horror que temía que hubiera visitado a la familia Toms hacía apenas unos pocos días— estaba ahora desgarrando su corazón de nuevo.

—Estoy fuera en la cabaña de Tulak, Zach. Saldré ahora mismo hacia allá, pero probablemente tardaré unos cuarenta y cinco minutos en llegar.

—Olvídalo. No podemos esperarte. Llamaré entonces a Roger Bemis.

Desconectó la llamada, dejando a Alex allí sentada, petrificada por la conmoción.

—¿Qué ha ocurrido? —preguntó Kade—. ¿Quién está herido?

Por un momento, ella únicamente pudo concentrarse en respirar. El corazón le latía miserablemente, y la culpa la atormentaba.

—Debería haberles avisado. Debería haberles contado lo que sabía en lugar de pensar que podía negarlo.

—¿Alex? —La voz de Kade sonaba cautelosa, y sus dedos eran firmes y a la vez tiernos cuando alzaron su rostro hacia él—. Dime qué ha ocurrido.

—Big Dave y Lanny Ham —murmuró ella—. Fueron atacados hoy en el monte. Lanny está muerto. Y puede que Big Dave muera también.

¿Y si Kade hubiera ido con ellos en lugar de estar con ella? La idea de que él pudiera haber estado cerca del peligro —o peor aún, haber sido otra víctima—, sacudió su corazón. Se sintió enferma de terror, pero fue a la ira a lo que se aferró.

—Tienes razón, Kade. No puedo huir de lo que sé. Ya no más. Tengo que enfrentarme a este mal. Tengo que ponerme firme ahora, antes de que alguien más resulte herido. —La furia la mantenía a flote, mientras que el miedo amenazaba con hundirla—. Necesito decirle la verdad a todo el mundo de Harmony. Al mundo entero, si hace falta. La gente debe saber lo que hay ahí fuera. No pueden destruir un mal que ni siquiera saben que existe.

—Alex. —Él apretó sus labios contra los de ella y comenzó a negar con la cabeza como si quisiera disuadirla—. Alex, yo no creo que sea prudente...

Ella le sostuvo la mirada con incredulidad.

—Es por ti que me siento lo bastante fuerte como para hacer esto, Kade. Necesitamos estar juntos, todos juntos, para derrotar a ese demonio.

—Por Dios... Alex...

La vacilación de él fue para ella como una cuchilla fría que le oprimiera lentamente el pecho. Confundida ante su cambio de actitud, pero resuelta a hacer lo correcto, a hacer lo que tenía que hacer, se apartó de él y comenzó a vestirse.

—Tengo que regresar a Harmony. Tengo que salir en cinco minutos. Tú decides si vienes conmigo o no.

Capítulo dieciséis

$\mathcal{N}$o hablaron durante todo el vuelo de regreso.

Sentado junto a Alex, Kade estaba silencioso y abatido, dividido entre dos sentimientos. Por un lado, el deseo de hablarle acerca de la estirpe y del lugar de ella en ese mundo. Por otro, el temor de que si supiera quién era de verdad no pudiera evitar colocarlo en la misma categoría del monstruo que aborrecía y que ahora estaba decidida a exponer ante Harmony y el resto de la humanidad.

El temor de que Alex llegara a odiarlo lo hizo mantener su lengua pegada al paladar durante los cuarenta y cinco minutos del vuelo de regreso hasta la pista nevada de aterrizaje que había en un extremo del pueblo. Era un maldito cabrón por ocultarle la verdad, eso lo sabía. Y había demostrado ser más que un bastardo en la cabaña de Tulak, cuando permitió que el deseo que sentía por ella triunfara por encima de su deber. Su código de honor personal, por muy endeble que pudiera ser, hubiera obligado a cualquier hombre mejor a poner todas las cartas encima de la mesa antes de acostarse con ella.

Pero con Alex no se trataba únicamente de sexo. No se trataba solo de deseo, aunque sintiera el deseo a raudales por ella. Las cosas serían infinitamente más simples ahora si fueran meramente físicas.

El hecho era que Alex le importaba. Se preocupaba por ella. No quería verla herida de nuevo, y mucho menos por sus propias palabras o acciones. Quería protegerla de las cosas que la habían herido en el pasado, y quería hacer todo lo posible para asegurarse de que nada malo pudiera tocarla de nuevo.

Oh, sí, estaba haciendo un trabajo muy fino...

Estaba haciendo un trabajo de primera línea con todo lo que había emprendido desde su regreso a Alaska.

A la luz de la prueba que había hallado en la cabaña, lo que podía haber sido una simple misión marginal para acabar con el problema de un renegado en el campo helado del norte era ahora una búsqueda para localizar a un asesino en el seno de su propia familia. Y ahora tenía como mínimo una muerte más que añadir, y potencialmente dos, si la información acerca de las heridas de Dave era precisa.

Kade rogaba, en contra de sus propias sospechas, que aquel otro ataque salvaje no tuviera también el nombre de Seth como firma.

Estaba todavía reflexionando acerca de ese temor cuando Alex hizo descender la avioneta y aterrizó de manera impecable. Demonios, aun tan agitada como debía de estar, Alex mantenía el control total de los mandos. Una verdadera profesional. Una razón más que contribuía a aumentar la estima en que la tenía.

—Mierda —soltó por lo bajo mientras miraba a través de la ventana del copiloto. Realmente era muy fuerte lo que sentía por esa mujer.

—Parece que la mitad del pueblo está reunida junto al hospital —dijo Alex—. Teniendo en cuenta que el avión de Roger Bemis ya está aquí, debe de haber traído consigo a Big Dave y a Lanny.

Kade gruñó, mirando un espacio del centro del pueblo donde había un rancho reconvertido en clínica junto al que se habían reunido una docena de personas bajo el reflector que iluminaba el patio. Algunas estaban de pie, y otras sentadas a horcajadas en sus motonieves.

Alex apagó el motor de la avioneta y abrió la puerta del piloto. Kade salió con ella y caminó hacia la parte delantera del aparato mientras ella lo aseguraba y revisaba que quedara bien cerrado. Sus movimientos eran eficaces, sus manos enguantadas trabajaban como por hábito más que por una decisión consciente. Cuando por fin alzó la vista hacia él, Kade vio que su rostro estaba pálido como la ceniza, y sus facciones y expresión afligidas y cautelosas. Pero su mirada era aguda y estaba llena de severa resolución.

—Alex, hablemos de esto antes de que vayas allí y digas lo que crees que debes decir a esa gente.

Ella frunció el ceño.

—Tienen que saberlo. Necesito contarlo.

—Alex. —Él la alcanzó y la agarró del brazo, con más firmeza de la que pretendía. Ella miró los dedos que la ceñían, y luego alzó la mirada hacia él—. No puedo permitir que lo hagas.

Ella se soltó, y por un segundo él consideró la idea de provocarle un estado de trance para mantenerla alejada de la gente que seguía agrupada en la calle. Con un pequeño esfuerzo mental y un breve movimiento de la palma de la mano sobre su frente él podía inducirla a un maleable estado de medio inconsciencia.

Podía ganar un tiempo precioso. Evitaría que pusiera en peligro la misión entera de la Orden al alertar a sus vecinos de la existencia de vampiros vivos entre ellos, cazadores entre las sombras.

Y ella lo odiaría todavía más —por supuesto, con toda razón— por haberla manipulado.

Alex dio un paso atrás y juntó las cejas, confundida.

—¿Qué te pasa de repente? Tengo que ir.

Él no la detuvo cuando se dio la vuelta y salió corriendo hacia la pequeña clínica de Harmony. Soltó un insulto entre dientes y salió tras ella. La alcanzó al instante, y luego se abrió camino con ella entre la ansiosa multitud.

—Simplemente es terrible que algo como esto haya vuelto a pasar —murmuró una mujer de pelo blanco a la persona que estaba junto a ella.

—Ha perdido tanta sangre —señaló otra persona—. Fueron desgarrados, es lo que he oído. No quedó nada intacto de ninguno de los dos hombres.

—Una cosa espantosa —dijo otra voz distante en la multitud, chillando con pánico—. Primero los Toms, ahora Big Dave y Lanny. ¡Quiero saber lo que el oficial Tucker piensa hacer con esto!

Kade caminó junto a Alex mientras ella avanzaba hacia Zach, que estaba de pie cerca de la entrada de la clínica, con el teléfono móvil pegado al oído. Él le hizo un gesto de reconocimiento apenas con la mirada y continuó ladrando graves órdenes a alguien que había al otro extremo de la línea.

—Zach —dijo ella—, necesito hablar contigo...

—Estoy ocupado —dijo él bruscamente.

—Pero Zach...

—¡Ahora no, maldita sea! ¡Tengo a un hombre muerto y a otro que se desangra, y el pueblo entero me está volviendo loco!

Kade apenas pudo contener el gruñido protector que surgió en su garganta ante el exabrupto del hombre. Su propia rabia creció peligrosamente, y sus músculos se tensaron preparados para una lucha que estaba más que ansioso por emprender. En lugar de eso, tocó suavemente el brazo de Alex y se colocó entre ella y Zach.

—Vamos —le dijo, apartándola del agente y su inminente estallido.

—No —dijo ella—. No puedo ir. Necesito ver a Big Dave. Necesito estar segura...

Se apartó de él y se precipitó hacia las escaleras de cemento de la clínica, con Kade siguiéndole los talones. Dentro el lugar estaba silencioso, solo se oía el zumbido de las luces fluorescentes por encima de la cabeza, desde la zona vacía de recepción hacia el pasillo que conducía a las salas de reconocimiento. Por el aspecto de escasez de la clínica y su falta de equipamiento, no parecía que estuviera preparada para tratar más que alguna quemadura ocasional o administrar vacunas.

Alex se dirigió por el pasillo con paso rápido y decidido.

—¿Dónde está Fran Littlejohn? Nunca deja que aquí haga tanto frío —murmuró, casi en el mismo momento en que Kade advirtió también la temperatura.

Un frío propio del Ártico se extendía por el pasillo desde una de las habitaciones que había al fondo. La única que tenía la puerta cerrada.

Alex puso la mano en el pomo. No se movió.

—Qué extraño. Está cerrado.

Los instintos guerreros de Kade se encendieron.

—Retrocede.

Él ya estaba de pie delante de ella, moviéndose con más rapidez de la que podían seguir los ojos. Agarró el pomo de la puerta y lo giró con fuerza. La cerradura saltó, los mecanismos se convirtieron en polvo al instante.

Kade abrió la puerta de un empujón y se vio reflejado en los fríos ojos muertos de un secuaz.

—¿Skeeter? —La voz de Alex reflejaba sorpresa y clara suspicacia—. ¿Qué demonios estás haciendo aquí?

Los negocios del secuaz resultaban potencialmente claros para Kade. En el suelo cerca de la cama de Big Dave había tendida una mujer de mediana edad, la enfermera de la clínica, sin duda. Estaba inconsciente, pero aún respiraba, que era mejor de lo que podía decirse del paciente que había en la cama.

—¡Fran! —gritó Alex, corriendo junto a la mujer, que no respondía.

Kade estaba concentrado en otra cosa. La habitación apestaba con un hedor a sangre arrollador. Si hubiera sido sangre fresca, la respuesta fisiológica de Kade hubiera resultado imposible de ocultar, pero el olor era añejo, las células ya estaban muertas. No se trataba de Big Dave, que yacía en la cama, prácticamente irreconocible por la severidad de sus heridas. Todo lo que Kade necesitaba era el olorcillo de la hemoglobina derramada y coagulada para saber que el hombre llevaba varios minutos muerto.

—A mi amo le contrarió oír hablar sobre el ataque de hoy —dijo Skeeter, con su delgado rostro pálido y sin emoción. Detrás de él había una ventana abierta, y era evidente que había entrado por allí. En la mano sostenía unas tijeras de sutura ensangrentadas que había estado usando para acelerar las consecuencias de las heridas que amenazaban la vida de Big Dave.

—Kade... ¿de qué está hablando?

Skeeter sonrió a Alex, con una sonrisa perversa.

—A mi amo tampoco le ha gustado oír hablar de ti. Los testigos en general son un problema, como podrás entender.

—Oh, Dios mío —murmuró Akex—. Skeeter, ¿qué estás diciendo? ¿Qué es lo que has hecho?

—Hijo de puta —soltó Kade, lanzándose contra él. Tiró a Skeeter al suelo con un asalto demoledor—. ¿Quién te ha hecho esto? ¡Responde!

Pero la mente esclava del humano se limitó a mirarlo fijamente con aire despectivo, a pesar de los golpes de castigo que Kade le dio.

—¿Quién demonios es tu amo? —Golpeó a Skeeter una vez más. Y otra—. Habla, maldito pedazo de mierda.

Las respuestas se le escapaban. Una parte irracional de él se aferró al nombre de Seth, pero eso era imposible. Aunque Kade y su gemelo eran de la estirpe, su linaje de sangre no era lo bastante antiguo ni puro como para poder crear un secuaz. Solo las primeras generaciones de vampiros tenían el poder de drenar a un humano hasta el borde de la muerte y luego tomar el control de su mente.

—¿Quién te da las órdenes? —machacó al humano de rostro sonriente, ensangrentado y sin alma—. ¿Qué te ha dicho tu amo acerca de Alex?

Detrás de él, la voz de ella se quebró ante la violencia que lo dominaba.

—Kade, por favor... para. Me estás asustando. Para esto ahora y déjalo marchar.

Pero él no podía parar. No podía dejar que se fuera el humano que había sido Skeeter Arnold, no ahora. No sabiendo lo que era. No sin saber lo que podrían ordenarle que hiciera a Alex si lo soltaba y volvía a cumplir los deseos de su amo otra vez.

—Kade, por favor...

Con un rugido gutural, agarró la cabeza del secuaz entre las manos y le dio un giro salvaje. Hubo un crujido de huesos y tendones, y luego un duro golpe cuando cayó al suelo como una mole sin vida.

Él oyó que Alex tomaba aire con fuerza a su espalda. Creyó que iba a gritar, pero estaba totalmente callada. Cuando Kade volvió la cabeza para mirarla, no fue difícil leer la confusión —y el completo estado de conmoción— en sus grandes ojos marrones.

—Lamento que hayas tenido que ver esto —dijo él en voz baja y débilmente—. No podía evitarlo, Alex.

—Tú... lo has matado. Simplemente lo has matado... con tus propias manos.

—En realidad ya no estaba vivo, Alex. Era solo una cáscara. Ya no era humano. —Kade frunció el ceño, entendiendo cómo debía sonarle todo aquello al ver la expresión acongojada y confusa en su rostro. Kade lentamente se puso de pie y ella dio un paso atrás para ponerse fuera de su alcance.

—No me toques.

—Ah, joder —murmuró él, pasándose los dedos por la nuca. Alex ya había tenido que soportar suficiente violencia en su vida, lo último que necesitaba era ser cómplice por estar involucrada con él—. Odio que estés aquí ahora y hayas tenido que ver esto. Pero puedo explicarte...

—No. —Ella sacudió la cabeza bruscamente—. No, tengo que hablar con Zach. Tengo que conseguir ayuda para Big Dave y tengo que...

—Alex. —Kade la agarró de los brazos con suavidad pero de manera inflexible—. No hay nada que puedas hacer ahora por ninguno de estos hombres. Y meter a Zach Tucker o a cualquier otra persona en esto solo hará que las cosas sean más peligrosas... no solo para ellos, sino también para ti. No pienso correr ese riesgo.

Ella lo miró fijamente, escudriñándolo.

En el silencio que parecía expandirse hasta llenar la habitación, la trabajadora de la clínica que Skeeter había golpeado y derribado comenzó a recuperar la consciencia. La mujer gruñó, murmurando algo incomprensible.

—Fran —dijo Alex, dándose la vuelta para ayudar a la otra mujer.

Kade le bloqueó el paso.

—Se pondrá bien.

Mientras Alex lo miraba con recelo, él se acercó a la mujer y le colocó suavemente la mano en la frente.

—Ahora duerme, Fran. Cuando despiertes, no recordarás nada de esto.

—¿Qué le estás haciendo? —preguntó Alex, alzando la voz mientras la trabajadora de la clínica se relajaba por el contacto.

—Será más fácil para ella si olvida que Skeeter estuvo aquí —dijo él, asegurándose de que el asalto fuera borrado de la mente de Fran y tampoco quedara ningún recuerdo de la presencia de él y de Alex—. Será más seguro para ella de esta forma.

—¿De qué estás hablando?

Kade volvió la cabeza para mirarla de frente.

—Hay más monstruos de esos que tú conoces, Alex. Muchos más.

Ella lo miró fijamente.

—¿Qué estás diciendo, Kade?

—Esta mañana muy temprano, cuando estábamos en la cabaña, dijiste que confiabas en mí, ¿verdad?

Ella tragó saliva y asintió en silencio.

—Entonces confía en mí, Alex. De verdad. No confíes en nadie más que en mí ahora. —Miró el cuerpo de Skeeter Arnold, el cadáver del secuaz que tenía que hacer desaparecer en alguna parte, y rápido—. Necesito que vayas afuera. No puedes decir nada a nadie acerca de Big Dave ni de Skeeter ni de lo que acaba de pasar aquí. No digas a nadie lo que has visto aquí, Alex. Necesito que vayas afuera, regreses a casa y me esperes allí hasta que vuelva contigo. Prométemelo.

—Pero él... —Su voz se quebró al señalar el cuerpo roto en el suelo.

—Yo me ocuparé de todo. Lo único que necesito es que me digas que confías en mí. Que me crees cuando te digo que no hay razón para que te asustes. No de mí. —Se acercó para acariciarle la mejilla helada, y se sintió aliviado al ver que ella no se estremecía ni se apartaba. Le estaba pidiendo demasiado... mucho más de lo que tenía derecho a pedirle—. Ve a casa y espérame allí, Alex. Iré lo antes posible.

Ella pestañeó un par de veces, luego retrocedió algunos pasos. Sus ojos estaban sombríos mientras se dirigía hacia la puerta abierta, y por un momento él se preguntó si el miedo sería demasiado para ella.

—Todo está bien —dijo él—. Yo también confío en ti, Alex.

Se dio la vuelta y la oyó alejarse mientras él se quedaba para arreglar solo aquel desastre.

Capítulo diecisiete

*E*n un instante, su mundo se había movido repentinamente de su eje.

Alex se alejó de Kade, sorprendida de que las piernas le respondieran mientras su cabeza daba vueltas a todas aquellas cosas absurdas de las que acababa de ser testigo... no solo lo de Skeeter Arnold, sino también lo de Fran Littlejohn. ¿Había empleado con ella alguna técnica de hipnosis, o algo más poderoso que eso para lograr que la enfermera se doblegase tan fácilmente a su voluntad?

Y Skeeter...

¿A qué se refería cuando decía todas esas cosas extrañas a Kade, cuando hablaba de seguir las órdenes de su amo? Era un discurso de locos, y sin embargo Skeeter no parecía estar loco. Parecía muy peligroso, ya no era el pequeño traficante de drogas de poca monta que ella conocía, sino alguien más letal. Había en él algo que no era humano.

«En realidad ya no estaba vivo... era solo una cáscara.»

Él había matado a Big Dave a sangre fría, y Kade había roto el cuello de Skeeter con sus propias manos.

Oh, Dios. Nada tenía sentido para ella ahora.

«Hay más monstruos de esos que tú conoces, Alex.»

La advertencia de Kade hizo eco en su cabeza mientras salía al frío exterior. ¿Cómo podía estar pasando todo aquello? No podía estar pasando. ¿Cómo podía ser real nada de todo aquello?

Pero ella sabía que lo era, igual que sabía que era real también lo que había pasado en Florida tantos años atrás.

«No confíes en nadie más que en mí.»

Alex no estaba segura de tener otra elección. ¿A quién más tenía? Lo que acababa de hacer Kade —todo lo que había dicho en la clínica— la había dejado con más preguntas de las que estaba preparada para formular. Estaba aterrorizada e insegura, ahora más que nunca. Kade era peligroso; lo acababa de ver por sí misma hacía apenas unos minutos. Sin embargo, también era protector, no solo con Alex, sino también con Fran Littlejohn, una mujer a la que ni siquiera conocía.

A pesar de todo lo que había dicho y de lo que acababa de hacer, Kade era un ancla sólida en una realidad que de pronto había dejado a Alex a la deriva. Era su fuerza y su confianza lo que la habían mantenido a flote al ver la pequeña multitud reunida frente a la clínica. Los más de doce rostros que conocía desde hacía tanto tiempo ahora le parecían extraños mientras se deslizaba entre ellos. Incluso Zach, que la miró cuando ella estaba a punto de atravesar la multitud parecía menos un amigo que una fuente de dudas y complicaciones involuntarias.

Él afiló la mirada, y ella continuó caminando, desesperada por salir de allí.

—Alex.

Se sintió atravesada por una flecha de pánico repentino y frío. Zach era la última persona que necesitaba ver ahora. Ella fingió no oírlo, y aligeró el paso.

—Alex, para. —Él se interpuso en su camino, agarrándole la manga de la parka—. ¿Puedes esperar un minuto?

Ya que no tenía elección, se detuvo. Era una lucha mantener su expresión neutral al mirarlo. Y no había manera de contener el temblor que recorría su cuerpo mientras Zach la miraba con el ceño fruncido en la oscuridad.

—¿Estás bien? Tu cara está blanca como un papel.

Ella negó con la cabeza y se encogió de hombros aparentando despreocupación.

—Supongo que estoy un poco agotada.

—Sí, no me extraña —dijo él—. Escucha, siento haber sido cortante contigo. Las cosas parecen ir de mal en peor.

Alex tragó saliva, asintiendo con la cabeza. Él ni siquiera sabía la mitad de la mitad.

«No confíes en nadie más que en mí ahora... No digas a nadie lo que has visto aquí adentro, Alex. Prométemelo.»

Las palabras de Kade iban a la deriva entre sus pensamientos mientras Zach la observaba expectante.

—¿Entonces? Tienes toda mi atención, al menos por el momento. ¿De qué querías hablarme?

—Hum... —Alex tartamudeó tratando de dar una respuesta, sintiéndose extrañamente incómoda por la forma en que Zach parecía escudriñarla, tal vez sospechando—. Yo solo... estaba preocupada por Big Dave, por supuesto. ¿Cómo está? ¿Cómo... crees que le va?

Las preguntas se le atascaban en la lengua, especialmente cuando su corazón todavía estaba martilleando por todo lo que había visto en la clínica.

La expresión de Zach se volvió aún más inquisidora.

—¿Lo viste por ti misma, no?

Ella negó con la cabeza, sin estar segura de poder contarle una mentira convincente.

—Te he visto entrar... a ti y a tu nuevo ¿amigo? —Enfatizó la palabra, innecesariamente—. ¿Dónde está? ¿Todavía dentro?

—No —dijo ella, respondiendo de golpe—. No sé de qué estás hablando. Kade y yo hemos estado aquí todo el tiempo. Acaba de irse.

Zach no parecía tragárselo, pero antes de que tuviera la oportunidad de presionarla más, la puerta de la clínica se abrió y Fran Littlejohn salió gritando.

—¡Oficial Tucker! ¿Dónde está Zach? ¡Que alguien llame al oficial Tucker ahora mismo!

Alex miraba fijamente, soportando una creciente sensación de terror mientras Fran buscaba entre la multitud.

—Por aquí —gritó Zach—. ¿Qué ocurre?

—¡Oh, Zach! —La auxiliar de la clínica soltó un suspiro, encogiendo sus gruesos hombros—. Me temo que lo hemos perdido. Acababa de darle otra dosis de sedante. Aparté la vista como mucho durante un minuto, y cuando volví a mirarlo ya había muerto. Big Dave ha muerto.

—Maldita sea —murmuró Zach. Aunque le hablaba a Fran, mantenía la vista fija en Alex—. ¿No había nadie más ahí dentro contigo, Fran?

—Estaba sola —dijo ella—. Pobre Dave. Y pobre Lanny también. Que Dios los bendiga a los dos.

Una ola de suaves murmullos y ruegos susurrados circuló a través de la multitud, mientras Alex se aclaraba la garganta.

—Tengo que irme, Zach. Ha sido un día largo y estoy realmente muy cansada. Así que a menos que tengas más preguntas...

—No —dijo él, pero la mirada que le dirigió era cautelosa, y transmitía una reacia aceptación de todo lo que acababa de oír—. Vete a casa, Alex. Si te necesito ya sé dónde puedo encontrarte.

Ella asintió, incapaz de desestimar la extraña amenaza de aquel comentario mientras se daba la vuelta y se alejaba.

A unos ocho kilómetros de Harmony, en lo profundo de la helada tierra salvaje, Kade cargaba el cuerpo sin vida de Skeeter Arnold sobre sus hombros para luego dejarlo caer sobre un barranco.

Se quedó allí de pie durante un momento, hasta que el cadáver del secuaz desapareció de su vista, dejando que el amargo aire frío llenara sus pulmones y su respiración dejara una nube de vapor mientras contemplaba la vasta inmensidad de la nada a su alrededor. El cielo sobre su cabeza estaba oscuro, y el terreno cubierto de nieve brillaba con una tonalidad azul medianoche bajo las estrellas. En los bosques lejanos, un lobo aulló, con un lamento largo hasta reunir a la manada. Aquel entorno salvaje atraía a Kade y, por un instante, tuvo la tentación de abandonarse a él. La tentación de ignorar el caos y la confusión que había dejado tras él en Harmony. La tentación de huir por el miedo que había despertado en Alex y el desagradable deber que le esperaba al regresar: el de contarle la verdad.

¿Lo despreciaría por lo que tenía que decirle?

¿Retrocedería horrorizada cuando entendiera cuál era su verdadera naturaleza?

No podía culparla si lo hacía. Sabiendo lo que había soportado cuando era niña, y ahora que había tenido que presenciar cómo mataba a un hombre ante sus ojos, ¿cómo podía esperar que lo mirase con otra cosa que no fuera miedo o repulsión?

—Ah, joder —murmuró, poniéndose en cuclillas al borde del precipicio—. ¡Joder!

—¿Problemas, hermano?

La voz inesperada, la inesperada familiaridad de aquella voz allí, entre todos los lugares, y ahora, entre todos los momentos, envió a través de Kade una corriente de electricidad. Se puso en pie y se dio la vuelta, dirigiendo su mano automáticamente hacia uno de los cuchillos que llevaba en el cinturón.

—Tranquilo —dijo Seth arrastrando las palabras lentamente, e inclinando la cabeza para señalar el precario borde del precipicio—. Será mejor que mires dónde pisas.

La furia de Kade se avivó al ver el aspecto despeinado y descuidado de su hermano gemelo.

—Yo podría decirte a ti lo mismo..., hermano.

Mantuvo el cuchillo agarrado, se dio la vuelta y cuidadosamente siguió a Seth mientras este avanzaba para escudriñar el precipicio. Seth gruñó.

—No es la forma más inteligente de deshacerse de un muerto, pero supongo que los carroñeros no tardarán mucho en encontrarlo.

—Sí, tú lo sabes todo sobre eso, ¿verdad?

Seth lo miró, con los mismos ojos plateados de Kade... su propio rostro le devolvía la mirada como un espejo. Excepto que el corto pelo negro de Seth estaba apelmazado y apagado, sus mejillas y mandíbula tenían un color cetrino y la piel estaba ensombrecida por el polvo y la mugre. Su rostro era más delgado de lo que Kade recordaba y se veía demacrado. Parecía agotado, y había un brillo feroz en sus ojos de párpados pesados.

—¿Dónde demonios has estado? —preguntó Kade—. ¿Cuánto tiempo llevas practicando tus juegos enfermizos?

Seth soltó una risita, oscura y divertida.

—No soy el único que arroja a un humano a una tumba de nieve.

—Era un secuaz —lo corrigió Kade, aunque sentía que no era necesario dar explicaciones.

—¿En serio? —Seth arqueó una ceja—. Un secuaz aquí en medio del monte... interesante.

—Sí, yo estoy atónito —dijo Kade—. Y tú no has contestado mi maldita pregunta.

La boca de Seth se curvó en las comisuras.

—¿Qué sentido tendría si ya sabes lo que voy a decir?

—Tal vez necesito oírlo de tus propios labios. Cuéntame cómo has estado acechando y matando seres humanos desde que me fui de Alaska el año pasado... ¿o hace mucho más tiempo en realidad? —Soltó un silbido de disgusto—. He encontrado algo que tal vez reconozcas. Aquí está...

Sacó el diente de oso de su bolsillo y se lo dio a su gemelo.

—Ahora ya tienes un juego —le dijo Kade—. Este y el que extrajiste del nativo que mataste el invierno pasado.

Seth miró en la palma de su mano la cuerda de cuero trenzada y el largo y pálido diente que iba unido a ella. Se encogió de hombros, sin disculparse, cerrando los dedos alrededor del trofeo.

—Has estado en casa en el Refugio Oscuro —murmuró—. Has fisgoneado entre mis cosas. Eso es muy desconsiderado por tu parte. Muy ladino y muy turbio por tu parte, Kade. Ha sido siempre más mi estilo que el tuyo.

—¿Qué ha ocurrido, Seth? ¿Las muertes sencillas ya no te van y has tenido que dejarlas para iniciar una carnicería al por mayor?

Kade observó en la máscara desapasionada del rostro de su hermano una expresión de confusión.

—No sé de qué me estás hablando.

—¿Vas a quedarte ahí parado tratando de negarlo?

—Eres increíble —se burló Kade—. He visto los cuerpos, o más bien lo que ha quedado de ellos. Asesinaste a una familia entera... seis vidas en una noche, maldito enfermo hijo de puta. Y hoy añades dos más a tu jodida cuenta al atacar a esos dos hombres de Harmony.

—No. —Seth negaba con la cabeza. Tenía la osadía de hacerse el ofendido—. Estás equivocado. Si ha habido muertes como esas que dices no son mías.

—No me mientas, maldita sea.

—No te estoy mintiendo. Soy un asesino, Kade. Tengo... un problema, podríamos decir. Pero incluso mis perversiones morales tienen sus límites.

Kade lo miraba fijamente, evaluándolo. Incluso después de un año fuera, conocía a su hermano gemelo lo bastante bien como para ver que Seth le estaba diciendo la verdad.

—Nunca he acabado con una familia entera, ni soy responsable de las muertes de los dos hombres que según dices han sido atacados hoy.

Kade sintió un agujero abierto en la boca del estómago. Por muy retorcido que pudiera ser, su hermano estaba siendo sincero con eso. No había matado a la familia Toms. Y tampoco había matado a Lanny Ham ni a Big Dave.

Pero si no era Seth... ¿entonces quién?

Kade había abandonado hacía tiempo la idea de que los renegados pudieran ser los responsables... no sin informes de machos de la estirpe desaparecidos entre las poblaciones de los Refugios Oscuros de la región o algún otro indicio de que hubiera vampiros víctimas de la lujuria de sangre sueltos por la zona.

Entonces ¿qué posibilidad le quedaba?

¿Podía tratarse del vampiro que había convertido a Skeeter Arnold en una mente esclava? Y si así era, ¿por qué preferiría un poderoso vampiro mayor de la estirpe cazar en una remota y escasa población salvaje de Alaska cuando podría escoger incontables ciudades llenas de humanos? Simplemente no tenía lógica.

Pero nada de eso excusaba los crímenes de Seth, o la falta de arrepentimiento de sus acciones.

—¿Qué te ha ocurrido? —le preguntó Kade, mirando aquel rostro que era como el suyo propio, el rostro del hermano que aún amaba, a pesar de todo lo que había hecho—. ¿Por qué, Seth? ¿Por qué te permites perder tanto el control?

—¿Perder el control? —Él se rio, negando con la cabeza—. ¿Cuándo podemos tener mayor control que durante la caza? Somos de la estirpe, hermano. Eso es lo que somos, está en nuestra sangre. Hemos nacido para matar.

—No. —Kade escupió la negación mientras Seth comenzaba a rondar lentamente en torno a él.

—¿No? —preguntó él, ladeando la cabeza al hacer la pregunta—. ¿No es por eso que saltaste ante la oportunidad de unirte a la Orden? Dime que no disfrutas de tu licencia para matar en favor de Lucan y de tus compañeros de armas en Boston. Dilo y seré yo quien me quede aquí parado llamándote mentiroso.

Kade apretó los dientes, reconociendo, al menos para sí mismo, que había cierta verdad en las palabras de Seth. Se había unido a la Orden tanto para escapar de aquello en lo que se estaba convirtiendo en Alaska, como para alimentar la parte salvaje que había en su interior de un modo que pudiera hacer algo honorable. Pero ahora había un propósito más alto en su trabajo. Con el enemigo que tenían en Dragos, su trabajo para la Orden nunca había sido más vital. Y no permitiría que Seth rebajara aquello comparándolo con sus juegos enfermizos.

—Tú sabes que esto no puede continuar, Seth. Tienes que parar.

—¿No crees que lo he intentado? —Despegó los labios de la dentadura, mostrando las puntas de sus colmillos—. Al principio, cuando éramos jóvenes, traté de poner freno a mis... urgencias. Pero mi lado salvaje seguía llamándome. ¿A ti ya no te llama?

—Cada minuto desde que me despierto —concedió Kade en voz baja—. A veces incluso en mis sueños.

Seth adoptó un aire despectivo.

—Pero por supuesto, gracias a tu nobleza puedes resistirte.

Kade lo miró fijamente.

—¿Cuánto tiempo llevas odiándome, hermano? ¿Qué podía haber hecho diferente para hacerte ver que nunca hubo una competición entre los dos? Yo no tenía nada que demostrarte.

Seth no dijo nada, se limitó a mirarlo fijamente evaluándolo con actitud sombría.

—Has cometido errores, Seth. Todos lo hacemos. Pero todavía queda algo bueno en ti. Sé que está ahí.

—No. —Seth negó con la cabeza vigorosamente, con el agitado movimiento de una mente herida—. Tú siempre has sido el fuerte. Todo lo bueno está en ti, no en mí.

Kade se burló.

—¿Cómo puedes decir eso? ¿Cómo puedes pensarlo? Tú,

el hijo favorito, la esperanza de la familia. Papá nunca mantuvo eso en secreto.

—Papá —respondió Seth, soltando el aire bruscamente—. Si siente algo por mí, no es más que lástima. Yo lo necesitaba, Kade, y en cambio tú no. Tú eres igual que él, Kade. ¿Ninguno de vosotros puede verlo como yo lo veo?

—Tonterías —dijo Kade, seguro en su rechazo de esa idea.

—Y entonces tú te fuiste para unirte a la Orden —continuó Seth—. Te fuiste y yo me hundí más profundamente en tu sombra. Quería odiarte por haberte marchado. Sí, tal vez te odié.

—Si necesitas una excusa para hacer lo que has hecho ahí la tienes —gruñó Kade salvajemente—. Échame la culpa, pero tú y yo sabemos que estás buscando una manera de justificar lo que has hecho.

La risa que Seth soltó a modo de respuesta fue prácticamente un gruñido en lo profundo de su garganta.

—¿De verdad crees que estoy buscando una justificación? ¿O algún tipo de absolución? Mato porque puedo. No pararé, porque es parte de mí ahora. Lo disfruto.

A Kade se le retorció el estómago.

—Si eso es verdad, siento lástima por ti. Estás enfermo, Seth. Debería librarte de tu miseria... justo aquí y ahora mismo.

—Deberías —respondió Seth sin ninguna inflexión en la voz—. Pero no lo harás. No puedes, porque todavía soy tu hermano. Tus propias reglas morales rígidas nunca te dejarán hacerme daño, y los dos lo sabemos. Es una línea que nunca cruzarás.

—No estés tan seguro.

Mientras lo decía, el aullido del lobo que había oído unos minutos antes sonó de nuevo, desde algún lugar cercano. Kade miró por encima del hombro, hacia el grueso grupo de pinos y abetos en la oscuridad, y sintió la llamada de lo salvaje circulando a través de sus venas. Tal como debía de estarle pasando a Seth.

Aunque debería odiar a su hermano, no podía.

Y aunque su amenaza le estuviera bien merecida, en su corazón sabía que Seth tenía razón. Kade nunca le haría daño.

—Necesitamos salir de esto, Seth. Deja que te ayude...

Cuando volvió la cabeza para mirar de nuevo de frente a su hermano gemelo, todo lo que encontró fue el helado y vacío paisaje invernal... y la amarga y profunda comprensión de que cualquier esperanza de salvar a Seth había desaparecido junto con él.

Capítulo dieciocho

*C*ada paso era una agonía.

Cada centímetro de su cuerpo desnudo estaba llagado y en carne viva por la exposición a la luz ultravioleta. Su rápido proceso de recuperación se veía impedido por el daño añadido del impacto de las balas que había recibido en la pierna y en el abdomen. La sangre fresca aceleraría el proceso de recuperación. En cuanto se alimentase, sus tejidos y órganos se arreglarían en pocas horas, al igual que su piel, pero no podía arriesgarse a estar ni un minuto más sin un refugio adecuado.

Había sobrevivido con dificultad a la luz del día, viéndose forzado a huir de la cueva después de que los humanos hubieran estado fisgoneando por allí. Había corrido, herido y sangrando, hacia el bosque de los alrededores, bajo los letales rayos del sol en el exterior de la cueva. Solo había tenido tiempo para cavar un agujero profundo en un montículo de nieve y enterrarse dentro antes de que la severidad de sus múltiples heridas derribara su cuerpo y lo hiciera caer inconsciente.

Ahora, un poco después de levantarse al llegar la bienvenida oscuridad, lo único que sabía era que necesitaba encontrar un nuevo refugio antes de la salida del sol. Necesitaba un sitio seguro donde recuperarse, y así volver a adquirir la suficiente fuerza como para cazar de nuevo y alimentar sus células dañadas.

Arrastró los pies en la nieve iluminada por la luna, con paso lento y vacilante. Despreciaba su propia debilidad física. Odiaba que esta le recordara la tortura que había tenido que soportar cuando estaba en cautiverio. Pero el rencor lo empujaba a avanzar, le obligaba a mover los músculos hechos jirones de sus piernas.

No sabía cuánto tiempo ni qué distancia había caminado. Fácilmente varios kilómetros desde la cueva y su improvisado refugio en la nieve.

Delante de él, vio un tenue brillo naranja a través de la silueta de árboles de hoja perenne. Una residencia de humanos, aparentemente ocupada, y muy lejos de cualquier otro signo de civilización.

Sí, serviría.

Avanzó, al acecho, ignorando su dolor mientras se concentraba en la remota y pequeña cabaña y la presa desprevenida que había dentro.

Mientras se acercaba, sus oídos se aguzaron al detectar los lastimeros sonidos del sufrimiento humano. Eran débiles, apagados por los troncos y las ventanas con persianas. Pero la angustia era clara. Había una mujer llorando en el interior de la cabaña.

El depredador se acercó sigilosamente por un lado de la cabaña y puso el ojo contra un agujero de la persiana de madera que cubría la ventana para mitigar el frío.

Estaba sentada en el suelo frente a un fuego agonizante, bebiendo de una botella a medio consumir que contenía un líquido ámbar oscuro. Ante ella había una caja vacía de imágenes impresas esparcidas desordenadamente a su alrededor. En el suelo, junto a sus rodillas dobladas, había una gran pistola negra. Sollozaba, una increíble tristeza salía de ella a borbotones.

Él podía sentir el peso abrumador de su dolor, y sabía que el arma que había junto a ella no suponía una protección. No esta noche.

La escena lo hizo detenerse, pero solo un momento.

Ella debió de sentir su mirada. Volvió la cabeza a un lado, y fijó sus ojos enrojecidos exactamente en la zona donde él se hallaba, oculto tras la persiana cerrada y la oscuridad de la noche en el exterior.

Pero ella sabía que estaba.

Se levantó y cogió el revólver, tambaleándose.

Él retrocedió, solo para moverse en silencio hacia la puerta delantera de la cabaña. No estaba cerrada, aunque tampoco lo hubiera detenido que lo hubiese estado. Apretó el picaporte con la mente y abrió la puerta.

Antes de que ella se diera cuenta de que él estaba allí, ya tenía las manos alrededor de la garganta de la mujer.

Antes de que pudiera abrir la boca para gritar, antes de que pudiera dar a sus reflejos disminuidos por la bebida la orden de apretar el gatillo para defenderse del ataque repentino, él inclinó la cabeza y hundió sus colmillos en la suave carne de su delgado cuello.

Alex estaba sentada ante la mesa de la cocina con *Luna* descansando a sus pies. Todas las luces de la casa estaban encendidas, y todas las puertas y ventanas estaban cerradas.

Habían pasado casi dos horas.

No sabía cuánto más podría esperar. Mientras *Luna* dormía tranquilamente a sus pies bajo la mesa, felizmente ajena a todo, la mente de Alex no paraba de dar vueltas a preguntas que ni siquiera se atrevía a formular y seguía preocupada por un hombre que la había dejado preguntándose quién o qué era realmente.

Pero esa pequeña voz interior, que tan a menudo la urgía a salir huyendo de las cosas que la asustaban, guardaba silencio cuando pensaba en Kade. Sí, estaba insegura después de lo que había presenciado hoy. La asustaba la idea de que el camino que se abría ante ella pudiera ser todavía más inestable que el que había dejado atrás. Pero huir era la última cosa que pretendía hacer... no ahora. Nunca más.

Se distrajo preguntándose cómo haría Jenna para sostenerse. No podía ser fácil para ella oír hablar de las muertes en el pueblo cuando estaba tan cerca del aniversario de su propio dolor personal. Alcanzó su teléfono móvil, esperando oír la voz de su amiga. Estaba a punto de marcar el número de Jenna cuando se oyó un suave golpe en la puerta de atrás.

Kade.

Alex dejó el teléfono y se puso en pie, desplazando a su calentador de pies canino, que gruñó en señal de protesta antes de volver a bajar la cabeza para dormir un poco más. Alex fue hacia la puerta donde esperaba Kade. Ahora que él estaba allí, con un aspecto tan oscuro, inmenso y peligroso a través del cristal, algo de su coraje flaqueó.

Él no le pidió ni exigió que lo dejara entrar, aunque ella sabía sin el menor asomo de duda que había poco que pudiera hacer para impedir que entrara si era eso lo que pretendía. Pero se limitó a quedarse allí de pie, dejando la decisión enteramente a ella. Y porque no la forzó, porque pudo ver una sombra de tormento en sus penetrantes y profundos ojos plateados que no había visto antes, Alex abrió la puerta y lo dejó entrar.

Kade dio un paso en la pequeña cocina y la atrapó en un largo y fuerte abrazo. Sus fuertes brazos la retenían cerca, como si no quisiera dejarla marchar nunca.

—¿Estás bien? —preguntó él, apretando su boca contra su cuello—. Odié tener que dejarte sola.

—Estoy bien —dijo ella, retrocediendo para poder mirarlo cuando finalmente se soltó de su abrazo—. Estaba preocupada por ti.

—No —dijo él. Frunciendo el ceño, le acarició la mejilla y tragó saliva con fuerza—. Ah, Dios. No te preocupes por mí.

—Kade, ¿qué demonios ha ocurrido? Necesito que seas honesto conmigo.

—Lo sé. —La cogió de la mano y la condujo de vuelta a la mesa. Ella se dejó caer en la silla mientras Kade tomaba la que estaba a su lado—. Debí habértelo explicado todo antes, en cuanto me di cuenta de...

A ella se le encogió un poco el corazón cuando él interrumpió sus palabras.

—¿En cuánto te diste cuenta de qué?

—De que tú eres parte de esto, Alex. Una parte del mundo al que pertenezco yo y todos los de mi raza. Debería habértelo explicado todo antes de que me vieras matar a ese secuaz. Y antes de que hiciéramos el amor.

Ella oyó el arrepentimiento en su voz al mencionar la intimidad que habían compartido, y sintió más que un pequeño dolor por ello. Pero la otra parte —la peculiar manera con la que se había referido a sí mismo y a los de su raza, y el hecho de que de algún modo ella estuviera incluida en esa ecuación— fue lo que hizo titubear la atención de su mente. Y también estaba la extraña palabra que había empleado para describir a Skeeter Arnold.

—¿Un secuaz? No sé qué se supone que significa eso, Kade. No sé qué se supone que significa nada de todo esto.

—Ya sé que no lo sabes. —Él se pasó la palma de la mano sobre su barbilla y luego soltó un fuerte insulto—. Alguien le hizo algo a Skeeter Arnold antes que yo. Alguien lo desangró, casi hasta el punto de matarlo, antes de soltarlo para que pudiera ser usado. Él ya no era un ser humano, Alex. Era menos que eso. Alguien lo convirtió en un secuaz, una mente esclava.

—Eso es una locura —murmuró ella. Pero por mucho que quisiera rechazar lo que estaba oyendo, no podía ignorar la seriedad de Kade, la gravedad de su expresión—. Dices que yo también soy parte de esto. ¿Cómo que soy una parte de esto? ¿Y a qué te referías en la clínica cuando dijiste que había algo más que yo no sabía acerca del ataque a mi familia? ¿Qué es lo que puedes saber tú de los monstruos que atacaron a mamá y a Richie?

—Efectivamente eran monstruos —dijo Kade, con un tono inexpresivo, demasiado plano para consolar—. Pero hay también otro nombre para ellos.

—Vampiros. —Alex nunca había dicho la palabra en voz alta, no en relación a los asesinatos de su madre y su hermano pequeño. Se le quedó pegada a la lengua como una pasta amarga, llenándole la boca aún después de haberla escupido—. ¿Estás tratando de decirme que realmente esperas que crea que son vampiros, Kade?

—Renegados —dijo él—. Adictos a la sangre y letales. Pero son también parte de una raza separada de la humanidad: la estirpe. Una raza muy antigua, no muertos ni condenados, sino pertenecientes a una sociedad viva y que respira. Una sociedad que ha existido junto al género humano durante miles de años.

—Vampiros —susurró ella, enferma ante la idea de que nada de aquello pudiera ser real.

Pero era real. Una parte de ella conocía esa verdad desde hacía mucho tiempo, desde el instante en que su familia fue hecha pedazos por su ataque tantos años atrás.

Los ojos de Kade permanecían fijos en ella.

—En términos simples, con decir que eran vampiros es suficiente.

A ella ya nada le parecía simple. No después de todo lo que había visto. No después de todo lo que ahora estaba oyendo. Y definitivamente no si venía de Kade.

Sintió una especie de retirada en él mientras la miraba, algún tipo de dolor en su mirada lóbrega, y eso la corroía.

—Una vez me dijiste que nada es tan simple. Nada en tu mundo es simplemente bueno o malo, blanco o negro. Hay matices de grises, dijiste.

Él no pestañeó, le sostuvo la mirada, inquebrantable.

—Sí.

—¿Te referías a esto? —Ella tragó saliva, y su voz tembló un poco—. ¿Es ese el mundo en el que tú vives, Kade?

—Ambos vivimos en ese mundo —replicó él, con una voz tan suave que ella quedó aterrorizada—. Tú y yo, Alex. Ambos formamos parte de él. Yo porque mi padre pertenece a la estirpe. Y tú porque llevas la misma marca de nacimiento que mi madre y un número muy pequeño de extrañas mujeres. Eres una compañera de sangre, Alex. Las propiedades de tu sangre y tu inusual estructura celular te conectan con la estirpe a un nivel fundamental.

—Eso es ridículo. —Negó con la cabeza, recordando la ternura con que él había tocado la extraña y pequeña marca escarlata de su cadera cuando estuvieron juntos en la cabaña. Sin proponérselo, aún podía sentir el calor de las yemas de sus dedos en ese preciso lugar—. Una marca de nacimiento no me convierte en nada. Eso no prueba nada...

—No —dijo él con cautela—. Pero hay otras cosas que sí lo hacen. ¿No te has sentido siempre un poco perdida, un poco separada, diferente de las otras personas a tu alrededor? Una parte de ti siempre ha estado buscando, al alcance de algo que nunca puedes aferrar. Nunca te ha parecido que tu lugar pertenezca realmente a este mundo. ¿Estoy en lo cierto, Alex?

Ella no podía hablar. Que Dios la ayudase, apenas podía respirar.

Kade continuó.

—Tienes también un don que no puedes realmente explicar, alguna habilidad innata que te hace diferente al resto de los mortales del mundo.

Ella quería decirle que se equivocaba sobre todo aquello. Quería, pero no podía. Todo lo que había dicho resumía su experiencia y sus sensaciones interiores. Era como si la conociera de toda la vida, como si la entendiera a un nivel que ella ni siquiera había alcanzado hasta aquel mismo momento, por muy imposible que pareciera.

—Desde que era una niña, siempre he tenido instinto para saber cuándo alguien me decía la verdad o me estaba mintiendo. —Kade asintió mientras ella hablaba, sin sorprenderse—. Puedo leer a otros —dijo ella—, pero no a ti.

—Es posible que tu talento solo funcione con los humanos.

Con los humanos. No con él, porque él era... otra cosa.

Un escalofrío la recorrió al darse cuenta plenamente de lo que eso significaba.

—¿Tú eres...? —La voz se le quebró y casi no pudo continuar—. ¿Me estás diciendo que tú eres como ellos, como esos que mataron a mi madre y a Richie? ¿Como los que mataron a los Toms y a Lanny y Big Dave?

—No estoy seguro de quién es el culpable de las muertes que ha habido recientemente, pero yo no soy en absoluto como él. Solo los miembros más enfermos y abyectos de mi raza harían lo que hicieron a tu familia, Alex. —Él se estiró para cogerle la mano, se llevó sus dedos a la boca y los besó con una ternura afligida. Sus ojos le sostenían la mirada con una intensidad que la quemaba por dentro—. Soy de la estirpe, Alex. Pero nunca te haré daño ni haré daño a nadie que ames. Nunca. Dios mío, te aseguro que no te esperaba, no esperaba que nada de esto ocurriera. Nunca imaginé que sentiría esto que siento.

—Kade —susurró ella, sin saber lo que quería decirle después de todas las cosas que él le había dicho. Estaba llena de preguntas e incertidumbre, abrumada por la confusión de emociones, todas centradas en ese hombre, aquel macho de la estirpe, que ahora sostenía su mano derecha y su corazón.

Como si él entendiera el tormento que ella estaba sintiendo, se inclinó por encima de la pequeña mesa y la cogió entre sus brazos. Alex se incorporó y dejó que él la sentara en su regazo.

—No sé qué pensar de todo esto —murmuró ella—. Tengo tantas preguntas.

—Lo sé. —Él la apartó un poco para acariciarle la cara y la curva del cuello con los nudillos—. Te responderé a todo lo que me preguntes. Cuando regrese podrás preguntarme todo lo que necesites saber.

—¿Cuando regreses? —La idea de que él se marchara ahora, cuando su cabeza y su vida entera estaban puestas del revés, le resultaba impensable. Se levantó, ayudándola a incorporarse con él—. ¿Dónde vas?

—Me preocupa algo acerca de Skeeter Arnold. Lo vi con alguien la otra noche, a la salida de la taberna de Pete. Lo llevaron a una compañía minera que hay a varios kilómetros de aquí.

—¿Cómo se llama?

—Coldstream.

Alex frunció el ceño.

—Ese lugar lleva cerrado unos veinte años, pero he oído que hay nuevos dueños últimamente. Manejan las cosas de forma muy privada. Tienen un equipo de vigilancia y vallas de seguridad alrededor de todo el perímetro.

—¿Nuevos dueños? —La expresión de Kade se ensombreció.

—No creerás...

—Sí, lo creo. Pero necesito estar seguro.

—Entonces voy contigo.

Él alzó las oscuras cejas.

—Rotundamente no. Podría ser peligroso...

—Precisamente por eso no voy a quedarme aquí preocupada esperando. Voy contigo. —Caminó para ir a coger su parka, fingiendo no oír la palabrota que Kade murmuró tras ella—. Bueno, ¿vamos o qué?

Capítulo diecinueve

Como su moto de nieve estaba todavía aparcada junto a la casa de Alex desde bien temprano en la mañana, cada uno cogió un trineo para partir, en dirección a la compañía minera Coldstream, que se hallaba a varios kilómetros del pueblo. Para no llamar demasiado la atención, se deshicieron de las ruidosas máquinas a un kilómetro de la zona de seguridad del lugar y recorrieron el resto del camino a pie con las raquetas de nieve.

El reconocimiento de la zona habría sido mucho más rápido si él lo hubiera podido hacer solo, pero Kade se sentía interiormente aliviado por tener a Alex junto a él. Al menos de ese modo la tenía y al alcance de su brazo. Dejarla sola en el pueblo la hacía vulnerable, una idea que le encogía el corazón todavía un poco más mientras viajaba a su lado por la tundra oscura y helada.

Por delante de ellos, a varios cientos de metros, los reflectores iluminaban la nieve, el recinto de la compañía minera estaba en plena actividad. Igual que cuando Kade vigiló por primera vez el lugar, esa noche un grupo de trabajadores uniformados continuaban descargando uno de los dos contenedores que había a la entrada de la mina. Guardias con rifles automáticos patrullaban la cerca frontal, y había cámaras de seguridad alrededor de todo el perímetro señalado por una alambrada de tela metálica.

Kade se detuvo, poniendo su mano enguantada en el brazo de Alex.

—Esto es lo más lejos que podemos llegar.

—Pero necesitamos acercarnos más para ver lo que están haciendo allí —susurró ella, dejando una nube de aliento en el aire a través de la máscara de lana que le protegía la cara.

—Es demasiado peligroso para ti acercarte más, y no voy a dejarte aquí sola.

—Entonces volvamos a Harmony y cojamos mi avioneta. Podemos volar por encima para ver mejor.

—¿Y arriesgarnos así a que te identifiquen desde abajo? —Kade sacudió enérgicamente la cabeza—. No es que en Harmony haya cien pilotos que posean una pequeña avioneta roja de un solo motor. No, tiene que haber otra manera.

Él inhaló profundamente y dejó que un grave aullido surgiera lentamente en el fondo de su garganta. Luego lo envió rumbo al cielo, como una larga llamada. Tardó solo un momento en recibir la respuesta salvaje desde un lugar no muy lejano al oeste. Kade buscó la voz lupina con la mente, y con una orden mental convocó al lobo para que asomara a la noche.

Alex se sobresaltó cuando el animal de piel plateada surgió a la vista desde el bosque y avanzó directamente hacia ellos.

—No pasa nada —la tranquilizó Kade. La miró y esbozó una sonrisa al verla completamente atónita—. Tú tienes tu talento; yo tengo el mío.

—El tuyo es mucho mejor —murmuró ella en un susurro, casi sin aliento.

Él sonrió, y luego fijó la mirada en los inteligentes y brillantes ojos del lobo. Este atendió a las instrucciones silenciosas que le dio, y luego se puso en silencioso movimiento para llevarlas a cabo.

Alex miraba boquiabierta.

—¿Qué acabas de hacer? ¿Y cómo?

—Le he pedido a la loba que nos ayude. Se acercará al lugar más de lo que nosotros podemos y a través del lazo que ella y yo compartimos ahora, me mostrará todo lo que vea.

Alex guardó silencio mientras Kade se concentraba en la conexión temporal que lo colocaba dentro de los sentidos del lobo. Kade cerró los ojos, sintiendo las rítmicas pisadas de las patas en la nieve, oyendo los suaves resoplidos de los pulmones y el firme y rápido latido de su corazón. Y a través de la aguda visión nocturna, vio la valla y las edificaciones anexas con fuertes medidas de seguridad, los trabajadores —todos ellos secuaces, se daba cuenta ahora—, arrastrando los pies al entrar y al salir de la boca de la mina, las cajas con ruedas para el transporte y envases de cartón que contenían quién sabe qué instrumentos.

La nueva dirección de la empresa se había mudado allí, y por lo que parecía querían asegurarse de que nadie tuviera ni una remota idea de lo que estaban haciendo.

Y hablando del nuevo dueño de la compañía minera...

Las orejas de la loba se alzaron atentas, sus instintos de autoprotección la impulsaron a encogerse cuando un hombre grande de pelo rubio y traje caro salió caminando desde el interior de la mina. Aunque Kade no lo había visto nunca antes, no dudó por un instante de que era un macho de la estirpe. Si su tamaño y su comportamiento no hubieran sido suficientes para demostrarlo, la extensa red de dermoglifos sí lo era. Las marcas trazadas que se veían aparecer desde los puños doblados de su camisa blanca y en su garganta formaban diseños que claramente lo identificaban como uno de los miembros más antiguos de la estirpe. Con poder suficiente para convertir fácilmente en secuaz a un humano como Skeeter Arnold.

Y junto a él como un obediente perro de caza había otro macho de la estirpe. Si el que vestía como un banquero de Wall Street era formidablemente sencillo por la pureza de su linaje de sangre, el individuo que estaba junto a este era a la legua mucho más peligroso. Armado hasta los dientes y vestido de la cabeza a los pies con un traje de combate negro, la cabeza pelada y cubierta con densos dermoglifos, aquel era un nuevo tipo de enemigo con quienes Kade y el resto de la Orden se habían familiarizado recientemente.

A través de los ojos de la loba, vio el brillante collar negro que colgaba del cuello del asesino: un collar electrónico equipado con un aparato explosivo que aseguraba la lealtad del vampiro a las iniciativas de su pervertido creador.

—Ah, maldita sea —murmuró Kade en voz alta mientras observaba las escena desde lejos a través de la ayuda de la loba—. Dragos ha enviado aquí a uno de sus asesinos.

—¿Quién? —susurró Alex junto a él—. ¿Asesinos? Oh, Dios mío, Kade, dime lo que has visto.

Él negó con la cabeza, incapaz de explicar las cosas adecuadamente mientras el estómago le ardía por el miedo y la sospecha.

¿Por qué enviaría Dragos a un teniente de sus operaciones y a uno de sus asesinos de la primera generación a las remotas profundidades heladas de Alaska?

¿Qué demonios estaban haciendo allí?

En cuanto los vampiros entraron en uno de los edificios, Kade ordenó a la loba que cambiara de posición para encontrar un lugar seguro y oculto para escarbar debajo de la valla del perímetro y colarse dentro. Necesitaba una perspectiva mejor del contenedor, particularmente de aquel en el que los trabajadores del secuaz parecían tener menos interés, aquel que —ahora lo advertía— tenía enormes abolladuras a los lados y bisagras retorcidas y machacadas en las dobles puertas traseras.

Esperó, con el corazón latiendo al mismo ritmo que el de la loba mientras ella cavaba con sus garras en la nieve, sabiendo instintivamente mantenerse en la sombra. A medida que el animal se acercaba al contenedor de mercancías, los músculos de Kade se tensaban.

Había imaginado que hallaría malas noticias dentro del contenedor hecho polvo. Había acertado plenamente. Cuando la valiente loba asomó la cabeza por uno de los agujeros de las puertas arruinadas, escudriñando lo que había sido un espacio refrigerado, Kade tuvo inmediatamente una sombría sensación respecto a ciertos objetos que debían de tener poco significado para ella.

Vio la gran caja de acero y cemento destrozada que había dentro, con la tapa arrancada y reducida a escombros. Vio las manchas de sangre que se habían secado y estaban casi negras en el suelo y las paredes del contenedor, manchas de sangre que pertenecían a uno de su raza; pudo notarlo a través del aroma que captaban los sensibles orificios nasales de la loba. Vio las cadenas de titanio que antes habían apretado las gruesas muñecas y tobillos de aquella criatura que la mayor parte de la población de la estirpe creía extinguida siglos atrás, una criatura que, según la Orden sabía de primera mano, estaba todavía viva.

«El Antiguo.»

Uno de los antepasados alienígenas que habían engendrado toda la raza de la estirpe en la Tierra.

El poderoso y salvaje ser de otro mundo que Dragos había estado utilizando para conseguir sus enfermizas metas.

¿Acaso Dragos y sus socios se habrían trasladado al norte después del reciente ataque de la Orden al escondite de Dragos? ¿Habían decidido colocar al antiguo lo más lejos que pudieran de la Orden transfiriéndolo al interior de la vieja mina?

¿O ese habría sido el plan, hasta que el Antiguo encontró la manera de escapar de su cautividad?

Kade volvió a pensar en los recientes asesinatos del monte y en el brutal ataque de los dos hombres de Harmony.

Ni Seth ni los renegados eran los culpables.

Ahora lo sabía con la más grave de las certezas. Había sido algo mucho peor.

—Dios santo —silbó Kade—. Está ahí fuera en alguna parte. Está suelto.

Ordenó al lobo abandonar su acecho inmediatamente, y siguió con ella mientras se escapaba rápidamente del terreno de la compañía minera. Cuando su oscura sombra plateada se desvaneció en el bosque cercano, Kade interrumpió la conexión mental y tomó a Alex de la mano.

—Tenemos que irnos de aquí. Ahora.

Ella asintió ante la urgencia de su tono y corrió con él, sin malgastar tiempo en hacer preguntas. Luego se lo explicaría todo, pero primero necesitaba contactar con la Orden en Boston. Lucan y los demás debían saber lo que había descubierto, y hasta qué punto su misión había virado de dirección.

Zach Tucker golpeó el mango de carbono de su linterna contra el desvencijado quicio de la puerta unas veces más y esperó, sin ningún tipo de paciencia, oír los pasos de Skeeter Arnold en el apartamento.

Puesto que ese gilipollas había ignorado sus llamadas y mensajes de texto durante las últimas veinticuatro horas, Zach no veía otra alternativa que la de hacer una visita personal a la casa que Skeeter compartía con su madre. Llevaba cinco minutos esperando a la intemperie, con las extremidades congeladas mientras golpeaba la puerta sin recibir respuesta, pero no pensaba marcharse a ninguna parte hasta conseguir algunas respuestas de ese pedazo de mierda.

Respuestas, y los quinientos dólares que Skeeter le debía de su último trato.

Si Skeeter creía que podía marcharse sin darle a Zach su parte, estaba totalmente equivocado. Y si se le había metido en su estúpida cabeza que ya no necesitaba a Zach —que tal vez había encontrado alguna otra fuente de suministro en la zona y de repente tenía ideas sobre cómo cortar su asociación— entonces Skeeter Arnold descubriría que estaba cometiendo un error mortal.

Zach golpeó la puerta otra vez, lo bastante fuerte como para extrañarse de que la madera helada no se hiciera añicos bajo los repetidos golpes del mango de su linterna.

Finalmente, una voz amortiguada sonó en el interior. No era Skeeter, sino Ida Arnold, la maléfica bruja que tenía por madre. Zach despreciaba a la vieja mujer, aunque probablemente no tanto como la debía despreciar Skeeter, estando sometido a su veneno cada día.

—¡Maldita sea, ya voy! ¡Ya voy! —gritó, con el pesado arrastrar de sus pisadas puntuando cada sílaba. La luz del porche se prendió sobre la cabeza de Zach y luego la puerta se abrió de golpe con otro gruñido ordinario.

—Buenas noches, Ida —dijo Zach amablemente mientras ella lo miraba frunciendo el ceño.

—¿Qué es lo que quieres? —Ella se cruzó de brazos y tironeó de los bordes de su vieja bata—. ¿Has venido para decirme que se ha metido en problemas de nuevo?

—No, señora.

Ella gruñó.

—¿Está muerto?

—No, señora. Nada de eso. —Él ladeó la cabeza—. ¿Por qué piensa eso?

—No me sorprendería, eso es todo. Oí lo que les pasó hoy a Big Dave y a Lanny Ham. —Ante el grave asentimiento de Zach, ella soltó un bufido y se encogió de hombros—. Nunca me importaron mucho ninguno de los dos, a decir verdad.

—Sí, bueno —respondió Zach despreocupadamente. Se

aclaró la garganta y adoptó su voz de policía, esa que según Jenna lo hacía sonar como un idiota santurrón. Todo lo que él sabía era que por lo general daba resultado—. En realidad he venido para hablar con Stanley.

El hecho de que usara el nombre de pila de su hijo y no el apodo que todo el mundo empleaba para él en Harmony desde que era un mocoso flacucho, hizo que Ida Arnold frunciera el ceño y la frente todavía un poco más.

—¿Está aquí, señora?

—No, no está. No le he visto el pelo desde esta mañana temprano.

—¿No ha llamado ni tiene alguna idea de dónde puede estar, señora?

Ella ladró una risa cortante.

—No me dice nada, tal como hacía su desastre de padre antes que él. Ese chico cree que yo estoy sorda y ciega —murmuró—. Sé muy bien en qué anda metido.

—¿Ah, sí? ¿En qué anda, Ida? —preguntó Zach con cautela, afilando la mirada bajo el resplandor de la luz que había sobre su cabeza mientras observaba cómo la expresión de la mujer se endurecía.

—Está haciendo negocios otra vez, drogas, estoy segura. Imagino que también hace contrabando de bebida para la población con ley seca que hay en la zona por encima del río.

Zach notó que se alzaban sus cejas y que se le formaba un nudo en el estómago.

—¿Qué le hace sospechar que Skeet... que Stanley está envuelto en algo como eso?

Ella se golpeó el centro del pecho con un dedo.

—Yo lo he criado, para bien o para mal. No necesito pruebas para saber cuándo anda metido en algo que no está bien. No estoy segura de en qué anda metido últimamente, pero empieza a asustarme. Creo que algún día me hará daño. De hecho, después de la forma en que me trató la última vez que estuvo aquí, no lo dudo ni por un segundo. Nunca lo había visto actuar de una manera tan repugnante y arrogante. Se comportaba como si de repente tuviera un par de pelotas.

Zach se aclaró la garganta ante la grosería de la mujer.

—¿Y eso fue ayer?

Ella asintió.

—Llegó a casa como si estuviera colocado. Cuando le hice un comentario sobre eso, me agarró por la garganta. Creí que iba a matarme en aquel mismo momento. Pero entonces murmuró que tenía trabajo que hacer, se metió en la habitación y cerró la puerta. Esa es la última vez que estuvo en casa, hasta donde yo sé. Una parte de mí espera que nunca regrese, por la manera en que me trata. Una parte de mí desea que simplemente... se marche. A la cárcel, que es donde le corresponde estar.

Zach la miró fijamente, dándose cuenta de que su miedo y disgusto por su propio hijo era algo que él podía usar en su propio favor.

—¿La última vez que estuvo en casa mencionó qué tipo de trabajo estaba haciendo?

—No lo dijo, pero ese chico no ha hecho ni un solo trabajo honesto en toda su vida. ¿Quieres echar un vistazo a su habitación? Es una pocilga, pero si lo que necesitas es una prueba...

—No puedo hacer eso —dijo Zach, aunque en aquel momento no hubiera nada que deseara más—. Desde el punto de vista de la ley no puedo registrar su residencia. Eso requeriría mucho papeleo.

La redonda mole de hombros se desplomó un poco.

—Ya entiendo...

—Sin embargo —añadió Zach esperanzadamente—, puesto que la conozco a usted desde hace más de una década o desde que vivo en Harmony, supongo que si me pide como un favor personal que entre y eche un vistazo (de manera extraoficial, digamos) no podría oponerme.

Ella lo escudriñó durante un momento, luego retrocedió unos pasos de la puerta para dejarlo entrar.

—Por aquí, por el pasillo. La puerta está cerrada, pero tengo una copia de la llave guardada detrás del zócalo.

Ida Arnold fue sin prisas hasta la puerta de la habitación de su hijo, sacó la llave de latón sin lustre de su escondite y luego abrió la puerta de Zach.

—Estaré solo cinco minutos —dijo él, despidiéndola tanto con el tono como con su mirada entrenada para no pestañear—. Gracias, Ida.

En cuanto ella se marchó arrastrando los pies, Zach entró en el vertedero que era la habitación de Skeeter y se puso a registrar rápida y concienzudamente el lugar. Envoltorios de comida vacíos, botellas y otras basuras estaban esparcidas por el suelo casi en toda la superficie. Y allí, en la encimera que había junto a una vieja radio de policía, un fajo de billetes de veinte dólares, sujetos con una goma.

No parecía propio de Skeeter dejar su dinero por ahí. Tampoco parecía propio de él que saliera sin su teléfono móvil, pero ahí estaba, atascado en el asiento de un sillón abatible celeste hecho jirones. Eso explicaba que ignorara las llamadas y mensajes de texto, aunque no excusaba a Skeeter de haberse comportado como un gilipollas en el aparcamiento de Pete aquella mañana.

Zach agarró los billetes y los contó: quince billetes. No eran los quinientos dólares que Skeeter le debía, pero estaba encantado de cogerlos.

Demonios, cogería también el teléfono.

Si eso no lo ayudaba a comprender algo de las recientes actividades de Skeeter o sus nuevos posibles socios, entonces Zach empeñaría el maldito aparato la próxima vez que fuera a Fairbanks en busca de un nuevo producto para sus conexiones en la ciudad. Skeeter Arnold tenía una deuda con él, y de una manera o de otra Zach pretendía cobrar lo que era suyo.

Capítulo veinte

Alex estaba sentada en el sofá de su salón, compartiendo con *Luna* una tostada con mantequilla. Ambas observaban a Kade, que iba y venía de la cocina y recorría el pasillo mientras se comunicaba con Boston desde su teléfono vía satélite.

Desde que habían regresado a la casa, él le había explicado rápidamente algunas cosas más acerca del trabajo que venía a hacer en Alaska. Su mente todavía le daba vueltas a la idea de que él no era exactamente un ser humano. Ahora Alex entendía que formaba parte del grupo de hombres de la estirpe comprometidos en mantener la paz entre su raza y la humanidad. Por la forma en que la describía, la Orden sonaba casi como una organización militar, y eso tenía algún tipo de sentido para ella cuando miraba a Kade y observaba su oscura combinación de fuerza letal y aguda confianza.

Y a pesar del peligro que emanaba de él en oleadas, del que hoy había sido testigo, Kade era suave y protector con ella. Por muy agitada que estuviera por todo lo que había visto y oído durante las últimas horas y los últimos días, se sentía segura con su presencia.

Incluso cuando le había explicado las peores amenazas a las que se enfrentaban los guerreros de la Orden.

Kade le había hablado acerca del enemigo que la Orden perseguía obstinadamente con el cometido de destruirlo: un macho de la segunda generación de la estirpe llamado Dragos. Alex había escuchado en callada y horrorizada comprensión mientras le había descrito las numerosas maldades que Dragos había perpetrado. No era la menor de ellas el secuestro masivo y el abuso de un número desconocido de mujeres como ella, compañeras de sangre, rastreadas y apresadas durante décadas para ser usadas como recipientes para engendrar el ejército personal de asesinos que Dragos había creado.

Pero lo que realmente la había dejado muda, lo que hacía que la sangre se le acelerara en las venas era la verdad aterradora que Kade le había revelado aquella noche: el hecho de que una criatura que no era de este mundo —una criatura mucho peor que aquellos renegados adictos a la sangre que mataron a su madre y a Richie— se hallaba suelta en algún lugar del interior de Alaska.

Incluso Kade mantenía una expresión muy grave al hablar del Antiguo a sus amigos del recinto de la Orden de Boston, describiendo los daños del contenedor de transporte y la presencia de vampiros y trabajadores secuaces en la vieja compañía minera. Aunque mantenía la voz baja, era imposible para Alex eludir el hecho de que él y sus compañeros de armas se estaban preparando para una batalla contra aquella nueva amenaza.

La idea de que Kade pudiera sufrir algún daño le aceleró la respiración y el pulso. No podría soportar que le pasara algo. No después del tiempo que habían compartido, un tiempo increíblemente corto, durante el cual él se había convertido en una parte inextricable de su vida. En tan solo un par de días, se había convertido en su amiga, su amante y su confidente. Y de alguna manera Kade estaba empezando a significar mucho más que todo eso.

Alex lo observaba fascinada, mucho más después de lo que le había visto hacer con la loba junto a la compañía minera. En un instante, se había convertido en parte de aquel bello animal, conectado con él de un modo tácito que a Alex la dejaba boquiabierta. Incluso ahora se maravillaba al sentir la corriente de oscuridad salvaje y poder que aún persistía en él. Era intenso y misterioso, fuerte y seductor. Y sí, ardiente como el infierno.

Todo en Kade la cautivaba.

Solo con mirarlo sentía que comenzaba a arder.

Y él también lo sabía. Ella veía la chispa de reconocimiento en sus ojos plateados mientras cortaba la llamada y colocaba el teléfono en la mesita que había junto al sofá.

—¿Cómo es que sigues levantada? —preguntó, sentándose junto a ella—. Debes de estar exhausta. Sé que todo esto es demasiado para poder manejarlo.

Ella se encogió ligeramente de hombros.

—La cabeza todavía me da vueltas, pero al menos ahora tengo respuestas. Las cosas que antes no tenían sentido para mí ahora están más claras. No es exactamente una razón como para dar saltos de alegría, pero es bueno saber por fin la verdad, por muy terrible que pueda ser. Así que te estoy agradecida, Kade.

Él le cogió la mano, y sus palmas se apretaron ligeramente mientras le acariciaba la delgada piel de la muñeca con el pulgar. Su caricia era cálida y reconfortante. Dolorosamente tierna.

—Dios, odio que tengas que estar metida en esto. Hay lugares donde puedes ir para estar a salvo, Alex. La estirpe tiene numerosos Refugios Oscuros que te acogerían, comunidades seguras donde serías bien recibida y protegida. Es más de lo que yo puedo hacer por ti ahora. Después de ver lo que vimos en la mina, esto se ha vuelto demasiado real. Demasiado peligroso...

—No voy a marcharme a ninguna parte —dijo ella, entrelazando los dedos con los de él y sosteniendo su mirada grave—. No voy a huir. No me lo pidas, Kade.

Su mandíbula se tensó mientras la miraba fijamente. Bajó las cejas oscuras y frunció los labios mientras sacudía la cabeza con actitud sombría.

—Esta es mi batalla. La batalla de la Orden. Mañana algunos de los guerreros llegarán de Boston. Me reuniré con ellos en cuanto lleguen y emprenderemos una ofensiva contra el centro de operaciones de Dragos en la mina. No sabemos qué vamos a encontrar. Solo sé que te quiero lo más lejos posible de esta misión y su posible fracaso. —Él levantó la mano y le acarició suavemente la mejilla con los dedos—. Eso supone que debes estar tan lejos de mí como sea posible antes de correr más riesgos.

—No. —Alex volvió la cara y apretó los labios contra la cálida palma de su mano. Besó el dedo corazón de su enorme mano—. No puedo seguir escondiéndome, Kade. No quiero vivir así, siempre mirando por encima de mi hombro, asustada de cosas que no puedo entender. No puedes pedírmelo, no cuando conocerte me ha dado la fuerza para creer que puedo hacer frente a mis miedos. Conocerte me ha dado la fuerza para entender que debo enfrentarme a mis miedos.

Él soltó un insulto, pero su caricia era suave y su mirada penetrante, con el pálido tono plateado que envolvía sus pupilas ahora oscurecido por el deseo.

—Me concedes demasiados méritos. Tú ya eras mucho más fuerte de lo que te dabas cuenta para haber pasado por lo que pasaste cuando eras niña y no permitir que te destruyera. No muchos podrían. Eso es valor, Alex. Tú no me necesitaste para eso. Y sigues sin necesitarme.

Ella sonrió, acercándose para tomar su rostro entre las manos y besarlo.

—Te necesito —susurró contra su boca—. Es más, te deseo, Kade.

Él gruñó, atrapando su lengua entre los dientes. Luego, bruscamente, interrumpió el contacto y apartó la cabeza de ella.

—¿Qué ocurre? ¿Por qué has parado? —Ella dijo las palabras entre jadeos, sintiendo todavía en la lengua y los labios un delicioso calor. Notó el sabor de la sangre, apenas un poco, pero instintivamente se llevó la mano a la boca y la yema de su dedo se tiñó de una mancha escarlata.

Ella observó el rostro de Kade mirando al suelo y sintió su tormento viendo cómo su enorme cuerpo vibraba casi fuera de control, como si sostuviera una guerra privada en su interior.

—Mírame —susurró. Cuando él no obedeció inmediatamente, ella le levantó su terca barbilla y lo obligó a mirarla—. Mírame... deja que te vea.

—Créeme, no querrás —murmuró apartando la vista.

Pero Alex advirtió el cambio que se había operado en sus ojos. No había sido capaz de apartarlos lo bastante rápido como para ocultar el hecho de que sus ojos normalmente de un color gris pálido tenían ahora un feroz brillo ámbar. Y sus pupilas... había también algo diferente en ellas.

—Kade, por favor —dijo ella suavemente—. Déjame verte como realmente eres.

Lentamente, él levantó su rostro. Alzó las oscuras pestañas y Alex quedó atónita ante el estallido de un color ámbar intenso que hacía brillar sus ojos como carbones. Y en el centro de ese fuego, sus pupilas se habían afilado como las de un gato. A ella la sobresaltó la rareza de su mirada, la forma en que se había transformado su rostro, con los ángulos de sus mejillas afilados y su mandíbula cuadrada. Ella lo miraba fijamente, sin palabras. Casi sin respiración.

—No quiero que tengas miedo de mí, Alex. —Su voz profunda sonaba áspera, un sonido extrañamente espeso para ella, y entonces advirtió por qué. Vio el brillo de los afilados dientes blancos bajo sus labios cuando hablaba. Sus colmillos. Ya no estaban ocultos, a pesar del evidente esfuerzo que hacía para ocultarlos de su vista. Cuando la miró de nuevo, había desesperación en sus ojos ámbar. Una desesperación y un deseo que ella no había visto nunca antes—. No quiero que me odies, pero esto es lo que soy, Alex. Así es como soy realmente.

A pesar del diminuto escalofrío de cautela que hizo alcanzar a los latidos de su corazón un ritmo frenético, Alex se inclinó hacia delante y tomó su rostro entre las manos. Sostuvo su mirada atormentada, y luego dejó que sus ojos bajaran hacia sus labios, donde brillaban las puntas de sus colmillos, que parecían haber crecido todavía más y estar más afilados.

—No siento nada que se parezca al odio —susurró ella, inclinando la cabeza hacia arriba y mojando sus labios de repente secos—. Si me besas otra vez te darás cuenta.

Chispas como relámpagos brillaron en sus ojos un momento antes de descender hacia ella. Alex sintió el poder desatado de él y el control que ejercía para refrenar ese poder mientras tomaba su boca con un ardiente, hambriento y exigente beso.

Alex se entregó a él, disfrutando la cálida humedad del roce de sus labios en su boca, de su barbilla, de su garganta. Ella deslizó sus manos por debajo de su camiseta de algodón negra de manga larga, pasando las palmas de sus manos por los firmes, satinados y suaves músculos de su espalda. Podía sentir el leve contorno de sus tatuajes bajo las yemas de sus dedos, un complicado diseño de espirales y arcos que ella trazaba con las uñas aunque en realidad quería recorrer con la lengua.

—Déjame ver tu cuerpo. Quiero verte entero —murmuró ella, tironeando de su camiseta. Se la quitó por encima de la cabeza y solo pudo quedarse mirándolo maravillada cuando lo vio desnudo—. Dios mío... —dijo con voz ahogada—. ¿Esos no son tatuajes, verdad?

—Dermoglifos —dijo él, echándose hacia atrás para dejarla mirar el intrincado diseño que latía a través de su torso, sus hombros y sus brazos como si estuviera vivo. Las marcas que antes eran de un tono apenas más oscuro que el resto de su piel, ahora estaban inundados de una gran variedad de tonos del más intenso color vino, índigo y dorado—. Nacemos con ellos, del mismo modo que las compañeras de sangre nacen con su marca.

—Son hermosos, Kade. —Sus dermoglifos estaban ingeniosamente entrelazados, eran una espléndida red de cambiantes colores. Alex se inclinó para pasar el dedo a lo largo de una línea particularmente elegante que se extendía alrededor de su pezón derecho. El intenso tono violáceo se hizo más oscuro a raíz del contacto. Alzó la vista hacia él, maravillada—. ¿Cómo has hecho eso?

—Lo has hecho tú. —Su boca se curvó en una sonrisa—. Los colores de los glifos cambian de acuerdo con el estado emocional del macho.

—Oh —dijo ella, excitándose todavía más ante su oscura mirada llena de intención—. ¿Y cómo está ahora tu estado emocional?

Él no respondió, solo avanzó hacia delante y le dio otro largo y lento beso que hizo derretir su centro. La acostó sobre el sofá debajo de él y empezó a desvestirla, indicando a *Luna* que se alejara y se metiera en la cocina con un resoplido malhumorado.

—Oh, creo que acabas de perder puntos con ella —murmuró Alex en medio de los besos.

Él se rio, con un ruido grave y profundo que vibró contra su boca.

—Me disculparé más tarde. Ahora mismo solo hay una hembra cuya opinión me importe.

Se tomó su tiempo para quitarle la doble capa de lana y camisa de algodón y los tejanos holgados. Cubrió cada centímetro de su cuerpo con su boca, dándole largos y cálidos besos en el cuello, los pechos y el abdomen, acariciando sus miembros desnudos mientras la recorría con su mirada ferviente y brillante.

Cuando quedó desnuda, Alex ya estaba jadeando y ardiendo de deseo. Él se arrodilló en el sofá encima de ella y encajó sus gruesos muslos entre las piernas separadas de ella. Todavía llevaba los tejanos, a la altura de las caderas, y estos presionaban todo lo largo y ancho de su erección.

Ella se incorporó para alcanzarlo, necesitando sentir su carne cálida bajo las manos. En todo su cuerpo.

En lo profundo de su cuerpo.

Kade no dijo nada cuando Alex le desabrochó el botón de los pantalones y le bajó la cremallera. Estaba desnudo debajo del oscuro tejano, su polla rígida se desbordó tan pronto como se vio libre del confinamiento. Él se levantó mientras ella le bajaba los tejanos por las caderas y luego hasta las rodillas, con un movimiento que dejó su espléndido miembro a un centímetro de su boca.

Alex no pudo resistir la tentación. Tomó su pene erecto y los testículos y los atrajo hacia ella, envolviendo la ancha cabeza de la polla con sus labios y deleitándose ante el gemido estrangulado de Kade mientras deslizaba la boca a lo largo de su miembro hasta la base.

Le gustaba tanto sentirlo con su lengua, ardiente y terrenal, tan suave terciopelo alrededor de una columna de sólido acero. Alex lo chupó profundamente de nuevo, y luego lo soltó para chuparle con avidez la cresta, mientras observaba cómo los glifos de su abdomen y de la parte superior de sus muslos se agitaban con tonos cada vez más intensos.

—Ah, Dios —silbó él mientras ella jugaba con su boca alrededor del borde de la cabeza de su miembro, que luego volvió a meterse entero en la garganta. Él clavó los dedos en su pelo, sujetando su cráneo mientras su cuerpo se ponía tan tenso como un cable—. Alex... ah, joder...

Las manos le temblaban cuando la apartó de él. Sus ojos transmitían un intenso calor y su rostro expresaba una pasión cruda mientras se apresuraba a tirar sus tejanos al suelo. Con su desnudez espléndida, se movió hacia ella una vez más y suavemente le envolvió la nuca con la palma de su mano. La sujetó con firmeza, pero no era que simplemente la sujetara. Su mirada transformada era hambrienta, pero paciente. Su beso apasionado pero tierno.

No había en él nada que fuera simple.

No había nada simple en lo que la hacía sentir.

Kade era sencillamente un amasijo de contradicciones, cada una más fascinante que la anterior.

La hacía sentirse segura y protegida, tal vez esa era la mayor contradicción de todas. Le demostraba que sentía cariño por ella... incluso amor.

Y Dios santo... además la hacía arder.

El cuerpo de ella se arqueó hacia el suyo mientras la acariciaba, cada centímetro de ella estaba hipersensible y ávido de sentir su contacto. No lograba tenerlo lo bastante cerca, no lograba apretarlo lo suficiente mientras él se colocaba encima de ella y le abría las piernas ayudándose de las suyas.

—Quiero tomarte lentamente esta noche —dijo él, con la voz áspera y oscura, casi irreconocible—. Solo quiero saborearte... saborearnos.

Él la miró mientras la penetraba, empujando lentamente, llenándola con deliberado cuidado aunque sus caderas se sacudieran y los tendones de su cuello se vieran tensos a través de su piel. La balanceaba suavemente, avivando su creciente clímax con enloquecedora moderación.

Ella quería gritar que fuera más rápido, que la tomara con tanta fuerza como pudiera para aliviar la espiral de necesidad que despertaba en su interior.

Pero hacer el amor con él era demasiado maravilloso para apresurarlo. Alex no quería que acabara aquella noche o aquella sensación. Él tampoco quería, podía verlo en su rostro. Podía sentirlo en cada medido empujón de sus caderas. En cada ardiente y sabrosa caricia de su boca mientras la besaba hasta dejarla sin aliento.

Las horas pasarían demasiado rápido. Mañana, su misión con la Orden comenzaría de nuevo. Mañana toda la muerte y el peligro que acechaba fuera de aquel momento en que se refugiaban regresaría.

Demasiado pronto, pensó Alex.

Y por eso envolvió los brazos en torno a su cuello y sus piernas alrededor del lento y torturante bombeo de sus caderas, y se dejó caer en un gozoso abandono. Dio la bienvenida a cada uno de sus empujones profundos. Se recreó con el peso y la calidez del magnífico cuerpo de Kade frotándose contra el suyo.

Cuando ella se corrió, sus sentidos se deshicieron de una manera deliciosa. Alex gritó, temblando cuando el orgasmo la sacudió desde un lugar de su interior tan profundo que parecía explotar desde su alma misma. Se aferró a él, agarrando sus musculosos hombros entre los dientes mientras una réplica la hacía sacudirse de nuevo.

—Kade —jadeó con la voz quebrada—. Oh, Dios mío...

Él gimió con fuerza y le levantó la pelvis con los cojines. Sus empujones ganaron fuerza, más profundos ahora, aunque todavía refrenados por su rígido control.

—Déjate ir —le susurró Alex—. Déjate ir. Lo quiero todo de ti, Kade.

Él gruñó, con un sonido crudo y animal. Cuando la envolvió entre sus brazos y trató de ocultar el rostro de su vista, Alex lo empujó hacia atrás. Su cara expresaba un tormento salvaje, constreñida con placer y dolor. Y sus colmillos... Dios santo, las brillantes puntas blancas llenaban su boca mientras la miraba, empujando poderosamente, y ella no pudo reprimir un agudo grito.

Su propio placer crecía otra vez, con un ansia que se retorcía en su vientre y comenzaba lentamente a bullir en su sangre.

—Oh, Dios... Kade. —Ella jadeó por la sensación y la necesidad, toda centrada en él. Clavó las yemas de sus dedos en la mole de sus brazos y enterró su rostro en la curva de su fuerte cuello y su hombro mientras él empujaba dentro de ella con largos y extenuantes golpes.

La espiral de hambre dentro de ella se contrajo todavía más, ardiendo con una necesidad tan primitiva que se asombró. El aroma de su piel, su sedoso y suave calor contra los labios, contra la lengua, la volvían loca de deseo. Su ritmo aumentó mientras la cabalgaba, más fuerte, más profundo, gruñendo con cada urgente golpe de su pelvis.

Alex suspiró su nombre. Gimió, perdiéndose en el torbellino de otro orgasmo. Gritó cuando la inundó, una sofocante inundación de placer y liberación que debería haber calmado la ardiente sed que vivía ahora en ella, pero que únicamente hizo explotar una necesidad aún mayor.

Quería saborearlo.

No de la manera en que lo había hecho hasta ahora, sino de una forma nueva que la impresionó. De una forma que debería aterrorizarla y sin embargo solo logró que su sangre latiera más caliente y más rápido, avivada por un oscuro poder que no podía domesticar.

Bajo su boca abierta ella sintió el pulso rápido de su corazón en la vena de su garganta. Apretó la lengua contra ella, y luego los dientes. Los cerró, experimentando, sobre el cordón de tendones y el pulso caliente que parecía latir a la misma velocidad desesperada del suyo.

Kade rugió un oscuro insulto pero solo para empujar las caderas con más furia.

Alex disfrutó de su pérdida de control. Pasó la lengua y los dientes sobre la tierna piel, y luego mordió con fuerza...

Kade se arqueó encima de ella, echó la cabeza hacia atrás, y rugió.

Capítulo veintiuno

*É*l no pudo contenerse ni un segundo más.

Su liberación estalló como una ráfaga ardiente mientras los desafilados y pequeños dientes de Alex rasguñaban su garganta con un mordisco entre juguetón y tentativo que casi —solo casi— atraviesa la superficie de su piel. Ella no podía saber con cuánta desesperación lo deseaba. Qué asombrosa era la necesidad de que ella tuviera su sangre dentro de la boca, de que bebiera de él. Con cuánta intensidad deseaba reclamar a Alex como suya y ligarla a él para siempre.

—Joder —jadeó él mientras las sedosas paredes vaginales de Alex estrujaban su polla con cada sacudida y mientras su boca causaba estragos en sus sentidos—. ¡Alex... oh, Dios!

Él estaba más duro que nunca, entregado al deseo que sentía por ella. Entregado al ensordecedor repiqueteo de su pulso, que reclamaba que ella ya era suya, con lazo de sangre o sin él.

Su mujer.

La única mujer que volvería a desear.

Su eterna compañera.

Kade se incorporó sobre sus rodillas para mirarla, con su sexo todavía enterrado dentro de su calor, todavía duro y hambriento por ella. El cuello le ardía por el mordisco juguetón de su boca. Todavía notaba el sabor de su dulce sangre en la boca por el momento en que tan tontamente había permitido que sus colmillos hicieran un rasguño en sus labios al besarla. Aquel pequeño sabor lo había condenado, y tal vez también a ella.

El deseo y la sed de sangre lo inundó, agudizando su visión

y haciendo vibrar sus colmillos con la urgencia de penetrar su tierna carne. Agarró sus caderas y se estremeció contra ella, observándola mientras Alex se arqueaba debajo de él, siguiéndolo hacia la cima de otra tremenda liberación.

Ella gritó su nombre, su columna se inclinó hacia arriba, la sangre fluyó a través de su pálida piel dándole un brillo rosado. Kade la observaba con torturada admiración, jamás había visto nada tan bello como Alex en la agonía del éxtasis erótico.

Quería darle más, darle el tipo de placer y de liberación —la pasión, sí, y el amor— que solo un macho ligado por un vínculo de sangre podía dar a su compañera.

Dios, cuánto lo deseaba.

—Alexandra —dijo con voz áspera, la única voz que le salía cuando el hambre y el deseo que sentía por ella lo inundaban, haciéndolo despojarse de todo menos de la necesidad de aquella mujer. Quería advertirle de que él era peligroso cuando estaba así, pero lo único que salió de su boca fue un sonido a medio camino entre un gemido y un insulto.

Ella debería haberlo apartado, pero hizo exactamente lo contrario. Lo atrajo con sus manos, volviéndolo a poner encima de ella. El aire salía a través de sus labios en cortos jadeos, atrajo su rostro hacia ella y lo besó, con un beso largo y húmedo en el que se unieron gozosamente sus dos bocas.

Kade trataba de luchar contra la necesidad, contra el hambre, pero Alex rápidamente le hacía perder todo atisbo de control. Confusamente, se dio cuenta de que no se había alimentado desde que salió de Boston, pero por mucho que quisiera echar la culpa de su sed a un instinto de supervivencia básico, sabía hasta el tuétano de los huesos que era el sabor de Alex lo que deseaba.

Solo el de ella.

Estaba trastornado, caminaba al borde de un abismo muy profundo y estaba a punto de arrastrarla junto a él. Lo sabía. Y sabía condenadamente bien que debía asegurase de que Alex lo supiera también.

Pero entonces ella lo besó aún más profundamente, atrapando su labio inferior entre los dientes con un hambre que él no podía confundir, ni siquiera en su momento más sobrio. Y estaba cualquier cosa menos sobrio en aquel momento, cuando su cuerpo ardía y su sangre circulaba a través de sus venas como un líquido de fuego.

Kade se apartó de su boca con un gruñido. Recorrió con sus labios y su lengua la delicada línea de su mandíbula, y luego fue hasta esa tierna zona justo debajo de su oreja, sabiendo que eso lo condenaba pero que había ido demasiado lejos para detenerse. La sensación de su pulso latiendo contra su boca aumentó aun más su necesidad, convirtiendo el ansia cruda en una fiera agonía.

—Ah, Dios... Alex —susurró con dureza. Luego tomó la tierna carne de su garganta entre los dientes y los colmillos y lentamente penetró en su vena.

Ella dejó escapar un grito ahogado cuando él atravesó su piel, un estremecimiento repentino agitó su cuerpo y detuvo su respiración. Kade se detuvo, horrorizado por lo que acababa de hacer y temiendo no tener la suficiente fuerza para retirarse ahora, aunque ella lo odiara.

Pero entonces, las manos de Alex se relajaron en sus hombros y comenzaron a acariciarlo. Ella exhaló un trémulo suspiro de placer y él respondió con un gruñido, un gemido de agradecimiento mientras sentía por primera vez todo el dulce sabor de su sangre en la boca.

Oh, sí, ella era dulce.

La sangre de Alex inundó su lengua como una seda, la fragancia única de miel y de almendras se mezclaba con el almizcle de su excitación. Kade bebió de ella, atónito ante el rugido de calor y placer que fluía dentro de él con cada trago que tomaba de su vena. Su sangre lo saciaba, lo llenaba de poder. Lo inflamaba una vez más, todavía más intensamente que antes.

Ella le pertenecía. Y aunque hiciera falta un mutuo intercambio de sangre para unirse como compañeros, su lazo con ella era ya irrompible. Era un lazo visceral, un lazo que solo podía romperse con la muerte.

Y él acababa de forzarla a ese lazo.

La idea lo avergonzaba, pero era difícil sentir remordimientos cuando Alex lo agarraba con manos codiciosas, jadeando y retorciéndose contra él mientras otro orgasmo la hacía estremecerse. Jadeó acaloradamente bajo el hipnótico hechizo de su mordisco, levantando las caderas para sentirlo más profundamente en su interior mientras él llenaba su boca de su dulce y melosa sangre.

Si ella hubiera sido simplemente una mujer humana habría sentido bienestar, e incluso placer mientras él se alimentaba. Pero como era una compañera de sangre y como la pasión todavía circulaba a través de ellos ahora, la respuesta de Alex era exponencialmente más intensa. El éxtasis que ella sentía era ahora de él, una parte de él que circulaba en su interior a través de la sangre que había tomado de ella. Ahora, cada sensación intensa que ella experimentara sería también de él, desde la alegría hasta el dolor.

Mientras seguía bebiendo, sintió cómo crecía su deseo, convirtiéndose en un ansia febril que ella luchaba por soportar. La sed de él no había disminuido, pero era la necesidad de ella lo que ahora lo impulsaba. Pasando la lengua cuidadosamente por los dos pinchazos gemelos, selló el mordisco y lo dejó cerrado.

—Vamos —murmuró, cogiéndola en brazos—. Voy a llevarte a la cama.

Blanda y perezosa, Alex descansó contra su pecho desnudo y él la llevó en brazos por el pasillo hasta el dormitorio. La colocó sobre el edredón acolchado, besándola mientras se ponía junto a ella en la cama. Acarició cada centímetro sedoso de su cuerpo, cada curva y cada músculo quedaban marcados con su tacto.

—Mírame, Alexandra —dijo él cuando ella cerró los ojos por el placer. Su voz era áspera y oscura, casi irreconocible incluso para él mismo—. Necesito saber que me estás viendo ahora, tal y como soy. Esto es lo que soy.

Ella abrió los párpados y alzó la mirada. Él esperaba ver su repugnancia, porque nunca había parecido más feroz, más inhumano, que en aquel momento. Sus glifos latían con cambiantes colores, tonalidades de deseo y pasión se unían con aquellas que expresaban el ansia y el tormento por lo que acababa de ocurrir con Alex aquella noche. Sobre todo por aquel lazo de sangre que había iniciado y ya no podía cortar, aunque ella lo despreciara por eso.

Observó cómo lo examinaba, y sintió miedo de hablar. Temía que ella lo odiara ahora, o que apartara la vista, asqueada por ver en qué se había convertido.

—Este soy yo, Alex —dijo en voz baja—. Esto es todo lo que soy.

Sus ojos de un castaño claro se empaparon de él, inquebrantables. Acarició los mutantes glifos de su pecho, siguiendo el diseño con un toque ligero y sabio. Se inclinó hacia abajo para pasar la palma de la mano sobre sus muslos y luego a lo largo de su miembro. Él masculló algo y soltó un gruñido de placer mientras sus dedos amantes lo acariciaban.

A través de su sangre, la preciosa parte de ella que nadaba en su interior, alimentando sus células, podía leer la profundidad del deseo que ella sentía. No había miedo ni incertidumbre cuando lo miraba. Había solo una suave pero ferviente demanda cuando ella se estiró para cogerlo de la nuca y guiarlo de nuevo hasta su boca.

—Hazme el amor otra vez —susurró contra sus labios.

Era una orden que Kade estaba más que deseoso de obedecer. Suavemente rodó sobre ella mientras separaba las piernas para recibirlo una vez más. La penetró lenta y tiernamente mientras la cogía entre sus brazos. Su beso fue largo, apasionado, ferviente. Alex recorrió sus colmillos con la lengua mientras el sexo de Kade estallaba a chorros en su interior. Entonces gritó con su liberación y se apretó contra ella.

Que Dios se apiadase de él, ahora sabía lo que querían decir sus compañeros guerreros cuando hablaban del placer —del éxtasis revelador— que se sentía a través del vínculo de sangre. Con Alex, con aquella mujer que había despertado en él emociones que nunca antes se había atrevido a sentir, ahora Kade sabía lo que podía significar para siempre. Ansiaba que aquello fuera para siempre, con una ferocidad que lo dejaba atónito.

En aquel momento, con Alex envuelta en torno a su cuerpo, tan cálida, tan satisfecha y tan abierta a él, quería mantener cerca esa sensación... por más que la parte salvaje de su interior le susurrara insidiosamente que no podía durar.

El fuego que se había extinguido lentamente en la chimenea unas horas antes ya se había enfriado completamente. Jenna Tucker-Darrow yacía de lado y acurrucada en el suelo de la habitación principal de la cabaña, tiritando al despertarse de un sueño profundo, pesado y antinatural. Sus miembros estaban lánguidos, no cooperaban, y su cuello demasiado débil y blando como para levantar la cabeza.

Con esfuerzo, consiguió abrir los párpados y escudriñar la oscuridad de su cabaña. El miedo trepó por su columna con garras de hielo.

El intruso estaba todavía ahí.

Sentado en el suelo en un extremo de la habitación, frente a ella, con la cabeza inclinada hacia abajo. Era una presencia enorme y amenazante, incluso mientras descansaba.

No era humano.

Ella todavía luchaba para comprender eso, preguntándose si lo que había visto podía ser culpa del whisky de malta escocés que había estado bebiendo, el favorito de Mitch, y el sostén al que recurría cada año sobre esa época para atravesar el espantoso aniversario de su muerte y la muerte de Libby.

Pero el inmenso intruso que había irrumpido en su casa y la tenía prisionera no era el tipo de alucinación producto del alcohol. Era de carne y hueso, aunque nunca antes había visto una carne como esa. Iba sin ropa a pesar de la temperatura bajo cero que había fuera, y su piel, de la cabeza a los pies, no tenía pelo y estaba cubierta de una densa red de diseños negros y rojos que era demasiado extensa para ser el trabajo de un artista del tatuaje. Y fuera lo que fuese, estaba claro que era más fuerte que cualquier hombre que hubiera visto cuando trabajaba con las fuerzas de la ley, incluso sin estar armado y aquejado de graves heridas.

Jenna había visto heridas de bala, las suficientes como para saber que el pedazo de carne y de músculo que le faltaba en la pierna y el agujero más pequeño en un costado de su abdomen tenían que ser el resultado de varios disparos. Sus otras heridas, las llagas y lesiones que cubrían la mayor parte de su piel, eran menos reconocibles, especialmente en la oscuridad. Parecían quemaduras de radiaciones, o producto de una intensa exposición solar... el tipo de quemaduras que uno podría hacerse únicamente si cuece el cuerpo al sol bajo un cristal de aumento.

Jenna no podía ni tan siquiera empezar a imaginar de dónde podría venir, o qué era lo que quería de ella. Creyó que iba a matarla al verlo entrar en la casa de aquella manera. A decir verdad, no le hubiera importado que lo hiciera. Había estado a punto de hacerlo ella misma. Estaba cansada de vivir sin las personas que más quería. Harta de sentirse tan herida, tan inútil y tan sola.

Pero el intruso —la criatura, pues eso es lo que era— no había entrado con la intención de matarla. Al menos no hasta ahora, según parecía.

Había hecho algo igual de atroz que eso, sin embargo.

La había mordido en la garganta, y para su conmoción e incredulidad, se había alimentado con su sangre como un monstruo.

Como un vampiro.

Era imposible, lo sabía. Su lógica quería rechazar la idea, al igual que quería rechazar aquello de lo que seguían siendo testigos sus ojos ahora que miraba el otro extremo de la habitación con esa idea imposible aún palpitante en su carne.

Jenna se estremeció al recordar sus enormes colmillos descendiendo sobre ella, hundiéndose en un costado de su cuello. Afortunadamente, no podía recordar mucho más después de eso. Debía de haberse desmayado, pero sospechaba que él había hecho algo para dejarla inconsciente. Si estaba tan débil por la pérdida de sangre o si era porque él la había golpeado resultaba imposible de discernir.

Trató de moverse, pero únicamente logró llamar su atención. Él levantó la cabeza, y los feroces rayos láser de sus ojos se clavaron en ella desde el otro extremo de la habitación. Jenna le devolvió la mirada, negándose a encogerse de miedo ante él, sin importarle qué diablos fuera aquella criatura. No tenía nada que perder, después de todo.

Él la observó durante un rato. Tal vez estaba esperando que ella cediera, o que tratara de levantarse y se lanzara contra él en un ataque de rabia inútil.

Finalmente, Jenna se dio cuenta de que sostenía algo rectangular y brillante en sus enormes manos. El marco de una foto. Ella sabía cuál era, no necesitaba mirar la repisa de la chimenea para darse cuenta de que era una fotografía de ella con Mitch y con Libby. La última que se habían sacado juntos, apenas unos días antes de que ellos murieran.

Su respiración se aceleró mientras una sensación de cansancio e indignación le dio nuevas fuerzas. Él no tenía derecho a tocar nada de allí, y mucho menos algo tan precioso como esa última imagen de su familia.

Al otro lado de la habitación, la cabeza pelada se ladeó en un ángulo inquisitivo.

Se levantó y comenzó a caminar lentamente hacia ella. Jenna advirtió que las heridas de bala habían dejado de sangrar. La carne no parecía tan destrozada como antes, casi como si se estuviera curando a un ritmo acelerado, prácticamente visible.

Se detuvo frente a ella y lentamente se puso en cuclillas. Aunque estaba ansiosa, asustada por lo que pudiera hacerle ahora, Jenna se esforzó por no demostrarlo.

Él sostuvo la foto enmarcada junto a ella.

Jenna miraba fijamente, sin saber qué hacer.

El intruso permaneció allí mucho tiempo, observándola, sujetando, con la mano ampollada, la fotografía donde Jenna sonreía junto a su esposo y su hija, como si fuera algún tipo de ofrenda. Como ella no hablaba ni se movía, finalmente dejó el marco en el suelo a su lado. El cristal estaba quebrado, y los bordes del marco plateado estropeados con manchas de su sangre.

Jenna miró los rostros felices detrás del cristal roto y no pudo contener un llanto ahogado. El dolor la envolvió, dejó caer la cabeza en el suelo y lloró silenciosamente.

Su raptor se alejó cojeando hacia el otro extremo de la habitación y la observó sollozar, antes de darse la vuelta para mirar a través de las ventanas con postigos, mirar el cielo estrellado sobre su cabeza.

Capítulo veintidós

*R*esistiéndose al despertar que la había arrancado de un profundo, sensual y gozoso sueño, Alex suspiró lánguidamente y se estiró en la cama. Aparte de la somnolencia de terciopelo negro que la acariciaba ahora necesitaba una única cosa para que fuera completo su estado de dicha cálida y perezosa. Estiró el brazo lentamente sobre el colchón, buscando el calor de Kade.

Él no estaba allí.

¿Se había ido sin decirle nada?

Totalmente despierta de golpe, se incorporó sobre los codos y miró fijamente la vacía oscuridad del dormitorio. Encendió la luz de la mesilla de noche, soltando un gruñido de decepción por su partida. Pero entonces, procedente del pasillo, oyó el chirrido del grifo de la ducha al cerrarse.

Un momento más tarde, Kade entraba en la habitación, desnudo excepto por la toalla rosada del baño, que estaba atada holgadamente alrededor de sus estilizadas caderas.

—Estás despierta —dijo él, pasándose los dedos por el cabello negro y húmedo.

—¿Ya te vas?

Él se sentó en el borde de la cama. Gotas de agua brillaban en sus hombros y en su pecho, unas pocas se deslizaban por su suave piel y sus glifos en delgados riachuelos. Tenía un aspecto y un olor deliciosos, y Alex sintió un fuerte impulso de lamerlo para secarlo.

Kade sonrió como si advirtiera la vigorosa dirección de sus pensamientos.

—Tengo que irme. Mis compañeros de armas de Boston llegarán a Fairbanks dentro de un par de horas. Nos encontraremos en un viejo camión parado a medio camino entre Fairbanks y la compañía minera. No podemos arriesgarnos a dar a Dragos o a sus hombres la oportunidad de saber que vamos tras ellos, así que asaltaremos la mina sin dilación.

Hablaba con ligereza acerca del peligro que les esperaba. Alex solo podía pensar en la posibilidad muy real de que resultara herido. O algo peor, algo que no quería ni siquiera imaginar. La sola idea de Kade entrando en esa mina —la posibilidad de que cayera en manos de Dragos, o de un demonio aún mayor, de que se cruzara en su camino con la criatura que según sospechaban había sido trasladada a la zona— la hacía temblar por dentro con un terror crudo y hasta la médula de los huesos.

—No quiero que vayas. Temo que si lo haces no vuelva a verte nunca más.

—No te preocupes —dijo él, y algo oscuro, algo irónico, apareció en la expresión de su bello rostro—. No vas a deshacerte de mí tan fácilmente, Alex. Ahora ya no.

Le puso la palma de la mano en la mejilla, y luego se inclinó para besarla. Alex sintió su boca tan tierna en la suya que notó que se abría un dolor en el centro de su pecho.

Le dolían muchas zonas del cuerpo, todas las zonas adecuadas.

Cuando sus labios dejaron los de ella, todos los puntos donde se apreciaba el latido de su pulso estaban iluminados, como si hubieran sido tocados por un relámpago. Más abajo, un fuerte latido en su centro enviaba un calor líquido entre sus piernas. Después de las horas de pasión que habían compartido, ella todavía ardía por él como si apenas lo hubiera probado.

Suspiró al recordar el placer de todo lo que habían hecho juntos.

—Lo de anoche fue...

—Sí, lo fue. —Sonrió, pero su voz era vacilante. Algo angustiado en su mirada.

Le acarició el hombro desnudo, y luego dejó que sus dedos viajaran a lo largo de su cuello, la única parte de ella que parecía más viva y ardiente que la húmeda grieta entre sus piernas. Alex se acurrucó en sus caricias ligeras como plumas, estremeciéndose con un hambre creciente mientras él pasaba el pulgar por la vena que palpitaba más frenéticamente en respuesta a su contacto.

—Me mordiste —susurró ella, sintiendo un extraño estremecimiento solo con decir las palabras.

Él inclinó la cabeza asintiendo con gravedad.

—Lo hice. No debí haberlo hecho. No tenía derecho a tomar eso de ti.

¿Se refería a su sangre?

—Está bien, Kade.

—No —dijo él con gravedad—. No está bien. Tú mereces más que eso.

—Me... gustó —le dijo ella, con una sinceridad que le chocó incluso a sí misma—. Lo que hiciste... era agradable. Todavía lo es. Todas las formas en que me tocaste anoche fueron muy agradables.

Kade exhaló el aire lentamente, y Alex sintió su aliento caliente en la frente.

No había dejado de acariciarle la garganta. Ella podría haber seguido disfrutando su suave caricia durante horas.

—Lo que hice anoche lo ha cambiado todo, Alex. Bebí de ti. He creado un lazo contigo, y no puedo deshacerlo. Ni siquiera aunque me odies por eso.

Ella levantó la cabeza y besó la seria línea de sus labios.

—¿Por qué iba a odiarte?

Él la miró fijamente durante un rato, como valorando el impacto de lo que quería decirle.

—Bebí de ti, Alex, sabiendo perfectamente que eres una compañera de sangre. Sabiendo que una vez tu sangre esté en mi cuerpo no habrá vuelta atrás. Ahora estoy conectado contigo, y ese lazo es irrompible. Es para siempre. Yo sabía lo que significaba, pero te deseaba tan desesperadamente que no pude parar. Debería haberme detenido, pero no lo hice.

Alex escuchaba, viendo el tormento en sus ojos. También podía ver su arrepentimiento, y eso le retorcía el corazón.

—Anoche no pudiste parar —dijo ella, necesitando entender aunque la matara tener que oírlo—. Pero ahora desearías poder volver atrás. Porque... ¿sientes por mí algo diferente?

Él levantó la cabeza bruscamente, y bajó las cejas oscuras sobre los ojos.

—No, por Dios... Alex. Lo que siento por ti... —Las palabras se le quebraron, parecían atrapadas en su garganta—. Lo que siento por ti es más fuerte que cualquier cosa que haya sentido antes. Es amor, Alex, y estaba allí antes de la última noche. Estaría conmigo aunque no hubiera tomado tu sangre.

Ella no se dio cuenta de que estaba conteniendo la respiración hasta que esta se le escapó en un suspiro.

—Oh, Kade.

Él soltó una maldición mientras la acariciaba.

—No sé cómo permití que pasara. Te aseguro que nunca había esperado encontrar lo que tengo contigo. No ahora, cuando todo a mi alrededor está hecho un desastre.

—Entonces lo arreglaremos —dijo ella, envolviendo su cuello con las manos—. Podemos arreglarlo todo, juntos. Porque yo también estoy enamorada de ti.

Él soltó otra maldición, pero esta vez fue con veneración. Susurró un juramento mientras la atraía hacia él y le daba un beso delirante y apasionado. Alex sentía sus músculos flexibles y tirantes bajo las yemas de los dedos. Sintió el temblor de necesidad que lo sacudía mientras la tendía de espaldas y se arrastraba sobre ella. La toalla rosada se cayó y Alex se empapó de la magnífica visión de su cuerpo, el grueso saliente de su erección, de todo ese poder preparado para entrar en ella.

Su mirada era feroz, de un plateado pálido que brillaba con fuego ámbar.

—Ah, Dios..., Alexandra. Necesito oírlo ahora. Dime que eres mía.

—Sí —dijo ella, y luego gritó la palabra otra vez mientras él la penetraba profundamente y la conducía hacia la cima de una veloz y ardiente oleada de liberación.

Se quedó en la cama con Alex durante casi otra hora, mucho más de lo que pretendía, pero aun así había sido prácticamente imposible encontrar la energía para marcharse. Lo cual significaba que tendría que darse muchísima prisa para llegar al punto de encuentro a punto para recibir a los guerreros. Eso hizo, y justo acababa de bajarse de su motonieve dispuesto a esperarlos cuando oyó el rugido de sus motores surgiendo de la oscuridad.

Los cuatro vampiros iban equipados como él, con traje negro de invierno y cascos negros con viseras. Al ser de la estirpe, ninguno de ellos necesitaba los faros de sus trineos para guiarse. Sus enormes figuras, cada una de ellas provista de armas, emergieron de las sombras de la noche para detenerse ante el camión destartalado y vacío. El chirrido de sus vehículos llenó el aire, mientras las pesadas cadenas de tractor emitían nubes de humo grisáceo y engullían la nieve.

La versión de la Orden de los cuatro jinetes del Apocalipsis, pensó Kade con una sonrisa irónica mientras observaba al grupo de guerreros derrapando y deteniéndose frente a él.

Brock fue el primero en bajar de su trineo. Apagó el motor y pasó la pierna por encima del asiento, levantando el visor de su casco mientras avanzaba hacia Kade con una ancha sonrisa y le daba un duro puñetazo en el hombro.

—No ibas a estar contento hasta no arrastrarme a este congelador dejado de la mano de Dios, ¿verdad? Tengo que decirte que siento algo de odio aquí, amigo mío. O lo sentiré, si es que logro sentir algo más que este frío del Ártico que acaba con mi vitalidad.

Kade sonrió abiertamente al guerrero que se había convertido en su mejor amigo.

—Yo también me alegro de verte.

Justo detrás de Brock había otro de los nuevos reclutas de la Orden, el exagente de las fuerzas de la ley Sterling Chase, también conocido como Harvard, por su educación intelectual como civil y el comportamiento estirado que mantenía al principio de sus relaciones con los guerreros. Ese frío aire de superioridad todavía estaba allí, pero había adquirido un filo glacial en el transcurso del año que llevaba en la Orden.

Chase era letal, y obtenía cierta insatisfacción insana en su trabajo. De hecho, Kade se sintió sorprendido al verle, teniendo en cuenta que habían pasado tan solo un par de semanas desde que una pelea en las calles de Boston le había ocasionado una grave herida de bala en el pecho. Al mirarlo ahora,

Kade no podía evitar recordar el aire de arrogancia irredenta de Seth, lo veía reflejado en los escalofriantes ojos azules de aquel hombre cuando se quitó el casco dejando a la intemperie su cabeza de pelo rubio y corto. Su rostro delgado estaba casi demacrado y había un brillo vacío en los ojos del guerrero. Una apatía que Kade podía sentir, aunque era la primera vez que realmente la notaba.

—Tengo imágenes vía satélite de la localización de la compañía minera —dijo Chase sin molestarse siquiera en saludar, a la vez que sacaba un pequeño ordenador portátil de su traje de combate y lo mostraba mientras los otros se reunían a su alrededor—. Es información reciente. Gideon consiguió las imágenes justo antes de que saliéramos del recinto.

—Bien —replicó Kade—. ¿Te encuentras bien, Harvard?

Él alzó la mirada, con una expresión indescifrable, lóbrega.

—Nunca he estado mejor.

Mientras Kade sopesaba al guerrero, se acercaron los otros dos de la unidad, ambos inmensos, ambos con armas despiadadas en el arsenal letal de la Orden. Ambos pertenecían a la primera generación de la estirpe, aunque Tegan era varios siglos más viejo que el macho llamado Cazador. Mientras que Tegan había sido uno de los miembros fundadores de la Orden junto con el líder de primera generación llamado Lucan, Cazador había aparecido tan solo unos meses atrás, como un aliado insólito, puesto que era producto de la experimentación genética del laboratorio de Dragos.

Nacido del último sobreviviente de los Antiguos —la misma criatura que probablemente ahora estaba suelta en Alaska— y de una de las compañeras de sangre desconocidas y cautivas que Dragos había estado secuestrando durante décadas como parte de su plan de lucha por el poder, Cazador probablemente no tendría más de cuarenta o cincuenta años. Pero durante ese corto tramo de vida, había conocido únicamente la disciplina y un único propósito.

Había crecido como un asesino, un cazador sin emociones, sin recibir más nombre que el de su función, la de cazar, el único valor que tenía para Dragos, quien lo había creado.

Detrás del brillante visor de su casco, Cazador permanecía callado, como era habitual, como un perfecto autómata, mien-

LARA ADRIAN

tras él y Tegan se acercaban al resto del grupo. En cuanto a Tegan, nunca había sido el señor Simpatía. No hacía mucho tiempo, algo menos de un año, la implicación de Tegan en la Orden parecía, por decirlo de alguna manera, dudosa. Pero al final había superado su crisis, y había ganado el amor de una buena mujer que estaba a su lado. Ahora, como segundo al mando después de Lucan, el formidable guerrero ponía toda su intensidad letal y despiadada en cada misión de la Orden.

Su brillante mirada gris era afilada cuando se sacó el casco y saludó a Kade con la cabeza.

—Buen trabajo, descubrir la pista de esa compañía minera. Gideon la ha investigado y se ha topado con una organización llamada Tierra Global. Es la tapadera de una sociedad anónima, con una fachada de unas diez capas de entidades falsas detrás.

—Deja que lo adivine —dijo Kade fríamente—. Todos los caminos conducen finalmente a Dragos.

Tegan asintió.

—Dante, Río y Niko están investigando los datos, persiguiendo cada migaja de pan que logran encontrar, por muy pequeña o diseminada que esté. Mientras tanto, Lucan y Gideon están a cargo del fortín en Boston. Prácticamente he tenido que atar a Lucan para que no viniera con nosotros, pero no podíamos dejar el recinto desprotegido mientras no tengamos a Dragos directamente controlado. Hay una carga demasiado preciosa en casa.

Kade asintió, advirtiendo la seria nota de preocupación en la voz del otro macho de la estirpe al referirse a su compañera de sangre, Elise, y las compañeras de los otros guerreros que sentían los cuarteles de la Orden como su hogar.

Kade ahora entendía esa sensación.

Cuando pensaba en Alex, y en la idea de tener que dejarla sola en su casa de Harmony mientras él estuviera en aquella misión...

Cuando pensaba que existía una posibilidad, si las cosas se estropeaban de manera terrible y no podía regresar con ella, de que cayeran en manos del Antiguo o de cualquier otro peligro y él no pudiera estar allí para mantenerla a salvo...

«Dios bendito.»

234

Cada pensamiento era peor que el anterior, una horrible espiral que tuvo que expulsar de su mente para entender lo que Tegan le estaba diciendo.

—Según lo que sabemos de Dragos hasta ahora, podemos suponer que la mina tiene algún tipo de mecanismo de auto-destrucción. Si no podemos encontrar el nervio central de la guarida, vamos a tener que detonar el lugar por nuestra cuenta.

Brock gruñó.

—Por eso he embalado suficiente carga explosiva como para hacer un cráter del tamaño de un meteorito al otro lado de esa montaña. Ya te lo dije, estaré encantado de deshacer-me de esta mierda.

Tegan asintió con ironía y luego se puso a dar instruccio-nes para el asalto de la mina. Los guerreros ya habían discu-tido el plan de ataque en Boston; ahora solo era cuestión de llevar a cabo la misión.

—Lástima que Andreas Reichen no esté aquí para añadir algo de fuego a esta fiesta —comentó Chase, refiriéndose a la última adquisición en las filas de la Orden, el antiguo líder de los Refugios Oscuros de Alemania—. Un poco de pirokinesis nos iría bien esta noche.

—Sí, así es —respondió Tegan—. Pero su talento está to-davía en bruto. Hasta que consiga tenerlo bajo control, será mejor que siga trabajando con las relaciones diplomáticas de la Orden.

—Relaciones diplomáticas. —Brock soltó una risa pro-funda y divertida que retumbó en su pecho—. Dios sabe que ninguno de los que estamos hoy aquí serviría para ese tipo de trabajo.

—Desde luego que no —admitió Tegan, con una fría son-risa amenazadora—. Así que dejemos esta cháchara y vamos a dar patadas a algún culo.

Mientras el grupo se dispersaba y se preparaba para mo-verse, Brock se rezagó detrás de los demás y dirigió a Kade una mirada interrogante.

—¿Qué te ocurre? He estado en demasiadas patrullas con-tigo como para no darme cuenta de que llevas una carga pesa-da en la mente, amigo.

—No... —Kade sacudió la cabeza—. No es nada. Estoy bien. Vamos a ponernos en marcha.

Brock frunció el ceño. Dio unos pasos de costado y le bloqueó el camino a Kade. Le habló en voz baja para que los demás no pudieran oírlo.

—Verás, ese es el tipo de cosa que le dices a alguien que no te ha estado cubriendo las espaldas tantas veces como tú has estado cubriendo las mías. Así que deja que te lo pregunte otra vez. ¿Qué demonios te pasa, amigo?

Kade miró fijamente a su compañero y amigo, aquel guerrero que era tan íntimo como un hermano para él. Más íntimo aún que su hermano gemelo. Aquel gemelo idéntico que Kade ya no conocía, y que había perdido como pariente hacía ya mucho tiempo.

Le avergonzaba pensar en Seth ahora, y mucho más tratar de explicar lo que había descubierto acerca de él tras su regreso a Alaska.

En algún momento tendría que decírselo todo a la Orden, lo sabía. Y tendría que contarle también a Alex la existencia de su hermano gemelo. Pero había otras cosas que le pesaban tanto como esa, y la menor de ellas no era el hecho de que en medio de toda esa locura y ese conflicto desde que había salido de Boston, en algún momento había bajado la guardia y se había enamorado.

—La mujer —dijo sin convicción—. Alexandra Maguire...

—Te refieres a la compañera de sangre —lo corrigió Brock, recordando haber oído hablar de ella en alguna de las llamadas que Kade había hecho al recinto—. ¿Le ha ocurrido algo a esa mujer?

—Sí, podría decirse que sí. —Kade soltó una respiración corta y cargada de ironía—. Alex se ha vuelto importante para mí. Realmente importante.

Mientras Brock lo miraba fijamente, los otros guerreros se subían en los trineos y encendían los motores. El rugido de las máquinas retumbaba a su alrededor y todos estaban dispuestos para partir.

Brock se quedó boquiabierto durante un largo momento y luego soltó una risa chillona.

—¡Noooo! Oh, diablos, no. Tú no, ¿verdad?

Kade sonrió y se encogió de hombros con impotencia.

—La amo, amigo mío. Y ella dice que me ama también, por muy increíble que parezca.

—Perversamente increíble —dijo Brock, todavía riéndose y sacudiendo la cabeza—. Últimamente esto se está convirtiendo en una maldita epidemia.

—Entonces será mejor que vigiles tus pasos.

—Mierda —respondió, dejando que la palabra saliera en forma de lenta exhalación—. ¿Ahora con quién voy a salir de juerga después de las patrullas...? ¿Con Harvard? Muchas gracias, amigo. Apuesto a que Cazador también puede ser de lo más divertido.

Al otro lado del camino, Tegan levantó la visera de su casco y los llamó con la mirada.

—Vamos ya.

Brock hizo un gesto en señal de aceptación y luego se volvió un momento hacia Kade.

—Tonterías aparte, amigo, estoy ansioso por conocer a tu mujer. Pero primero vamos a darle unas patadas en el culo a Dragos.

Kade se rio mientras caminaba hacia su vehículo y se preparaba para salir junto a sus compañeros, pero su humor ligero era solo una máscara que ocultaba la desagradable realidad que le pesaba cada vez más y más sobre los hombros. Porque suponiendo que sobreviviera al asalto de la mina aquella noche, tendría por delante la dura tarea de encargarse de Seth más tarde o más temprano.

Quería empezar una vida con Alex, si ella lo quería a él, pero no podría hacerlo sin ocuparse de aquel asunto al que debería haberse enfrentado antes de abandonar Alaska por primera vez.

Seth estaba cayendo en la lujuria de sangre, si es que no había caído ya. Su locura debía ser detenida.

Y Kade era el único que podía detenerla.

Capítulo veintitrés

Kade se había marchado hacía tan solo un par de horas, pero esperarlo estaba volviendo loca a Alex.

No cabía ni plantearse la posibilidad de dormir, a pesar de que no había dormido mucho últimamente. Ya le había dado el desayuno a *Luna* y se había duchado, y si seguía caminando por su diminuta casa buscando alguna cosa más que fregar o desempolvar, acabaría gritando.

Tal vez podría invitar a Jenna.

Mejor aún, tal vez podría ir a visitarla a su casa. Dios sabía que podía usar la distracción de alguna compañía mientras tenía el corazón en un puño, a la espera de una palabra de Kade que le hiciera saber que estaba bien.

Normalmente, habría saltado en su trineo y se habría presentado allí sin avisar, pero aquella era la época del año en que Jenna apreciaba su privacidad, incluso la exigía. En noviembre se cumplía el aniversario de la muerte de Mitch y de Libby. Aquello era siempre una lucha para su amiga, y a Alex le dolía comprobar que Jenna prefería sufrir a solas en lugar de aceptar su apoyo durante un momento difícil.

También preocupaba a Alex no haber sabido nada de Jenna desde la última vez que la había visto.

Estar más de un día o dos sin llamar por teléfono o hacer una visita veloz era inusual en Jenna, no importa qué época del año fuera.

Alex cogió el teléfono para llamarla y advirtió que la señal de mensajes estaba encendida. Probablemente era Jenna, pensó Alex soltando una risa de alivio por lo bajo. Seguramente habría dejado un mensaje de voz preguntando a Alex por qué no había llamado ni se había acercado a verla. Alex marcó el código de acceso y esperó a oír el mensaje.

No era Jenna. Era uno de los clientes de su ruta de suministros, una nueva mamá con su bebé enfermo y un marido que se había marchado hacía seis meses para trabajar en un gaseoducto. Quería saber si Alex podría llevarle un medicamento y más combustible para el generador de la cabaña. Ya no le quedaba ninguna de las dos cosas y le preocupaba que la tormenta de nieve que se avecinaba empeorara la situación. La llamada era del día anterior por la mañana. Habían pasado más de veinticuatro horas.

—Maldita sea —susurró Alex.

La cabaña de la mujer estaba tan solo a unos quince kilómetros del pueblo, pero la idea de aventurarse a salir de Harmony antes de que amaneciera, especialmente sabiendo que podía haber una criatura salvaje merodeando en la oscuridad, la hizo detenerse.

¿Pero podía quedarse sentada en su casa y dejar que los demás se las arreglaran solos únicamente porque estaba asustada? ¿No acababa de decirle a Kade que estaba cansada de ocultarse y de huir, encogida de miedo ante un mal cuya existencia conocía pero que no se atrevía a hacerle frente?

Lo había dicho en serio.

Kade le había dado la fuerza para enfrentarse a sus miedos.

Y el hecho de que él estuviera en algún lugar ahí fuera ahora mismo, luchando por ella, por la estirpe y por la humanidad, le daba un mayor y renovado sentimiento de poder. Kade era su hombre, noble y valiente, su compañero. Él la amaba. Saber eso la mantenía a flote, ya no había nada que debiera temer.

—Vamos, *Luna*. —Alex hizo un gesto a la perra para que la siguiera mientras iba a la cocina a coger su parka de la percha. Se puso las botas y luego agarró las llaves del vehículo—. Vamos a dar un paseo, pequeña.

Y en el camino de vuelta de la entrega, se desviaría hacia la casa de Jenna solo para asegurarse de que todo iba bien.

Y

—Hemos contado siete secuaces patrullando la zona sur y la zona oeste del terreno —dijo Kade mientras él y Brock regresaban después de un reconocimiento rápido de la compañía minera—. Por lo que hemos podido ver cada uno de ellos está armado con un rifle de asalto semiautomático y están conectados con aparatos de comunicación. No hay ninguna señal visible del asesino de la primera generación ni del hombre de Dragos, por extraño que parezca, a no ser que estén metidos dentro en alguna parte.

Cuando Tegan hizo una seña de asentimiento, Chase avanzó con su informe desde el otro lado del blanco de sus operaciones.

—Hay cuatro guardias secuaces en la puerta central, y un par más apostados en el tramo este del perímetro de la valla. Supongo que estos no son los únicos. Vamos a encontrarnos a muchos de estos bastardos una vez estemos dentro. La cuestión es cuántos más hay.

—No importa. —La profunda voz de Cazador no tenía inflexiones, solo afirmaba fríamente—. Los secuaces tienen reflejos inferiores, humanos. A pesar del número que haya o de lo armados que estén es muy dudoso que puedan vencernos. Únicamente supondrán un obstáculo momentáneo en nuestra misión.

—Es cierto —aceptó Tegan, con sequedad—. En cuanto nos infiltremos en el lugar y pasemos a los secuaces de guardia nuestro objetivo es doble. Determinar si el Antiguo está encerrado dentro, y si es así, descubrir dónde. Y el segundo, capturar al vampiro a cargo de este emplazamiento. Si está recibiendo órdenes de Dragos, entonces sabe dónde está Dragos y en qué anda metido. Así que necesitamos llevarnos a ese maldito cabrón y lograr que hable. Lo cual significa que nos interesa mantenerlo con vida.

—Eso no significa que tenga que estar feliz —dijo Chase arrastrando las sílabas, con las puntas de los colmillos ya visibles al anticipar la batalla por venir—. Solo tenemos que asegurarnos de que la boca le funcione.

—Entraremos furtivamente —continuó Tegan, dirigiendo al guerrero una mirada breve y afilada antes de dirigirse a todo el grupo—. Nos dividiremos en dos grupos y despejaremos un camino tan ancho como podamos para abrirnos paso hasta la mina. Pero hacedlo en silencio. Nada de balas a menos que sea absolutamente necesario. Cuanto más podamos acercarnos a la entrada de la mina sin alertar a nadie de nuestra presencia allí, tanto mejor.

Todos los guerreros respondieron asintiendo con la cabeza.

—Necesitamos un equipo que vaya delante para encargarse de los guardias de la puerta —dijo Tegan mirando a Kade y a Brock. Cuando ellos asintieron, miró de soslayo a Chase—. Nosotros dos registraremos las edificaciones anexas y los contenedores, y nos aseguraremos de que Cazador haya despejado el camino hasta la entrada de la mina. En cuanto los guardias secuaces estén incapacitados y las condiciones de seguridad de los edificios anexos garantizadas, necesitaremos todas las manos a la vez para el momento de irrumpir en la mina.

—Suena como un plan —dijo Brock.

Kade asintió y buscó la mirada de su amigo a través de los copos de nieve que llevaban varios minutos cayendo.

—Vamos a llevarlo a cabo.

—Bien —dijo Tegan—. Todo el mundo sabe lo que debe hacerse. Preparados y en marcha.

Los guerreros se dividieron en los equipos asignados y se pusieron en movimiento. Su velocidad y agilidad sobrenaturales beneficiaba la misión especial porque, tal y como Cazador había dicho, aunque el número de secuaces fuera superior, estos estaban en desventaja en aquella batalla simplemente porque eran humanos. Sus ojos humanos no serían capaces de seguir la velocidad de movimiento de los guerreros mientras el grupo de machos de la estirpe alcanzaban las vallas del perímetro de seguridad y saltaban por encima de la barrera de casi tres metros de altura con un salto lleno de elegancia.

Kade fue el primero en despejar la valla. Avanzó hasta un secuaz que estaba de vigilancia en la choza de la fachada. Derribó al guardia sobre el terreno helado y silenció su grito de alarma cortando instantáneamente su garganta con una navaja. Mientras arrastraba el cuerpo dentro de la choza, miró a su alrededor y vio que Brock también estaba dentro. El secuaz que le tocaba al guerrero negro fue eliminado con una dura llave que le partió el cuello.

Juntos, los dos guerreros avanzaron hasta el siguiente punto de ataque. Kade saltó sobre el techo de la edificación más cercana mientras Brock desaparecía por una esquina de otro. Kade, desde arriba, divisó a su presa en el suelo. El secuaz recorría la zona entre la valla del perímetro y uno de los equipos de remolque de cartón ondulado, sus vigilantes ojos estaban entrenados para ver la oscuridad vacía más allá de la valla. Cayó al suelo con poco más que un gruñido de sorpresa cuando Kade saltó encima de él desde el tejado y lo mató rápidamente.

Brock también tenía un nuevo secuaz que sumar a su cuenta. Lanzó el cuerpo flojo de su segundo secuaz junto al de Kade.

Más adelante, parcialmente oculto por la ráfaga de nieve que comenzaba a ganar intensidad, Tegan estaba soltando el cuerpo roto y sin vida de un guardia secuaz y quitándole las armas. Más lejos, en el camino que conducía a la entrada de la mina, Kade podía distinguir la inmensa figura de Cazador mientras el macho de la primera generación pasaba por encima de dos cadáveres de secuaces bien frescos que yacían desplomados en una pila a sus pies.

Kade lanzó una mirada alrededor del emplazamiento en busca del miembro del equipo que faltaba y lo divisó cerca de los contenedores de carga. Chase tenía a un secuaz agarrado por la garganta y sujetaba a esa mente esclava que luchaba con las botas a varios centímetros del suelo, en un lento y doloroso apretón. El secuaz se sacudía y convulsionaba mientras era estrangulado.

—Acaba con él —murmuró Kade en un tenso susurro mientras observaba en la expresión de Chase una furia salvaje. Junto a él, Kade oyó un gruñido de Brock, un murmullo grave en su garganta mientras veía también al guerrero jugando con su presa.

Justo entonces, Chase sacó su cuchillo y lo levantó, preparado para asestar un golpe mortal.

Ahí fue cuando Kade vio un destello de movimiento al otro lado: un nuevo secuaz, saliendo por la escalera exterior de uno de los edificios de alrededor. El guardia secuaz apuntaba a Chase con su rifle, y estaba a punto de apretar el gatillo.

—Maldita sea —gruñó Kade, sacando su propia arma y preparándola para disparar ante la repentina amenaza a la vida de Starling Chase. La advertencia de Tegan de no abrir fuego a menos que fuera absolutamente necesario alertó su cabeza.

«Joder.»

Tenía que hacerlo. Si no lo hacía, en una fracción de segundo la Orden perdería a uno de los suyos.

Kade disparó.

El disparo estalló como un trueno repentino. En la escalera hubo una explosión de sangre a un lado de la cabeza del secuaz cuando la bala de Kade asestó a su objetivo una herida mortal. El cadáver del secuaz se vino abajo y aterrizó en el suelo con un fuerte estrépito.

Al mismo tiempo, una alarma se disparó en el interior de los edificios. El sonido de las sirenas hizo eco en todo el emplazamiento, sumiendo la zona en un caos instantáneo.

Antes de que Kade tuviera oportunidad de arrepentirse del movimiento que había salvado la vida de su compañero pero posiblemente había puesto la misión en peligro, un ejército de secuaces salió de todas direcciones. Los disparos estallaron por todas partes. Kade y Brock se lanzaron a cubrirse detrás del edificio más cercano, devolviendo el fuego al grupo de guardias secuaces que avanzaron hacia ellos.

A través de la cortina de gruesos copos de nieve, Kade advirtió la presencia de una compañía adicional de secuaces cerca del edificio bajo de ladrillos que protegía la entrada de la mina. Una docena de ellos irrumpieron para proteger el frente del edificio, mientras que detrás de ellos, aparecieron todavía más secuaces en las estrechas ventanas, que estaban abiertas de par en par y de las que emergían los largos cañones negros de los fusiles semiautomáticos de alto calibre.

Las balas volaban en todas direcciones mientras Kade y los demás trataban de acribillar la primera fila y despejar el camino hacia la entrada de la mina, que era obviamente el nervio central de las operaciones de Dragos en aquel lugar. Los guerreros dieron a varios blancos, pero no sin recibir algunos tiros de su lado. Aunque la constitución genética de la estirpe les daba velocidad para anticiparse y esquivar los disparos, en el calor de la batalla era fácil perder la orientación y potencialmente la cabeza.

Kade recibió una desagradable herida en el hombro al disparar a uno de los secuaces. A su lado, Brock esquivó una bala y a duras penas consiguió librarse de otra. El resto de los guerreros recibieron ataques similares y, al igual que Kade y Brock, devolvían tanto como recibían. Los secuaces caían desde varias posiciones, hasta que solo quedaron unos pocos guardias tenaces protegiendo la línea de entrada a la mina. Entonces, como para llevar el desafío un poco más lejos, la puerta de acero del edificio se abrió y emergió una figura inmensa vestida de negro.

—Un asesino —susurró Kade a Brock mientras el enorme vampiro de la primera generación que había visto hacía unos días con el teniente de Dragos salió fuera para unirse a la lucha.

Tan pronto como dijo eso uno de los guerreros rompió la formación y se lanzó hacia delante, con el revólver en llamas.

«Dios bendito.»

«Cazador.»

—¡Cubridlo! —gritó Tegan, aunque Kade y los demás ya lo estaban haciendo, abandonando sus posiciones y yendo tras el antiguo asesino para acribillar a sus enemigos e irrumpir a la fuerza en la entrada de la mina.

Varios metros por delante, los pasos largos y decididos de Cazador aplastaban la nieve que cubría el suelo mientras él se movía para esquivar la lluvia de balas que se le venían encima. Recibió otra descarga, y el vampiro de primera generación acabó con una sólida herida en la pierna izquierda. Y luego otra en el hombro derecho.

Cazador apenas se estremecía mientras su carne se desgarraba por los impactos. Bajó la cabeza, tiró el arma y se lanzó hacia delante a una velocidad que solo los ojos de la estirpe podían seguir. Toda su furia, toda su intención letal, estaba concentrada en el otro asesino de la primera generación, el macho de la estirpe que había sido criado como él y adiestrado para ser experto en una sola cosa: matar.

En el mismo momento en que Cazador se lanzó hacia él, el asesino soltó su revólver y dio un gran salto en el aire para caer sobre el asaltante. Los dos vampiros de la primera generación chocaron el uno contra el otro en una paliza de huesos y músculos. Mientras caían al suelo, entregados a un despiadado combate cuerpo a cuerpo que no cesaría hasta que uno de los dos estuviera muerto, el resto de los guerreros se movieron rápidamente para aniquilar a los secuaces que quedaban protegiendo la mina.

Las dos batallas eran furiosas, sangrientas y parecieron tener lugar en un vacío de tiempo que era a la vez de una lentitud agónica y de una velocidad mayor que la de la luz.

Kade y los demás se reunieron en la entrada de la mina. Había sangre, huesos y balas esparcidas en la nieve que llenaba la oscuridad. Cada vez eran derribados más secuaces, sus gritos agudos y agónicos rompían la noche mientras las alarmas de la mina continuaban atronando y aullando.

Y en el terreno cercano, Cazador y el asesino de la primera generación se retorcían en una indiscernible imagen borrosa, golpeándose el uno al otro con los puños. Mientras Kade se cargaba a otro de los secuaces de la entrada, vio el brillo de los colmillos del asesino en la oscuridad mientras el vampiro de la primera generación abría la mandíbula y mordía con fuerza el hombro de Cazador.

Kade abrió fuego sobre el bastardo, pero en medio del caos que había alrededor las posibilidades eran remotas. Si se equivocaba, Cazador podría acabar con una bala en la cabeza.

Soltó una maldición y disparó, justo cuando Cazador agarraba el collar negro de polímero del cuello del asesino y se lo sacaba. Cazador saltó sobre el pecho del macho. Silencioso, despiadado, agarró la enorme cabeza sin pelo del vampiro con ambas manos y la golpeó con fuerza contra el suelo lleno de nieve. Kade sintió retumbar el cráneo aplastado en el suelo bajo sus botas.

La lucha del asesino se hizo entonces más lenta, pero Cazador no había acabado. Sus manos se movieron con lúgubre eficacia y una fuerza despiadada, levantó el pesado cuerpo del otro macho y alzó al discapacitado asesino por el aire. El cuerpo cayó al lado de uno de los contenedores de carga, el collar electrónico del asesino se activó y arrojó una ducha de chispas que impactaron contra el acero.

—¡Oh, mierda! —gritó Kade, habiendo visto de primera

mano lo que podían hacer esos collares—. ¡Va a haber una explosión de rayos UV... todo el mundo al suelo!

Su orden hizo poner bajo cubierta a Cazador y al resto de los guerreros. Tan pronto como se lanzaron al suelo, hubo una ráfaga de luz blanca cegadora. El rayo de luz ultravioleta surgió de debajo de la cabeza del asesino, penetrando a través de la piel, la carne, los tendones y los huesos. Cuando se extinguió, un momento más tarde, el inmenso asesino de la primera generación yacía en la nieve derretida, su cabeza pelada y cubierta de glifos limpiamente separada del resto del cuerpo.

Sin perder ni un instante, Cazador sacó una pistola de su cinturón de armas y disparó más balas al puñado de secuaces que se tambaleaban alrededor, momentáneamente cegados por la explosión de luz que sobrevino un segundo antes. Kade y el resto del grupo lo imitaron, y en cuestión de un momento nada se interponía en su camino de entrada a la mina, a excepción de un campo de cuerpos caídos.

Tegan pateó la puerta de acero y la empujó para entrar a la edificación. La primera habitación estaba vacía, excepto por varios secuaces muertos y un par de cámaras de seguridad. Al fondo del espacio había otra puerta, esta también de acero, pero reforzada con un pesado pestillo y una cerradura de torniquete, como la puerta del sótano de un banco.

—Brock —dijo Tegan—. Dame algo de ese explosivo.

Brock se acercó y abrió la mochila negra de municiones que llevaba a la espalda. Sacó uno de los paquetes de material explosivo y cortó un pequeño pedazo. Cuando lo colocó ante la puerta de acero y preparó la carga, todos se echaron hacia atrás y se cubrieron las cabezas mientras él apretaba el detonador haciendo volar la puerta.

—Ya estamos dentro —dijo, mientras el humo y el polvo comenzaban a disiparse.

Entraron a través del agujero que dejó la explosión y avanzaron por el pasillo que había al otro lado. Había habitaciones con literas a uno de los lados del pasillo, presumiblemente para los guardias secuaces que controlaban el lugar. Más al fondo había una habitación de almacenaje, una modesta cocina y, más allá todavía, una habitación de comunicaciones que parecía estar vacía de personal desde hacía poco tiempo.

Los guerreros continuaron su inspección, pasando junto a unos aposentos espartanos con todo el aspecto de ser las habitaciones de una prisión, sin luz ni literas para dormir, sino solo una manta cuidadosamente doblada en el suelo. En un pequeño taburete de la esquina había una caja de balas abierta y la funda de una gran espada.

Cazador miró dentro de la habitación con ojos desapasionados.

—El asesino dormía aquí.

La fría celda contrastaba completamente con los lujosos cuartos que el grupo encontró unos pocos metros más allá por el pasillo. A través de una puerta parcialmente abierta, Kade echó un vistazo en la oscuridad a los lujosos muebles de madera pulida. Detrás del brillante escritorio de cerezo había una silla de cuero que todavía estaba girando, en movimiento por la partida precipitada de quien la hubiera estado ocupando.

Sin duda, aquella elegante suite pertenecía al teniente de Dragos.

Kade hizo un ademán señalando el pasillo, hacia la última habitación que quedaba antes de que el corredor se abriera hacia el pozo de la mina.

—Solo hay un lugar al que puede haber huido.

—Sí. —Los ojos verdes de Tegan se deslizaron hacia él en señal de asentimiento—. Derecho a la trampa.

Hizo un gesto a los demás para que lo siguieran, luego se dirigió delante de ellos hacia la boca sombría del corredor.

Capítulo veinticuatro

*L*a tormenta de nieve que había empezado como una ráfaga burlona había empeorado y ahora caían pesados y persistentes copos de nieve mientras Alex y *Luna* regresaban de la entrega que habían hecho en el monte. Alex se alegraba de haber podido ayudar a la joven madre que la necesitaba, pero le preocupaba no poder contactar con Jenna. Cogió el teléfono móvil y trató de llamar una vez más a la cabaña de Jenna.

No hubo respuesta.

La inquietud que sentía por su amiga no había hecho más que aumentar desde que había salido, hasta convertirse en angustia. ¿Y si Jenna lo estaba pasando peor este año que los anteriores? Alex sabía que ella luchaba y se desesperaba todavía por la pérdida de su marido y de su hija. ¿Y si aquella desesperación había empeorado con el tiempo?

¿Y si se había convertido en algo peligroso y ella terminaba haciéndose daño?

—Oh, Dios... Jenna, por favor, haz que me equivoque.

Con *Luna* corriendo a su lado, Alex dio al trineo más velocidad al desviarse del camino de caza que finalmente conducía a Harmony. Se alejó del pueblo para dirigirse a la cabaña de Jenna, que estaba en las afueras, a un par de kilómetros de distancia.

Le faltaban todavía unos quince minutos para llegar cuando vio algo moverse entre los árboles que había delante de ella. No podía distinguir la forma en la oscuridad, pero parecía ser... ¿una persona?

Sí, lo era. Alguien avanzaba a través de los árboles cubiertos de nieve del bosque. Y por increíble que fuese, a pesar del amargo frío, iba completamente desnudo.

Y no estaba solo.

Otras formas se materializaron entre las sombras junto a él, formas oscuras y de cuatro patas: una manada de media docena de lobos. La vista del hombre y los animales salvajes juntos más que conmocionarla la confundieron.

«¿Kade?»

Alex paró el motor y lentamente arrastró el trineo, mientras *Luna* se detenía a su lado.

—Kade —llamó ella, como si el nombre saliera de su boca por puro instinto. Sintió un breve momento de júbilo al verlo, pero luego la lógica cayó sobre ella como un martillo frío. Kade había salido hacía varias horas para encontrarse con los guerreros de Boston. ¿Qué podía estar haciendo ahí fuera, y de ese modo?

Había algo en él que no parecía normal.

No podía ser Kade.

Pero... sí lo era.

El foco de su trineo lo apuntó con un rayo. Los lobos se dispersaron en el bosque, pero él permaneció allí de pie, solo, con un brazo levantado para proteger de la luz su brillante mirada ámbar. Sus dermoglifos eran tan oscuros que parecían negros contra su piel, y algo casi tan oscuro —algo que su mente rechazó reconocer al principio— bañaba todo su cuerpo de la cabeza a los pies.

Sangre.

Oh, Dios.

Estaba herido... malherido, por el aspecto espantoso que tenía.

El corazón de Alex le dio un vuelco en el pecho. Estaba herido. Su misión con la Orden debía de haber salido terriblemente mal.

—¡Kade! —gritó, y bajó de un salto de su trineo para correr hacia él. *Luna* hizo un círculo frente a ella, impidiéndole el paso mientras ladraba con un gemido estridente, como dándole una advertencia, o tal vez era que la perra también podía ver que le ocurría algo muy malo.

—Kade, ¿qué te ha ocurrido?

Él ladeó la cabeza y la miró fijamente, como paralizado, con su pelo negro salvaje y pegajoso. A pesar de los metros que los separaban, Alex podía ver la sangre que salpicaba su rostro, y se derramaba por su barbilla de manera siniestra.

¿Por qué no le respondía?

¿Qué demonios le ocurría?

Alex se detuvo, y sus pies de repente se negaron a moverse.

—¿Kade? Oh, Dios mío... por favor, háblame. Estás herido. Explícame qué ha pasado.

Pero él no dijo ni una sola palabra.

Como una criatura que pertenece al bosque, se dio la vuelta y se desvaneció en la oscuridad.

Alex lo llamó, pero no lo veía por ninguna parte. El foco de su trineo penetraba entre los árboles por donde habían pasado Kade y los lobos. Avanzó con pasos vacilantes, tratando de ignorar el nudo de terror que sentía en el estómago y el gruñido grave e indeciso que *Luna* profería a su lado.

Tenía que encontrar a Kade.

Tenía que saber lo que había ocurrido.

Los pasos inseguros se convirtieron en un trote, arrastrando las botas en la nieve. El corazón le latía aceleradamente, los pulmones le dolían con cada respiración mientras corría a través de la helada oscuridad, siguiendo el penetrante rayo del foco de su vehículo.

Ahogó un grito cuando vio las manchas de sangre en la nieve. Mucha sangre. Descubrió el rastro de las pisadas de Kade. Y también el rastro de las patas de la manada.

—Oh, Dios —susurró Alex, sintiéndose enferma, a punto de tener arcadas, mientras se adentraba más profundamente en el bosque, siguiendo aquel rastro siniestro.

La nieve se volvía casi negra cuanto más avanzaba. Había más sangre de la que había visto nunca. Demasiada como para que Kade la hubiera perdido y todavía siguiera de pie, y mucho menos como para que pudiera correr al darse cuenta de su presencia.

Alex caminó aturdida, todos los instintos le indicaban que diese la vuelta antes de descubrir algo que sería incapaz de borrar de su mente.

Pero no podía volver atrás.

No podía huir.

Tenía que saber lo que Kade había estado haciendo.

Los pasos de Alex se volvieron más lentos a medida que llegaba al lugar donde la carnicería había empezado. Su visión se inundó al contemplar las sangrientas secuelas de un ataque despiadado. El ataque de un vampiro, peor que cualquier atrocidad que hubiera visto nunca antes. Otro ser humano, otra persona inocente, aniquilada por el monstruo asesino de sus pesadillas.

Por Kade, aunque jamás hubiera sido capaz de creerlo si no lo hubiera visto con sus propios ojos.

Alex no podía moverse. Dios, casi no podía sentir nada mientras estaba allí quieta, muda por la conmoción y un horror tan profundo que ni siquiera podía reunir suficiente aire para chillar.

Kade sintió una sensación de lo más extraña en su pecho mientras él y los demás guerreros seguían adentrándose por el pasillo del pozo de la mina. Avanzaba sigilosamente en la oscuridad, con el arma preparada, tratando de rechazar la sensación helada que le provocaba un nudo tirante en el esternón.

Dios, ¿habría recibido un puñetazo en el pecho durante la refriega?

Furtivamente, buscó la herida de una bala o el rastro de sangre derramada, pero no halló nada. Nada más que aquel dolor fantasmal que parecía querer arrebatarle todo el aire de los pulmones. Trató de sacárselo de encima, luchando por mantener la atención en la negra cueva que se oscurecía por delante de él y de los otros guerreros.

Las sirenas de alarma continuaban ululando detrás de ellos; pero en las profundidades del pozo de la mina no parecía aguardarles más que silencio. Pero de repente, el mínimo roce de una pisadas se percibió desde algún lugar en la profundidad de las sombras. Kade lo oyó, y estaba seguro de que el resto de los guerreros también lo oían.

Tegan levantó la mano para detener el avance por el corredor.

—Parece que este condenado lugar está vacío —dijo, para engañar al teniente de Dragos lanzando un señuelo al turbio abismo que tenían por delante—. Dame algo de explosivo. Vamos a volar por los aires este...

—Espera. —La voz distante era quejumbrosa y arrogante, un gruñido ahogado en la oscuridad—. Espera... por favor.

—Déjate ver —ordenó Tegan—. Camina despacio, cretino. Si vas armado estarás comiendo plomo antes de que des el primer paso.

—No tengo ni un arma —gruñó la voz a modo de respuesta—. Soy un civil.

Tegan se burló.

—Hoy no lo eres. Déjate ver.

El socio de Dragos salió de la oscuridad, como le fue ordenado, pero no del todo. Vestido con un traje gris y un suéter negro de cachemir, parecía más un estratega de una sala de juntas que un estratega militar. Pero por lo que la Orden había visto en el pasado sobre los socios que escogía Dragos, parecía recluir a sus tenientes según su linaje y aptitud para la corrupción más que por cualquier otro motivo.

Con las manos alzadas en señal de rendición, el hombre de Dragos se apartó de las sombras del pozo de la mina. Se movía con deliberada lentitud, y su cuidadosa expresión refinada no fue capaz de disimular el miedo cuando sus ojos se toparon con los cinco guerreros de la estirpe atravesándolo con sus miradas asesinas.

—¿Quién eres tú? —exigió saber Tegan—. ¿Cómo te llamas?

Él no dijo nada, pero su mirada pareció deslizarse casi de forma inapreciable hacia un costado.

—¿Queda alguien más ahí dentro? —preguntó Tegan—. ¿Dónde está el Antiguo? ¿Dónde estás Dragos?

El macho avanzó un paso, vacilante.

—Necesito algunas garantías por parte de la Orden —dijo elusivo. Y ahí estaba de nuevo ese movimiento rápido y revelador de sus ojos—. Necesitaré un refugio...

Un disparo explotó en la oscuridad, interrumpiendo sus palabras mientras se llevaba un pedazo de la cabeza del vampiro.

—Asesino —gruñó Cazador en ese mismo instante, pero su advertencia fue eclipsada por más disparos estallando entre las sombras.

El teniente de Dragos —el vampiro que debía de haber proporcionado a la Orden la mejor pista hasta su enemigo— yacía desplomado en el suelo. Kade y los otros cuatro guerreros abrieron fuego sobre las negras fauces del agujero de la mina, salpicando la zona con balas mientras ellos esquivaban los disparos que les eran devueltos.

—¡A cubierto! —gritó Tegan cuando las balas que venían no mostraban signos de detenerse.

Kade y Brock se sumergieron en la habitación más cercana del corredor del pozo, y Tegan fue justo detrás de ellos. Chase y Cazador se situaron más lejos, al otro lado del pasillo, devolviendo el fuego a la incesante lluvia de balas que desgarraba la oscuridad.

—Brock —dijo Tegan, con los colmillos brillando en la oscuridad—. Lanza explosivo en el corredor. Dispararemos desde aquí y lo haremos detonar.

Brock dejó su revólver y sacó un paquete de explosivo de su mochila. Moviéndose rápidamente, metió una cápsula explosiva y un pequeño detonador dentro de la pastilla. Al terminar hizo un gesto a Tegan con la cabeza.

—Hay que tener buena puntería. Si no damos en el detonador incrustado no tendremos chispa.

Kade captó la oscura mirada del guerrero.

—Si no hay chispa no hay explosión.

—Eso es.

—Lánzalo —dijo Tegan.

Brock se movió hasta la abertura de la galería. Lanzó el explosivo haciendo un gran arco, y cuando este desapareció en las sombras del pozo de la mina, los tres dispararon a la vez. Era difícil saber si le habían dado a la masa, hasta que una chispa brilló en la oscuridad. Entonces el material detonó con una estremecedora explosión.

Una nube hinchada de humo y escombros pulverizados emergió como un maremoto, haciendo volar pedazos de cemento y polvo asfixiante en la habitación donde se habían resguardado Kade, Brock y Tegan.

Y entonces, a través de la cegadora ola de escombros, apareció el asesino de la primera generación.

No era más que una imagen borrosa en movimiento, toda ella avanzando estrepitosamente como una bala de cañón. Tegan saltó para interceptarlo, y de inmediato los dos machos de la primera generación se vieron envueltos en una pelea a vida o muerte. La oscuridad y la agitada nube de escombros se los tragó mientras la lucha se intensificaba, las armas sonaban contra el suelo de piedra, los puños trituraban la carne y los huesos.

El repentino y penetrante olor a sangre emanaba desde la confusión de movimientos.

Se oyó un rugido furioso, el grave bramido de rabia de Tegan... y luego silencio.

Alguien encontró el interruptor de la luz y la encendió. Los tubos fluorescentes iluminaron el corredor con una luz difusa color blanco azulado.

Y allí estaba Tegan, con el muslo ensangrentado por una profunda herida y su cuchillo dentado de titanio colocado entre el grueso cuello del asesino y el collar negro de polímero que lo envolvía.

—Ahora muy despacio —aconsejó al asesino cultivado por Dragos—. Levántate con mucho cuidado.

El vampiro de cabeza rapada de la primera generación gruñó, transmitiendo con sus ojos puro odio.

—Que te jodan.

—Levántate —le ordenó Tegan—. Con cuidado. Es realmente fácil perder la cabeza en una situación como esta.

A regañadientes y rebosando un poder amenazador, el asesino se puso en pie. Mientras Kade y los demás apuntaban al vampiro con sus armas, Tegan lo condujo lentamente hacia la habitación más cercana. La función de la habitación le resultó bastante familiar a Kade, dado que la Orden se había encontrado con una similar al asaltar los cuarteles de Dragos en Connecticut justo unas semanas atrás. Se trataba de una celda de contención. Tenía una jaula cilíndrica en el centro, con cadenas electrónicas y un panel de control computerizado designado para retener a un prisionero muy particular.

—¿Dónde está el Antiguo? —exigió Tegan mientras guiaba al asesino hacia el resistente mecanismo de contención que había sido construido para retener a esa criatura de otro mundo. Tegan lanzó una mirada a Kade y a Brock.

—Atrapad a ese maldito cabrón.

Cada uno de ellos le agarró una mano y puso los grilletes alrededor de cada una de las muñecas del vampiro de la primera generación. Mientras le ataban los brazos, Chase le colocó dos esposas más alrededor de los tobillos.

—¿Dónde está el Antiguo? —preguntó Tegan una vez más, cortando las palabras—. De acuerdo, probemos otra cosa. ¿Dónde está Dragos? Obviamente ahora ha diversificado su operación, moviendo sus piezas alrededor en lugar de dejarlas todas en un solo lugar. Así que ha trasladado al Antiguo de una cámara de refrigeración hasta aquí, ¿pero qué hay del resto? ¿Dónde está escondido ahora? ¿Dónde están las compañeras de sangre que mantiene prisioneras?

—Él no lo sabrá. —La voz profunda de Cazador se oyó a través del barullo de alarmas que había fuera y la tensión creciente que había en la cámara de contención del Antiguo—. Dragos no nos cuenta nada. Somos sus cazadores, y nos limitamos a servirle. Eso es todo.

Tegan rugió, como si quisiera darle al botón del collar del asesino allí mismo y en aquel momento. Manteniendo una mano en la cuchilla que presionaba contra el collar de rayos uva, colocó la otra mano en la frente del asesino y echó hacia atrás su enorme cabeza.

—Este hijo de puta sabe algo.

La boca del asesino se curvó como riendo un chiste privado.

—Comienza a hablar, pedazo de mierda de laboratorio, o te convertirás en humo ahora mismo.

La mirada del asesino era glacial.

—Todos nos vamos a convertir en humo —silbó a través de sus dientes y colmillos.

Kade miró el panel de control de la pared opuesta y se dio cuenta de que había un contador digital con un reloj de cinco minutos. Encima del persistente frío que todavía le descomponía el pecho, ahora tuvo una desesperante sensación de *déjà-vu* al observar lo que debía de ser el mecanismo de autodestrucción de la mina.

—Mierda, ya ha accionado el interruptor. El lugar entero va a volar en pedazos.

Tegan lanzó un rugido grave y letal mientras retiraba el cuchillo de debajo de la barbilla del asesino y lo dejaba en la celda de contención del Antiguo. Kade y los demás retrocedieron mientras iba hacia el panel de control y accionaba el botón que activaba la jaula de barrotes de luz ultravioleta. Los rayos de luz verticales cobraron vida, atrapando dentro al asesino de la primera generación con mayor eficacia que cualquier metal.

—Salgamos de aquí —dijo Tegan, dirigiéndose hacia la puerta. El resto de los guerreros fueron tras él, con Kade y Brock en la retaguardia.

Brock se detuvo para dirigir al asesino una ancha sonrisa.

—No te irás a ninguna parte, ¿lo oyes?

Normalmente, Kade hubiera soltado una buena risotada ante el humor negro de su compañero, pero le era muy difícil ser sensible a nada cuando su corazón martilleaba como si hubiera corrido los cien metros lisos a toda velocidad y sentía en sus venas la misma extraña sensación helada que se había instalado en su pecho.

Corrió junto al resto del grupo, fuera del edificio de la mina hacia el patio principal del emplazamiento, que parecía una zona de guerra. Las sirenas de alarma aullaban con más fuerza ahí fuera, gritando en medio de la noche. La nieve caía ahora a un ritmo furioso, depositando una manta sobre el campo de secuaces muertos y haciendo casi nula la visibilidad.

—Necesitamos despedirnos de estos cuerpos, asegurarnos de que no quede nada para identificarlos una vez estalle el lugar —dijo Tegan—. Vamos, hay que llevarlos dentro de uno de los edificios y utilizar el resto del explosivo.

—Hecho —dijo Brock.

Kade se unió al resto de los guerreros que se afanaban por limpiar el lugar antes de que el reloj del mecanismo de autodestrucción alcanzara el cero. Le estaba costando respirar, su sangre vibraba con sus propias sirenas de alarma, la conciencia se abría paso a través de la capa de adrenalina y el foco de la batalla que habían inundado sus sentidos durante el combate de la mina.

Mientras él y sus compañeros arrastraban al último de los secuaces y las primeras resonancias de la inminente explosión comenzaban a sacudir el suelo, la causa de su angustia interior se hizo evidente.

«Alex.»

«Dios bendito.»

Algo le había ocurrido. Ella estaba angustiada, temblando. Algo la había aterrorizado. Y él sentía su trauma como si fuera propio, porque tenía su sangre dentro de su cuerpo, y era ese vínculo de sangre el que clamaba ahora en sus venas.

Su nombre era una súplica, una plegaria, mientras el suelo se sacudía bajo sus pies y la compañía minera volaba por los aires detrás de él.

Capítulo veinticinco

—*E*stá bien, Alex, quédate aquí. Cálmate, ¿de acuerdo? —Zach Tucker cerró con cuidado la puerta del cobertizo al regresar a su casa y observó a Alex con total incredulidad. Ella no podía culparlo. Nadie en su sano juicio creería lo que acababa de contarle, no a menos que lo hubiera visto con sus propios ojos—. ¿Me estás diciendo que acabas de encontrar otro cadáver en el bosque y que crees que se trata del ataque de un vampiro?

—Sé que lo es, Zach. —El corazón le dolía al pronunciar esas palabras, pero la imagen de Kade, y la imagen del cuerpo ferozmente atacado que había dejado tras él, la desgarraba con garras de hielo—. Oh, Dios, Zach. Sé que no me crees, pero es verdad.

Él frunció el ceño y la miró fijamente durante un largo momento.

—¿Por qué no entras? Aquí fuera hace mucho frío, y estás temblando como una hoja.

No era por el frío que hacía fuera, sino por la confusión y el terror de descubrir que Kade la había traicionado. Le había jurado que era diferente de los monstruos de sus pesadillas, y ella le había creído. Hubiera creído cualquier cosa que le dijera, si no hubiera visto la prueba empapada de sangre de su engaño hacía tan solo un rato.

—Vamos —dijo Zach, pasándole el brazo por los hombros y apartándola del cobertizo para llevarla hacia la casa. *Luna* se levantó para seguirlos, caminando junto a los talones de Alex, pero antes de que la perra pudiera entrar en la casa, Zach le cerró la puerta en la cara—. Siéntate, Alex. Vamos a tomarnos esto con calma, ¿de acuerdo? Ayúdame a encontrarle un sentido a lo que te parece que viste.

Ella accedió aturdida y se hundió en el sofá del salón. Él se sentó a su lado.

—No es que me parezca haber visto nada, Zach. Lo vi. Todo lo que te he contado es real. Los vampiros existen.

—Escucha lo que estás diciendo. Esto no es propio de ti, Alex. Has estado actuando de manera muy extraña desde que atacaron a los Toms. Y desde que ese tipo, Kade, apareció en Harmony. —Zach le dirigió una mirada afilada—. ¿Te ha estado dando drogas? ¿Es ese el negocio que lo ha traído a Harmony? Porque si ese gilipollas se cree que puede venir a mi pueblo y comenzar a...

—¡No! —Alex sacudió la cabeza—. Dios, ¿eso es lo que crees? ¿Que te estoy diciendo todo esto porque estoy colocada o algo así?

—Tenía que preguntártelo —dijo él, todavía observándola con una intensidad que la incomodaba—. Lo siento, Alex, pero todo esto suena un poco a locura.

Ella soltó el aire bruscamente.

—Sé cómo suena. A mí me cuesta creerlo tanto como a ti. Pero es la verdad. Supe que era la verdad desde que tenía nueve años.

—¿Qué quieres decir?

—Vampiros, Zach. Son reales. Años atrás, mataron a mi madre y a mi hermano menor.

—Siempre has dicho que fue un conductor bebido.

Ella negó lentamente con la cabeza.

—No fue así. Yo vi el ataque con mis propios ojos. Es lo peor que he visto en mi vida. Y no necesito ver el ataque de Pop Toms y su familia para saber que fue el mismo demonio quien los mató. Debí decirlo entonces. Tal vez podía haber evitado lo que les ocurrió, o lo que les ha pasado a Lanny Ham y a Big Dave.

Zach frunció el ceño con actitud interrogante.

—¿Estás diciendo que ellos fueron atacados en la cueva por vampiros?

—Por un vampiro —corrigió ella—. Probablemente el

mismo que mató a la familia de Toms. Es más fuerte que los demás vampiros, Zach. Es uno de los padres de toda la raza de los vampiros. Y no es de este mundo.

Zach echó la cabeza hacia atrás y soltó una sonora carcajada.

—¡Oh, por Cristo, Alex! ¿Qué demonios estás diciendo ahora? Pareces sobria, pero debes de estar completamente colocada para estar ahí sentada diciéndome esto en la cara y esperar que me lo crea. Vampiros alienígenas, ¿de eso me estás hablando?

—Sé que es difícil imaginar que algo así pueda existir, pero te digo que así es. Los vampiros existen, y se llaman a sí mismos estirpe. —Se detuvo en seco antes de nombrar a Kade entre ellos. No estaba preparada para traicionarlo, a pesar de que él no parecía tener dificultad para traicionarla.

Zach se puso en pie y extendió las manos hacia ella.

—Vete a casa. Duerme la mona.

—Escúchame —gritó ella, desesperada ante la idea de que la tomara por una drogadicta o por una loca. Podía ver que estaba perdiendo esa batalla, y temía que si no lograba convencerlo eso podría costar más vidas dentro de poco—. ¡Zach, por favor! Tenemos que avisar a la gente. Tienes que creerme.

—No, no te creo, Alex. —Él se volvió para mirarla a la cara, y había algo brutal en su expresión—. No estoy seguro de poder creer nada de lo que hayas dicho hoy. Ni siquiera que has encontrado otro cadáver en el bosque. No tengo tiempo para esta clase de tonterías ahora, ¿de acuerdo? ¡Tengo mis propios problemas! Ya hay personas ocupándose de todo lo que ha estado pasando aquí últimamente. Mañana llegan tropas, y la última cosa que necesito es que tú me provoques más dolores de cabeza diciendo locuras sobre asesinos alienígenas sedientos de sangre que andan sueltos por el bosque.

Alex apartó la vista de él, incapaz de soportar la furia de su mirada.

Nunca lo había visto tan enfadado. Tan... desquiciado. Estaba al borde del pánico, y no le parecía que eso fuera debido a nada de lo que ella había dicho. Al volver la cabeza, advirtió que había un fajo de billetes sobre la mesa de café y un teléfono móvil que le resultaba vagamente familiar. Se quedó mirando ambas cosas y un peculiar presentimiento se abrió camino por su columna.

—¿Ese no es el móvil de Skeeter Arnold?

A Zach la pregunta lo cogió desprevenido.

—¿Cómo? Ah, sí, se lo he confiscado al pequeño bastardo esta mañana.

Cogió el fajo de billetes de veinte dólares sin ofrecer ningún tipo de explicación y se lo metió en el bolsillo, mientras seguía mirándola todo el tiempo. La sangre de Alex circuló más despacio, extrañamente helada.

—No he visto a Skeeter en todo el día. ¿Cuándo lo viste tú?

Zach se encogió de hombros.

—Creo que no fue mucho antes de que llegaras aquí. Supongo que los agentes querrán ese teléfono para su investigación, puesto que lo usó para grabar el vídeo en la zona de Toms.

La explicación tenía sentido.

Y sin embargo...

—¿Pero cuánto tiempo hace que lo viste?

—Alrededor de una hora —respondió Zach de forma cortante—. ¿Qué es lo que te pasa, Alex?

Ella sabía por qué sonaba a la defensiva, incluso sin tocarlo para confirmarlo con el don que le permitía saber la verdad a través del tacto. Zach le estaba mintiendo. Skeeter llevaba horas muerto, había muerto en manos de Kade después de haber acabado con la vida de Big Dave.

¿Por qué Zach mentía afirmando que lo había visto?

Mientras la pregunta era tamizada a través de su mente, pensó en el dinero que Zach se había guardado en el bolsillo, en el teléfono que no podía haber confiscado hacía una hora como había dicho... Y en el hecho de que aunque la mayor parte de la población de Harmony y de las comunidades a ciento sesenta kilómetros a la redonda sabían que Skeeter tenía contactos para traficar con la bebida y con drogas, Zach nunca encontrara pruebas suficientes para arrestarlo. Tal vez Zach no estaba investigando lo suficiente.

O tal vez Zach no deseaba que Skeeter Arnold se apartara de su línea de trabajo.

—Oh, Dios mío —murmuró Alex—. ¿Tú y Skeeter habéis hecho algún tipo de trato, Zach?

Su mirada defensiva se afiló todavía más.

—¿De qué demonios estás hablando?

Alex se puso en pie, sintiendo que algo del horror por todo lo que había ocurrido aquel día comenzaba a derretirse bajo el calor de su indignación.

—¿Lo has hecho, verdad? Todos tus viajes a Anchorage y a Fairbanks. ¿Es allí donde consigues los suministros para él? ¿Qué tipo de comisión te llevabas por sus negocios con la droga, o a expensas de los chicos nativos que echaban sus vidas a perder por el alcohol que él les vendía? Buenos chicos, como Teddy Toms.

Los ojos de Zach resplandecían de ira, pero la miró con amabilidad.

—¿Es eso realmente lo que piensas de mí? Me conoces desde hace años, Alex.

—¿Te conozco? —Ella negó con la cabeza—. No estoy tan segura. Ya no estoy segura de nada.

—Entonces deja que me ocupe de ti —le dijo con voz suave, pero nada convincente—. Voy a coger mi abrigo y te llevaré a casa para que puedas descansar. Creo que lo necesitas, Alex. —Apretó los labios y asintió con la cabeza—. Vuelvo enseguida, ¿de acuerdo?

Mientras salía de la habitación, Alex permaneció allí de pie, sobrecogida ante tanta incertidumbre.

Todo en su vida se tambaleaba bajo sus pies. No sabía en quién podía confiar ahora.

En Kade no.

Y al parecer en Zach tampoco.

No creía que fuera nada prudente confiar en él ahora.

Las llamas y los escombros se alzaban en la oscuridad cuando la compañía minera estalló detrás de ellos.

Kade miró hacia atrás, sintiendo en la cara el golpe del calor que se expandía, un calor que había convertido la tormenta de nieve que se arremolinaba alrededor de él y de los otros guerreros en una breve baba de lluvia. El calor no duró. El frío glacial volvió a rugir, instalándose en el pecho de Kade.

—Alex —susurró.

Tenía que encontrarla.

Brock lo miró con preocupación.

—¿Qué ocurre?

Kade se frotó el esternón, allí donde sentía ese dolor helado.

—No estoy seguro. Es Alex, sea lo que sea lo que estoy sintiendo no es nada bueno.

Aunque el vínculo de sangre no le indicaba que ella se hallara en peligro de muerte, todos sus instintos le advertían que debía ir junto a ella. Pero tenía un deber para con la Orden, y un deber con los guerreros que tal vez ya había incumplido al distraerse durante su misión. El puesto fronterizo de Dragos en Alaska estaba destruido, algunos de sus activos eliminados, pero el Antiguo andaba todavía suelto. La misión de la Orden no estaría completa hasta que esa letal criatura de otro mundo fuera localizada y contenida.

—Mierda —soltó Kade.

Aquello no era bueno. No podía pasar un segundo más sin por lo menos hablar con Alex. Tenía que tranquilizarse sabiendo que ella estaba bien. Y una parte de él simplemente necesitaba oír su voz.

—Llámala —dijo Brock. Cuando Kade vaciló, preguntándose por qué el hielo que sentía en su pecho iba subiendo por su garganta con el sabor del miedo, Brock lo miró con severidad—. Llama a tu mujer.

Kade sacó el teléfono móvil y caminó hasta donde estaba él, a varios metros de los otros guerreros. Marcó el número de Alex. Sonó tres veces antes de que ella contestara.

—¿Alex? —dijo él ante el silencio al otro lado de la línea. A su espalda, el crepitar de las llamas y el suave granizo de metralla que no dejaba de caer parecían ensordecedores estando ella tan callada—. Alex... ¿estás ahí? ¿Puedes oírme?

—¿Qué quieres? —Su voz sonaba casi sin aliento, como si estuviera caminando a buen ritmo.

—¿Que qué quiero? —repitió él—. Yo... ¿tú estás bien? Sé que estás angustiada. Puedo sentirlo. Me preocupaba que te hubiera pasado algo...

La risa burlona que ella soltó provocó que hiciera una pausa.

—Es divertido. Cuando te vi hace un rato no pareció preocuparte que estuviera angustiada.

—¿Qué? —Él sacudió la cabeza, tratando de hallar un sentido a lo que estaba diciendo—. ¿Qué pasa contigo?

—¿Querías que te viera de esa manera? ¿Te referías a eso cuando dijiste que temías que te odiara algún día? Porque ahora mismo no sé qué pensar. —Su voz estaba tensa por la rabia y por el dolor—. Después de lo que vi, no sé cómo sentirme. Ni respecto a ti, ni a nosotros ni a nada de nada.

—Alex, no tengo ni idea...

Más resoplidos, y el sonido de sus botas pisando en la nieve.

—¿Qué era toda esa cháchara acerca de una misión con la Orden? ¿Qué es toda esa basura, Kade? ¿Solo un juego que empleaste conmigo para hacerme pensar que eras mejor de lo que eres realmente?

—Alex...

Ella aspiró un sollozo.

—Dios mío, ¿todo lo que ha ocurrido entre nosotros no ha sido también más que un montón de basura?

Kade se alejó de la destrucción que había detrás de él y de los otros guerreros, que se habían dado cuenta de su retirada del grupo.

—Alex, por favor. Dime qué demonios está pasando.

—¡Te vi! —estalló ella—. Te vi, Kade. En el bosque, cubierto de sangre, corriendo con la manada de lobos. Vi lo que le hiciste a ese hombre.

—Oh, Dios —murmuró él, con una naciente comprensión que lo asfixiaba como una ola—. Alex...

—Te vi —dijo ella en un susurro, con la voz ahora quebrada—. Y sé que tú me viste a mí, porque me miraste directamente.

—Alex, no era yo —dijo él, con el corazón hundido—. Era mi hermano. Mi hermano gemelo, Seth.

—Oh, por favor —se burló ella—. Qué conveniente para ti recordarlo justo ahora. Déjame adivinar. Tú eres el doctor Jekyll, y él es Mr. Hyde.

Kade entendía sus dudas. Entendía su ira, y su desprecio. Podía sentir la emoción de ella en su propio pecho, oprimiendo su corazón como si fuera apretado por un torno.

—Alex, tú no lo entiendes. No quería hablarte acerca de Seth porque me avergüenza. Y siento una terrible vergüenza por él, y por lo que ha hecho. Y de mí mismo también, porque tendría que haber detenido su locura antes. No te hablé de Seth porque temí que tú pensaras que yo era igual que él. —Soltó un suspiro doloroso—. Mierda... tal vez era solo una cuestión de tiempo que te dieras cuenta de que yo no era como él.

Ella guardó silencio durante un largo momento, y sus pasos se detuvieron. En el fondo, él pudo oír el suave aullido de *Luna*.

—Ahora voy a colgar, Kade.

—Espera. Necesito verte. ¿Dónde estás, Alex?

—Yo no... —Ella inspiró profundamente, y sacó el aire en una ráfaga—. Yo no quiero verte. Ahora no. Tal vez no quiera verte nunca más.

—Alex, no puedo dejar que hagas esto. Quiero hablar contigo, en persona, no de esta manera. —Cerró los ojos, sintió cómo su esperanza se iba desvaneciendo—. Dime dónde estás. Puedo estar en tu casa en cinco minutos...

—No estoy en casa. Después de lo que vi hoy no sabía qué hacer ni dónde ir. Así que fui a casa de Zach.

El oficial de policía. Ah, mierda.

El pánico perforó el centro del pecho de Kade.

—Alex, sé que estás angustiada y confundida, pero no le cuentes a él nada de esto...

—Demasiado tarde —murmuró ella—. Ahora tengo que irme, Kade. Mantente lejos de mí.

—¡Alex, espera. Alex! —El teléfono móvil quedó pitando al interrumpirse la conexión. Ella le había colgado—. Maldita sea.

Trató de llamarla otra vez, pero no hubo respuesta. El teléfono sonó tres veces, cuatro... se activó el buzón de voz y él colgó.

Lo intentó otra vez, con el mismo resultado.

—¡Mierda! —Kade rugió con rabia, frustrado y con furia dirigida contra él mismo por lo que Alex había tenido que atravesar. Un trauma que probablemente le haría perder a la única mujer con la que esperaba pasar el resto de su vida.

Cuando se dio la vuelta, Tegan estaba de pie junto a él.

—No parece que sea nada bueno.

Kade sacudió ligeramente la cabeza.

—Una mujer, evidentemente —dijo Tegan—. ¿La compañera de sangre de Harmony?

Kade sintió la mirada seria del guerrero de la primera generación.

—Tengo un lazo con ella. La amo.

Tegan, que también era un macho de la estirpe emparejado, gruñó.

—Hay cosas peores.

—Sí —admitió Kade—. Hay cosas peores. Cree que la he traicionado. No lo he hecho, pero no fui honesto con ella, y la he defraudado. Ha dicho que no quiere volver a verme.

—Continúa —dijo Tegan.

—Alex está al tanto de la estirpe —dijo Kade—. También sabe de la existencia del Antiguo. Mierda, lo sabe todo. Y creo que se lo debe de haber contado al agente del estado emplazado en Harmony.

Tegan no pestañeó. Su mirada era sombría, evaluadora, implacable.

—Eso sería muy desafortunado.

Kade asintió y dejó escapar un insulto.

—Creo que es demasiado tarde para detenerla. Me ha dicho que fue hoy a su casa. Está angustiada y asustada. Creo que debe de haber recurrido al humano en busca de ayuda.

—Entiendo. —El gruñido de Tegan fue tan profundo que resultó apenas audible—. Entonces parece que nos vamos a Harmony. Necesitamos controlar la situación. Y si es necesario, tendremos que contener también a tu mujer.

Capítulo veintiséis

—Vamos, *Luna*. Vámonos.

Alex estaba sentada en su vehículo, fuera de la casa de Zach, esperando a que *Luna* se colocara junto a ella en el trineo. Tras apagar el teléfono móvil después de las repetidas llamadas de Kade, Alex lo guardó en su bolsillo y solo pudo quedarse allí sentada durante un momento en medio de las ráfagas de nieve y de la oscuridad, concentrada únicamente en tomar aire y expulsarlo.

No podía hablar con él. No ahora. Sentía débil el corazón, y aunque le había dicho que se apartara de ella, había una parte de sí misma que quería dejarlo volver, a pesar de que todo a su alrededor fuera tan confuso. Tal vez por ese mismo hecho, todavía deseaba sentir la fuerza de Kade a su alrededor.

Todavía deseaba su amor.

Pero no sabía si podía confiar en sus sentimientos ahora. Nada le parecía claro. Desde que conocía a Kade, su confortable mundo blanco o negro, bueno o malo, se había acabado. Él lo había cambiado todo. Le había abierto los ojos, y no podría volver a vivir como hasta ahora.

Había cambiado para siempre, y lo más significativo de su cambio era que por mucho que lo temiera, por mucho que odiara lo que él era, su corazón se negaba a dejarlo marchar.

Alex se montó en el trineo. Solo necesitaba alejarse de todo el mundo para tener un espacio donde pensar y aclarar su cabeza. Necesitaba un refugio seguro, y solo se le ocurría un lugar donde encontrarlo ahora: en la cabaña de Jenna. Con todo el trastorno que había sufrido en las últimas horas, su propósito de ir a ver cómo estaba su amiga se había desbaratado. Alex sabía que si había una persona en la que ahora podía confiar, esa era Jenna.

Tras ella, la puerta de la casa de Zach golpeó con estrépito.

—Eh, ¿dónde vas? —la llamó, atravesando el patio con rapidez—. Te dije que quería llevarte a casa, asegurarme de que estás bien. No creo que estés en condiciones...

—No quiero tu ayuda, Zach. —Alex lo miró con dureza, disgustada al pensar que en otro momento lo había considerado un amigo. Peor aún, pensar que una vez se había permitido un momento íntimo con él. Si Kade era peligroso por la sangre de la estirpe que corría a través de sus venas, Zach era una amenaza mucho más insidiosa por el hecho de estar dispuesto a utilizar a personas inocentes, corrompiéndolas y arruinando sus vidas, en beneficio de su propio beneficio personal—. ¿Cuánto dinero hicisteis juntos Skeeter y tú a lo largo de estos años? Qué poco valor concedes a las personas a las que has jurado proteger y servir cuando estás dispuesto a traicionarlas de ese modo.

Zach la miró con rabia.

—No sabes lo que estás diciendo, Alex. Eres una ilusa.

—¿Lo soy?

—Sí, lo eres. —Se acercó un paso—. Me preocupa que seas un peligro para ti misma.

—Te refieres a un peligro para tu modo de vida, ¿verdad?

Él soltó una risa siniestra, pero no había nada de humor en ella.

—Como oficial de la ley, y para tener la conciencia tranquila, no puedo dejarte sin mi protección, Alex. Baja del trineo.

Ella negó con la cabeza y encendió el motor.

—Que te jodan.

Antes de que pudiera ponerse en marcha, la mano de Zach le atrapó la muñeca. Le tiró del brazo con fuerza, y casi le hizo perder el equilibrio. Alex bajó la mirada alarmada y vio que había sacado la pistola de la funda de su cinturón.

Ella ahogó un grito de asombro aterrado, en el preciso instante en que *Luna* movió su enorme cabeza y hundió su afilada mandíbula en el brazo que agarraba el de Alex.

Zach lanzó un grito de dolor. El brazo que tan dolorosamente la aferraba ahora la soltó, y Alex envolvió con un brazo a su querida *Luna* para retenerla firme, frente a ella, en el trineo, y dio al vehículo un poderoso empujón que lo hizo saltar para emprender una rápida fuga.

Avanzó a toda velocidad a través de la cortina de nieve que seguía cayendo, sin atreverse a mirar atrás. Ni siquiera cuando oyó que Zach gritaba su nombre, seguido del gemido de otra motonieve que iba tras ella.

La mujer yacía boca abajo en el suelo de la cabaña, inmóvil excepto por la relajada subida y bajada de su pecho al respirar. Estaba en trance, inconsciente por la pequeña incisión que le había hecho en la nuca un momento antes.

De esa cuidadosa incisión corría ahora un delgado riachuelo de sangre mientras él se ponía en cuclillas junto a ella y unía los dos bordes de la delicada piel humana. Se inclinó sobre ella y lamió el riachuelo cobrizo, luego apretó la lengua contra la herida para curarla completamente.

Su propio cuerpo también estaba curado. Las quemaduras de luz ultravioleta se habían enfriado, y la piel ya no estaba llagada con ampollas que le producían un dolor lacerante. Las heridas de bala de su pierna y su abdomen estaban soldadas con carne nueva, regenerada. Y la sed que había sido su febril compañera desde que había escapado de su cautividad por fin se había apagado.

Ahora que su mente estaba clara, tenía la oportunidad de reflexionar, de considerar lo que había por delante.

Seguir corriendo. Seguir ocultándose, luchando por estar siempre un paso por delante de una progenie que iba en busca de su captura o de su destrucción. Más de la misma existencia que había conocido desde que él y sus hermanos habían dado sus primeros pasos en aquel inhóspito mundo humano.

Sobreviviría.

¿Pero con qué fin?

Mientras que su instinto le aseguraba que estaba lejos de ser derrotado, su lógica calculaba que no había ninguna manera de ganar. No había un final a la vista, sino un poco más de lo mismo.

Él y los otros siete conquistadores que aterrizaron allí tanto tiempo atrás deberían haber sido reyes entre las formas humanas, inferiores, que habitaban ese planeta. Habrían sido reyes, si no se hubiera producido el levantamiento de sus hijos mitad humanos. Si no hubiera sido por la guerra que lo había dejado solo, haciendo depender su supervivencia de la traición del hijo que secretamente lo había escondido en la cueva de una montaña.

No debería haberle sorprendido que la traición le esperara al despertarse.

Tras su periodo de hibernación, había esperado que el mundo fuera diferente, como una recompensa en la que poder recrearse. En lugar de eso, había sido encadenado y privado de comida, debilitado por sustancias químicas y tecnología que imaginaba lejos de ser alcanzada por la rudimentaria humanidad que él conocía.

La tierra había avanzado. No era nada ni remotamente cercano al mundo que él había dejado atrás, pero suficiente para que su vida en ese planeta se convirtiera en una condena. Una interminable monotonía de días y noches en los que sería perseguido y debería huir.

No estaba seguro de tener la voluntad ni el deseo de seguir.

La mujer que estaba tendida frente a él se hallaba en una situación similar. Él había sido testigo de su desesperación y había sentido el sabor de su derrota en cada latido de su corazón al nutrirse de ella. Había saboreado su soledad, su desesperanza, y eso lo había tocado en algún lugar de su interior.

Ella también era una guerrera. Lo vio en las fotos de los marcos esparcidos por su domicilio. Aquella mujer con uniforme de guerrero, provista de armas y con una expresión resuelta en sus ojos. Todavía mantenía aquella mirada, incluso cuando estaba debilitada por la pérdida de sangre y aterrorizada. Todavía era fuerte, todavía había una guerrera en su corazón, pero ya no era capaz de verlo.

Ella también estaba perdida, sola.

Pero mientras ella estaba dispuesta a abandonar momentos antes de que el intruso desbaratara sus planes, a él su superioridad genética no le permitiría rendirse. Era un conquistador, había nacido para la guerra. Era el último depredador.

Lo deseara o no, su cuerpo se resistiría a la muerte hasta el final, no importa cuánto tiempo tardara en llegar.

Y su instinto también estaba preparado para perseguir la derrota de sus enemigos, fueran cuales fuesen los medios requeridos.

Era ese instinto el que lo había empujado a mostrarse tan comedido momentos antes con la mujer que yacía inconsciente en el suelo de la cabaña.

Ahora avanzó de nuevo hacia ella con seria consideración. Distraídamente, se llevó el antebrazo a la boca y selló el pequeño corte que se había hecho allí. Recorrió con la lengua la pequeña hendidura en el músculo bajo su piel y la herida se cerró y se desvaneció, como si la incisión nunca hubiera existido.

Mientras se dirigía al otro lado de la habitación, oyó el rugido de varios motores, no muy lejos de la cabaña.

¿Lo habían encontrado tan pronto?

No podía estar seguro de si sus perseguidores serían de la estirpe o humanos.

Pero mientras saboreaba el tendón recién regenerado y la piel de sus brazos, esbozó una sonrisa sombría, satisfecho de estar preparado para recibir cualquier amenaza que se le presentara.

Capítulo veintisiete

Alex conducía tan rápido como podía a través de la nieve y el páramo del camino hasta la cabaña de Jenna. Todavía podía oír a Zach detrás de ella, cada vez más cerca. Una y otra vez se arriesgaba por caminos peligrosos, rogando que él la perdiera de vista en aquella tormenta cegadora y esperando que el revólver que había sacado fuera tan solo la consecuencia de un estado de enajenación transitorio por su parte.

Pero había visto aquel brillo peligroso en su mirada. Estaba furioso, y desesperado por proteger su secreto. Y era probable que especialmente ante Jenna. ¿Pero estaría lo bastante desesperado como para matar a Alex por eso?

El nudo de terror que se había formado en su garganta le decía que sí.

Al llegar a la propiedad de Jenna, el corazón de Alex ya latía como si quisiera saltar fuera de sus costillas. Derrapó, se detuvo abruptamente y apagó el motor. *Luna* saltó junto a ella y las dos corrieron hasta el porche de la cabaña.

—¡Jenna! —gritó—. ¡Jenna, soy yo!

Casi en los escalones, Alex oyó que el vehículo de Zach se detenía tras ella.

—No des un paso más, Alex.

Oh, Dios.

—¡Jenna! —gritó ella—. ¿Estás ahí?

No hubo respuesta. Ningún movimiento, ningún tipo de ruido en el interior de la cabaña.

Detrás de ella, el suave sonido del gatillo de la pistola.

—Maldita sea, Alex. —La voz de Zach sonaba rígida, totalmente desprovista de emoción—. ¿Por qué me obligas a hacer esto?

—Jenna —llamó Alex otra vez, ahora en voz más baja, dándose cuenta de que era inútil.

La cabaña estaba silenciosa. Jenna no estaba o no podía oírla. ¿Y si el temor que había sentido por el bienestar de Jenna no era infundado? No se atrevía ni a imaginarlo.

Tampoco tendría la oportunidad de hacerlo, porque Zach aparentemente había perdido la cabeza y ella probablemente iba a morir allí mismo en aquel mismo instante.

Entonces, a través del helado silencio, Alex oyó el más débil de los sonidos, un pequeño gemido, apenas audible por más que estuviera muy cerca de la puerta. En el corazón de Alex brotó un rayo de esperanza.

—¿Jenna? —Se atrevió a dar un pequeño paso hacia delante, puso un pie en el último escalón del porche—. Si puedes oírme, por favor, abre...

Un disparo explotó detrás de ella. Alex sintió el calor de la bala al pasar junto a su cabeza para alojarse en el marco de madera de la puerta, a casi un metro delante de ella.

«Oh, Dios. Oh, Dios bendito.»

Zach le había disparado.

El cuerpo de Alex se quedó tan helado por la impresión y el miedo que se puso a temblar de arriba abajo. Exhaló una respiración temblorosa y lentamente volvió la cabeza, pues no estaba dispuesta a permitir que Zach le disparara por la espalda. Si iba a dispararle, tendría que hacerlo mirándola a los ojos.

Pero tan pronto como se dio la vuelta, hubo una explosión de movimiento detrás de ella. Algo enorme salió de la cabaña de Jenna, haciendo un ruido atronador y arrancando la puerta de sus bisagras. Zach gritó. Disparó de nuevo, y la bala atravesó estruendosamente la copa de ramas de pino cargadas de nieve debajo de las cuales se encontraban.

Alex agarró a *Luna* y se tiró al suelo, ocultando la cara en la cálida piel del cuello del animal. No sabía qué acababa de pasar. Por un instante, su mente luchó para procesar el gruñido gutural y los sonidos nauseabundos que lo siguieron.

Hasta que supo lo que había sido.

Lentamente, levantó la cabeza. El grito que acudió a sus labios murió ahogado cuando su mirada se topó con la de aquella criatura letal que eclipsaba cualquier cosa que hubiera visto antes.

El Antiguo.

A través de los constantes copos de nieve que caían en la oscuridad, su mirada ámbar ardía como un láser brillante, abrasadora y salvaje. Estaba desnudo, sin pelo, cubierto de la cabeza a los pies con una capa de dermoglifos tan densa y entrelazada que prácticamente ocultaba su desnudez. Sus enormes colmillos chorreaban sangre, la sangre de Zach, tomada del enorme agujero que ahora había donde antes tenía su garganta.

Un pensamiento terrible la asaltó: ¿aquel monstruo habría atacado también a Jenna?

Alex cerró los ojos, susurrando una oración por su amiga, esperando desesperadamente que algún tipo de milagro la hubiera salvado de la brutal carnicería que acababa de ocurrirle a Zach.

Luna gruñó entre los brazos de Alex y la criatura ladeó su cabeza en un ángulo exagerado, mirando fijamente al animal. Comenzó a apartarse del cuerpo sin vida de Zach, con un gruñido grave en el fondo de su garganta alienígena.

Los pulmones de Alex se comprimieron, perdiendo el poco aire que les quedaba. Dio por seguro que el Antiguo estaba a punto de matarla a ella también, pero su mirada interrogante quedó fija en ella durante unos agónicos segundos, tiempo durante el cual el viento trajo el lejano zumbido de otros trineos.

Alex miró nerviosa hacia la zona de donde provenía el ruido.

Cuando se dio de nuevo la vuelta, el Antiguo se había marchado. Únicamente el balanceo de una ramas que colgaban bajas indicaban la dirección del bosque por donde había huido.

La sensación del miedo de Alex golpeó a Kade como un yunque en el estómago.

Él y los otros guerreros circulaban a toda velocidad en sus trineos, ya cerca de Harmony, cuando lo asaltó la sensación de que se estaba alejando de Alex, en lugar de acercarse. Rápidamente, cambió la dirección del grupo, tomando el camino de una pista de caza que discurría por la parte oeste del pueblo.

Rastros frescos de trineo frescos le indicaron que aquel era el camino correcto, pero le bastaba con el fuerte instinto de su vínculo de sangre con Alex, cada vez más poderoso a medida que el trineo seguía el rastro, acercándose a una pequeña cabaña de troncos que se divisaba a unos cien metros en la oscuridad.

El corazón de Kade rogó que ella hubiera llegado allí, solo para quebrarse un instante después al sentir en los orificios nasales el fuerte aroma de sangre humana derramada. No era de ella —reconocería su dulce aroma en cualquier parte—, pero la idea de que Alex pudiera estar cerca de algún peligro de muerte enviaba una oleada de pánico a través de sus venas.

Kade aceleró aún más su trineo, pero la maldita máquina era todavía demasiado lenta para lo que él quería. Se salió del camino y se deshizo de ella, dando un ágil salto y echando a correr casi sin tocar el suelo, usando toda la agilidad de la estirpe para llegar hasta ella.

—¡Alex! —gritó, pasando a toda velocidad junto a la carnicería que había frente a la cabaña, echando solo un vistazo suficiente para ver el cadáver de Zach Tucker y las ruinas de lo que antes había sido la fachada de la cabaña—. ¡Oh, Dios..., Alex!

Corrió dentro y la encontró de rodillas junto a su amiga Jenna, que yacía en el suelo en la oscuridad de la cabaña. Kade encendió una lámpara, no tanto para él como para las dos mujeres. Jenna parecía confundida, con los ojos soñolientos y la voz atontada, como si acabara de despertar después de haber estado inconsciente.

—Alex —murmuró Kade suavemente, con la voz quebrada por la emoción.

Ella se volvió para mirarlo de frente, y lentamente se puso en pie. Avanzó hacia él con paso vacilante, y eso fue todo lo que él necesitó. Kade fue hacia ella y la atrajo contra él, envolviéndola en sus brazos. La besó encima de la cabeza, condenadamente aliviado al ver que no estaba herida.

—Alex, lo siento tanto. Por todo.

Ella retrocedió y apartó la mirada de él. Kade pudo leer la emoción que había en sus ojos. La callada incertidumbre que le impedía saber si podía volver a confiar en él. A él le dolía ver esa duda en sus ojos. Y peor aún era saber que había sido el responsable de generar esa duda.

Ella lo apartó de Jenna, que estaba todavía murmurando incoherencias, yendo y viniendo del estado de vigilia.

Alex clavó en él la mirada con una calma sombría.

—Era el Antiguo, Kade. Estaba aquí.

Él soltó una maldición, aunque no estaba sorprendido, por las condiciones del cadáver que había fuera.

—¿Lo viste? ¿Te tocó? Oh, Dios... ¿te hizo algo?

Ella negó con la cabeza.

—Debía de estar escondido en la cabaña de Jenna cuando Zach y yo llegamos hace unos minutos. Derribó la puerta principal justo después de que Zach me disparara...

—¿Qué? —La sangre de Kade pasó del terror helado del miedo al calor abrasador de la furia. Si Tucker no estuviera ya muerto, Kade le habría arrancado los pulmones—. ¿Qué demonios ocurrió? ¿Por qué quería hacerte daño ese maldito cabrón de mierda?

—Porque me di cuenta de en qué andaba metido. Zach y Skeeter tenían negocios juntos, traficaban con droga y vendían alcohol a los asentamientos nativos del monte. Supe que había algo raro cuando vi el teléfono móvil de Skeeter y un fajo de billetes en casa de Zach. Él trató de mentirme, pero yo me di cuenta.

—Escogió a la persona equivocada para eso, ¿verdad?

Ella sonrió débil y fugazmente.

—No quiero que Jenna vea... —Hizo un gesto hacia el patio de la entrada al interrumpir sus palabras—. Tendrá que saber la verdad, por supuesto, pero no así.

Kade asintió.

—Sí, por supuesto.

Mientras ellos hablaban, el resto de los guerreros llegaron a la cabaña con sus trineos. Kade fue a interceptarlos y les informó de que el Antiguo acababa de huir hacía un momento y de que la víctima era el hermano de la amiga de Alex.

Chase y Cazador se pusieron a trabajar para limpiar el lugar discretamente mientras Tegan y Brock iban dentro con Kade.

—Esta es Alex —dijo él, haciendo breves presentaciones de los dos guerreros. Era difícil no tocarla mientras explicaba lo que había ocurrido antes de que llegaran, solo para asegurarse de que realmente no había sufrido ningún daño.

—¿Tú y tu amiga estáis bien? —preguntó Tegan. La voz del vampiro de la primera generación expresaba un profundo respeto a pesar de que había acudido allí para evaluar una situación que había pasado de estar medio jodida a joderse por completo.

—Estoy bien —respondió Alex—. Pero me preocupa Jenna. No veo que tenga ninguna herida, pero tampoco me parece que esté bien.

Tegan lanzó una mirada a Brock, pero el enorme guerrero ya se dirigía junto a la mujer, al otro lado de la habitación.

—¿Qué es lo que le ha hecho? —preguntó Alex, con la preocupación creciente reflejada en su frente.

—Todo está bien —dijo Kade—. Y si le ocurre algo malo, él podrá ayudarla.

Brock pasó suavemente las manos por la espalda de Jenna, luego le apartó el pelo con cuidado y colocó sus dedos negros contra su pálida mejilla.

—Está en trance —dijo—. Pero se está recuperando. Se pondrá bien.

Chase y Cazador entraron en la cabaña y miraron a Tegan.

—El patio está limpio. Nosotros dos podemos empezar a registrar la zona en busca del Antiguo.

Tegan apretó los labios y soltó un áspero suspiro.

—A estas alturas ya estará a kilómetros de distancia. Sería como buscar una aguja en un pajar. Nunca conseguiremos atraparlo en esta tierra salvaje. Y no podemos seguir el rastro de ese maldito cabrón a través de los bosques con esta ventisca.

Kade sintió la mirada de Alex.

—¿Y qué me dices de *Luna*? Si usas tu talento con ella, ¿sería capaz de seguir el rastro del Antiguo?

Tegan echó un vistazo a la perra, que había comenzado a husmear la mano de Kade.

—Creo que es nuestra mejor apuesta, amigo.

—Sí, puedo hacerlo —dijo él—. ¿Pero qué haréis vosotros? ¿Vais a correr todos con ella, cargados con todas esas armas, por si alcanzamos al bastardo?

—Yo puedo llevaros volando —sugirió Alex.

—De ninguna manera. —Kade negó con la cabeza—. Ni hablar. No voy a meterte en esto más de lo que ya te he metido. Es un riesgo que no estoy dispuesto a correr.

—Quiero hacerlo. No voy a dejar a *Luna* sola, y puedo llevaros a todos en mi avión mientras ella sigue el rastro del Antiguo por tierra.

—Está oscuro, Alex —soltó él con dureza—. Y está cayendo una nieve del demonio.

—No me convences —le rebatió ella—. Y cuanto más tiempo pasemos aquí discutiendo sobre esto, más lejos huirá esa criatura. Ese es un riesgo que no estoy dispuesta a correr.

Tegan dirigió una mirada interrogante a Kade.

—Ella tiene razón. Y tú lo sabes.

Kade miró a Alex de soslayo, y vio en sus ojos todo el coraje y la determinación que lo habían hecho enamorarse de ella en primer lugar. El hecho era que la Orden la necesitaba ahora. Estaba orgulloso de Alex y al mismo tiempo petrificado. Pero dejó escapar un insulto y dijo:

—Sí. De acuerdo, lo haremos.

—¿Y qué hacemos con la mujer? —preguntó Chase, señalando a Jenna—. Será mejor que le borremos la memoria antes de que vea algo más de lo que ya ha visto.

Cuando el exagente de la ley comenzó a dirigirse hacia ella, Brock volvió la cabeza, con los colmillos brillantes asomando entre sus labios.

—Atrás, Harvard. Tú no vas a tocarla, ¿entendido?

Chase se detuvo inmediatamente. Se encogió de hombros con indiferencia y se retiró, mientras Brock dispensaba su atención a la mujer.

Mientras la tensión en la cabaña remitía, Alex se arrodilló junto a *Luna* y la envolvió en un amoroso abrazo, susurrándole algo antes de alzar la mirada hacia Kade.

—Bien, ella está en tus manos. Prométeme que serás muy cuidadoso.

—Te lo prometo —dijo él, con total sinceridad.

Mientras Alex se apartaba, Kade tomó la barbilla de *Luna*

en la palma de su mano y miró sus inteligentes ojos. Estableció la conexión con la mente de la perra, y luego le dio la orden silenciosa de ir en busca del Antiguo.

Alex tenía los brazos cruzados sobre su pecho y una mano apretada contra la boca, mientras *Luna* salía corriendo de la cabaña hacia la intensa tormenta de nieve del exterior.

Capítulo veintiocho

No mucho más tarde, Alex los llevaba en su avión sobre el oscuro paisaje salvaje, con Kade en el asiento del copiloto y tres de sus compañeros de la estirpe apiñados en la zona de carga que había detrás de ellos. Kade le indicaba a ella la dirección, guiándose a través del vínculo mental que mantenía con *Luna*, que se hallaba en tierra.

Alex no podía verla. Estaban demasiado arriba y la nieve era demasiado espesa en la oscuridad como para que pudiera distinguir algo más allá del morro del avión. Eran condiciones peligrosas para volar, potencialmente mortales, pero Alex conocía aquel terreno perfectamente. Seguía las instrucciones de Kade, que era prácticamente capaz de anticipar el camino que *Luna* rastreaba a lo largo del río Koyukuk, la ruta más lógica que el Antiguo podía haber escogido para ir por el monte.

—Continúa siguiendo el río —le dijo Kade—. El rastro es más fresco ahora. Lo estamos alcanzando.

Alex asintió, concentrándose en el vuelo y la fuerte ráfaga que empujaba hacia abajo el aeroplano a medida que se dirigían hacia el norte, siguiendo el curso del río helado. Aunque ella apenas podía ver la cinta de agua congelada, sabía que se acercaban a un lugar donde el Antiguo se habría visto forzado a hacer una elección: seguir hacia el sur y confiar en que el frondoso bosque lo mantuviera oculto de sus perseguidores, o cambiar de dirección hacia el oeste y escapar por un terreno más elevado, subiendo por las escarpadas cadenas de montañas. Ninguna de las opciones suponía buenas condiciones de aterrizaje, pues con aquel tiempo, no había nada más peligroso que intentar aterrizar en una roca elevada y potencialmente inestable.

—El rastro está girando —anunció Kade—. Debemos ir hacia la izquierda.

—De acuerdo —respondió Alex, enviando una oración silenciosa mientras se apartaba del río y se dirigía hacia la cadena de montañas—. Que todo el mundo se agarre. Va a haber algunas sacudidas cuando giremos y tengamos el viento de frente.

—¿Cómo vas a subir ahí? —preguntó Tegan detrás de ella—. ¿Estás segura de que puedes manejarlo?

—Es pan comido —dijo ella sin decir la verdad, y sintió la mano de Kade deslizarse para rozar la suya.

El contacto le hizo bien. A pesar de que todavía cargaba con la escalofriante visión de los bosques, y el estómago todavía se le retorcía por haberse topado con el Antiguo en la cabaña de Jenna, Alex no podía negar sus sentimientos por Kade. Era la única persona que la conocía, mejor que cualquier otra. A pesar de todo lo que había ocurrido entre ellos y a su alrededor, su corazón no podía estar completamente cerrado ante aquel consuelo que solo él podía brindarle.

Algo de la sensación de traición y de ira que sentía por Kade y por el resto de su raza se había fundido al ver cómo él y sus amigos habían manejado la espantosa situación de la cabaña. Kade había sido tierno y amoroso con ella, y respetuoso y considerado con Jenna. Los otros guerreros también lo habían sido. Especialmente aquel llamado Brock, que se había quedado atrás para atender a Jenna.

Era difícil conciliar una raza de seres que mostraban tanta humanidad y sin embargo pertenecían al mismo linaje despiadado de la criatura de otro mundo que había matado a Zach y a tantos otros en los últimos días. O a la misma raza de los renegados adictos a la sangre, que habían asesinado a su madre y a su hermano menor. O a la del hermano gemelo del que Kade se avergonzaba tanto que no se había atrevido a reconocerlo hasta que Alex había visto la carnicería salvaje con sus propios ojos.

Pero Kade y los otros machos de la estirpe que le había presentado eran diferentes. Eran hombres buenos, a pesar de los genes que los convertían en otra cosa distinta que hombres.

Tenían honor.

Kade también lo tenía. Y ahora, mientras ella pilotaba llevándolos a él y a sus compañeros de la Orden a través de aquella zona ventosa, hacia el peñasco dentado de la montaña para enfrentar la inminente batalla con esa criatura que no era de este mundo, solo esperaba que ella y Kade tuvieran la oportunidad de resolver aquel enredo de lo que significaban el uno para el otro. Solo podía rezar para que hubiera algún tipo de futuro aguardándolos tras el peligro que ahora tenían por delante.

—*Luna* está siguiendo el rastro del Antiguo ascendiendo por la base de la montaña —dijo a su lado Kade—. Ah, mierda, es una roca agreste y muy empinada. Ese hijo de puta está escapando hacia la cresta. Lo perderemos en la montaña.

—Solo dime adónde se dirige *Luna* —dijo Alex—. Yo me ocuparé de cómo llegar hasta allí.

Hizo volar el avión a lo largo de la oscura cadena de montañas, siguiendo las indicaciones de Kade, esforzándose por ver a través del limpiaparabrisas mientras los finos copos de nieve danzaban y se amontonaban en su línea de visión.

—Maldita sea —gruñó él un momento más tarde—. El olor ha desaparecido. Se está enfriando. *Luna* está haciendo círculos alrededor de la cornisa debajo de nosotros, pero ya no puede encontrar el rastro del Antiguo.

—Porque ha cambiado de nivel —señaló finalmente Cazador—. El Antiguo está ahora por encima del animal, o por debajo de él.

—Estamos lo bastante cerca como para perseguirlo a pie —dijo Tegan—. El Antiguo no puede ir muy lejos ahora sin tenernos pegados a su culo. Pero necesitamos aterrizar con la avioneta.

—De acuerdo, ahí vamos —dijo Alex, escudriñando a través de la ventanilla, viendo opciones limitadas para nada más que el más corto de los aterrizajes.

Dirigió el pequeño aeroplano hacia un estrecho pedazo de prístina nieve en un retablo de roca y comenzó el descenso.

Kade ya había visto antes a Alex en acción tras los controles de su avioneta, pero eso no disminuyó su sobrecogido asombro al verla llevar el pequeño aeroplano hacia una estrecha cornisa nevada de la montaña. No fue hasta que hubieron aterrizado que Kade advirtió que ella había descendido con un suave planeo teniendo apenas un margen de unos pocos centímetros a cada lado.

Ninguno de los guerreros dijo una sola palabra cuando el único motor gruñó hasta detenerse y la avioneta se deslizó para descansar delicadamente en la cornisa.

Ni siquiera Cazador, que iba sentado completamente erguido en la zona de carga, con una expresión de calma imperturbable, a pesar de que sus nudillos parecían un poco más blancos por la fuerza con que se aferraban a la red que había por encima de su cabeza.

Finalmente, Chase murmuró una cruda maldición.

Tegan se rio por lo bajo.

—Un aterrizaje del diablo, Alex.

—Un diablo de mujer —dijo Kade, mirándola desde la cabina de mando y sintiendo por ella una especie de orgullo personal que probablemente no le correspondía sentir. Pero la mirada que ella le dirigió fue suave, aunque breve, y le hizo sentir una oleada de esperanza porque quizá no la había perdido completamente.

Tal vez todavía existía una oportunidad para los dos.

Mientras el grupo bajaba del aeroplano y se surtía de armas y municiones, *Luna* se acercó brincando por la pronunciada pendiente y fue directa a los brazos abiertos de Alex. Por un momento, Kade mantuvo egoístamente la conexión telepática con la perra, permitiéndose saborear el cálido amor que Alex sentía por el animal.

Cuando rompió el vínculo, Tegan se hallaba de pie junto a él, armado para la guerra.

—Vamos a dividirnos: Cazador irá por la pendiente, Chase y yo cubriremos el terreno por abajo.

Kade le hizo un gesto serio.

—¿Dónde me quieres a mí?

Tegan lanzó una mirada a Alex, que le hablaba a *Luna* en voz baja y con tono elogioso.

—Quédate aquí y asegúrate de que tu mujer está a salvo. Eso es más importante que cualquier otra cosa que puedas hacer, ¿de acuerdo?

Kade consideró el comentario, sintiendo que el deber lo estimulaba a decir que la misión era lo más importante. Que nada podía importar más que su compromiso con la Orden, sus compañeros y sus metas. Una parte de él lo creía. Una parte de él sabía sin el menor atisbo de duda que estaría dispuesto a dar su vida por cualquiera de aquellos guerreros, igual que cualquiera de ellos daría su vida por él. Eran una familia, tan estrecha como el lazo más estrecho que hubiera conocido.

Pero Alex era incluso más.

A ella le pertenecía su corazón. Ni siquiera osaría intentar negarlo. Y sabía que cuando Tegan hablaba de ella, aquel guerrero de la primera generación emparejado estaba hablando también de su experiencia personal.

—Sí —reconoció Kade—. Sin Alex... oh, Dios. Sin ella nada más podría importar.

Tegan asintió, con la boca apretada en una delgada línea.

—Tal vez deberías asegurarte de que lo sabe.

Le dio un golpecito a Kade en el hombro, y luego hizo un gesto a los otros guerreros para dar comienzo a la siguiente etapa de la persecución. Cuando Cazador saltó a la cornisa y Tegan y Chase pasaron le siguieron, Kade se fue junto a Alex.

—Supongo que los tres hacemos un buen equipo —dijo, acercándose para rascar a *Luna* detrás de la oreja únicamente para distraer sus manos y evitar tocar a Alex.

Ella lo envolvió con sus brazos.

—¿No vas a ir con los demás?

—Tegan quiere que me quede aquí a cuidar de ti. Sabe lo mucho que significas para mí, y sabe que me mataría si algo te ocurriera.

Una pequeña arruga se formó entre sus cejas al mirarlo. Durante un rato largo, guardaron silencio. Se oía la nieve caer y el débil aullido de un lobo en la distancia.

Cuando Alex finalmente se decidió a hablar, su voz era un poco más alta que un susurro.

—Quise odiarte. Cuando te vi en los bosques, cubierto de sangre...

—No era yo —le recordó él—. No era yo, Alex. Era Seth. Ella asintió.

—Lo sé. Te creo. Pero fue a ti a quien vi en ese momento.

Eras tú, Kade, un monstruo exactamente igual que aquel que mató a mamá y a Richie. Quise odiarte en ese momento... pero no pude. Una parte de mí se negaba a dejarte marchar, incluso entonces, cuando no podías haber sido más espantoso y diabólico para mí. Te seguía amando.

Él soltó un suspiro de alivio y la cogió en sus brazos.

—Alex..., siento muchísimo lo que pensaste. Lo que viste. Siento muchísimo todo lo que has tenido que soportar.

—Eso fue lo que más me asustó, Kade. Que podía amarte incluso aunque fueras un asesino. Incluso si eras un monstruo como...

—Como mi hermano —dijo él suavemente—. Yo no soy él. Eso te lo prometo. Nunca tienes por qué asustarte de mí. Te amo, Alexandra. Siempre te amaré.

Con cuidado, él tocó su hermoso rostro con las manos y la besó. Ella se sentía tan bien entre sus brazos, contra sus labios, él podía haberla estado besando para siempre.

Pero detrás de ellos, el gruñido gutural de *Luna* puso en alerta todos los instintos de combate de Kade.

Sintió una ligera vibración en el aire cuando se apartó de Alex y con un movimiento instintivo la colocó detrás de él para protegerla...

Una sombra grande y oscura cayó del cielo.

Varios metros detrás de ellos, el Antiguo aterrizó con elegancia y de pie sobre la nieve. Mostrando sus dientes y enormes colmillos, la mortífera criatura fijó en Kade sus ojos color ámbar y silbó con intención asesina.

Capítulo veintinueve

*A*lex gritó.

El terror la dominó mientras los glifos que cubrían las piernas del Antiguo se contraían al encogerse y sus ojos color ámbar bañaban a Kade con una espantosa luz.

—Alex, vete de aquí.

Ella tragó saliva por la garganta, que se le había secado completamente.

—¿Qué?

—¡Vete! —le ordenó Kade, con los ojos clavados en la amenaza que tenía frente a él—. Vuelve a la avioneta y vete. Aléjate de las rocas tanto como puedas. ¡Vete ahora mismo!

El miedo se colaba a través de sus venas, pero sus piernas se negaban a moverse. No podía abandonar a Kade así, no importaba lo que él dijera. No importaba a lo que él tuviera que enfrentarse, se enfrentarían juntos.

—No voy a irme. No...

—¡Maldita sea, Alex, vete! —rugió él, buscando una de las pistolas semiautomáticas que llevaba bajo la parka.

Se movió a una velocidad que ella casi no pudo seguir. En un segundo su mano estaba bajando la cremallera del abrigo, y al siguiente sujetaba el revólver frente a él y apretaba el gatillo para lanzar una lluvia de balas.

Pero el Antiguo era más rápido, incluso que Kade.

Esquivó las balas, y luego sus poderosas piernas tomaron impulso en el suelo para dar un salto que lo habría hecho caer encima de Kade, si no hubiera sido por la imagen borrosa que apareció repentinamente en movimiento: era Cazador. El inmenso guerrero de la primera generación se lanzó a toda velocidad sobre el Antiguo desde la cornisa superior, haciéndolo caer al suelo nevado junto a él en una confusa sacudida y apisonamiento caótico.

Lucharon el uno contra el otro, casi igualados en términos de fuerza y de poder, ambos peleando como entregados a una batalla a vida o muerte.

Kade se metió en la refriega justo cuando Cazador recibió un grave golpe en la base del cuello y el hombro. La sangre salía a chorros de su herida, lo que pareció volver más frenético al Antiguo, con sus ojos más salvajes y sus colmillos más extendidos. Echó la enorme cabeza hacia atrás y abrió sus mandíbulas con un aullido furioso.

Kade disparó una bala y en lugar de acertar en el Antiguo se desvió hacia Cazador, que tuvo que gastar un precioso esfuerzo para esquivarla.

Alex pestañeó, y ese parpadeo fue el tiempo que necesitó el Antiguo para agarrar entre sus dedos la pistola de Kade. El metal crujió en su puño, y luego, empleando un poder que ella no podía comprender, aquel ser de otro mundo lanzó el cuerpo de Kade por el aire. Este aterrizó al borde del precipicio, con la cabeza totalmente fuera de la roca y sangrando por debajo de la sien.

—¡Kade! —gritó Alex, con el corazón helado.

Él trató de levantarse, pero fue un intento torpe y desorientado. Se desplomó de nuevo con un gemido.

Un paso en falso y estaría perdido.

—¡Kade! ¡Oh, Dios, no te muevas!

La nieve se arremolinaba por todas partes, la tormenta había empeorado hasta convertirse en una ventisca desde que habían aterrizado. Ella apenas podía distinguir la enorme forma de Cazador mientras se levantaba del suelo para saltar de nuevo sobre el Antiguo. Con un bufido feroz, la criatura hizo un giro y dio un fuerte empujón al enorme vampiro de la primera generación.

Entonces el Antiguo comenzó a avanzar hacia Kade, que estaba a un paso de caer por el borde del precipicio.

El corazón de Alex estaba a punto de explotar en su pecho mientras avanzaba muy lentamente acercándose cada vez un poco más a su avioneta. No pensaba escapar, ni siquiera ahora. Estaba más asustada de lo que lo había estado nunca en su vida, pero tenía que hacer algo —por Kade y por sus compañeros— por muy insignificantes que sus acciones pudieran parecer ante aquella amenaza. Agarró el rifle cargado que había en la parte trasera de la aeronave.

Lo levantó mientras el Antiguo avanzaba hacia Kade, que ahora estaba tratando de levantarse una vez más. No podía dejar que la criatura lo alcanzara.

Alex apretó el gatillo.

El disparo sonó como un trueno en la oscuridad agitada por la nieve.

El Antiguo no lo había visto venir. Apretó su enorme mano contra el pecho, pero la sangre se escapaba a través de los dedos.

La criatura de otro mundo curvó sus labios y rugió. Y entonces comenzó a avanzar otra vez, pero no hacia Kade, sino hacia ella y hacia *Luna*, que estaban junto a la avioneta.

Alex oyó el aullido de los lobos desde algún lugar cercano. Muchos lobos. Al menos media docena o más. Los oyó, y casi podía oír la sacudida de sus patas alzándose a través del amargo frío de la tormenta y el terror escalofriante de la situación al borde de la cornisa.

Alex sabía que los lobos estaban cerca, pero no estaba preparada para verlos; aparecieron súbitamente de la pendiente escarpada que había por debajo de ella. La manada cargó en masa, saltando de dos en dos hacia el mismo blanco: la criatura alienígena rugía con indignación mientras los ocho depredadores la atacaban.

Y mientras los lobos mordían y desgarraban al Antiguo, otro adversario apareció en las rocas inferiores.

Seth.

Alex contuvo la respiración mientras el macho de la estirpe que tanto se parecía a Kade emergió de las sombras y del torbellino caótico de la tormenta. No parecía tan idéntico a Kade ahora que lo tenía ante él como un espejo: era de alguna manera el reverso de Kade, como si se tratara de la versión más salvaje y más peligrosa del hombre de la estirpe que ella amaba.

Los enormes colmillos de Seth brillaban blancos como el

mármol. Sus ojos lanzaban una feroz luz de color ámbar que quemaba como rayos láser. Alex tragó saliva mientras le dirigía una breve mirada sesgada. Ella creyó ver escrita una disculpa en la cruda expresión de su cara. Quizás una especie de remordimiento.

Pero entonces, con un grito de batalla que a Alex le heló la sangre, dio un poderoso salto y se arrojó sobre el Antiguo.

Estaban demasiado cerca del borde del precipicio.

El momento siguiente fue demasiado imponente para poderlo detener.

Los ojos de Alex quedaron absortos cuando se dio cuenta de lo que estaba a punto de suceder. Los cerró con fuerza un instante después, mientras Seth y el Antiguo caían por el borde del precipicio.

—¡Seth!

Kade gritó el nombre de su hermano, la confusión que había en su cabeza por el golpe recibido se disipó instantáneamente cuando vio que Seth se lanzaba a luchar contra el Antiguo. El horror lo asaltó un instante más tarde, cuando los dos pasaron por delante de él hacia el borde del precipicio y se precipitaron en la oscuridad.

Hubo un enorme ruido que parecía venir de todas partes a su alrededor, como un trueno, solo que lo sentía en la tierra por debajo de él. Y también por encima.

Entonces, se oyó el violento crujido del hielo y de la nieve compacta que caía del peñasco que había sobre su cabeza.

La avalancha bramó por encima del precipicio, toneladas de nieve y de hielo crujientes como la dramática ola de un maremoto pasaron por encima de la cabeza de Kade y fueron a caer a la grieta que se abría bajo la montaña. Una cegadora y asfixiante ola de cristal en polvo se alzó en su estela, helando el rostro de Kade y obligándolo a apartar la vista de la brecha llena de nieve por donde habían caído el Antiguo y su hermano. Nada podía sobrevivir al peso sofocante de tanta nieve.

Kade sintió unas manos suaves que le envolvían los hombros, la calidez del cuerpo de Alex acogiéndolo en su abrazo, apretándolo con fuerza. Y detrás de ellos en la cornisa, oyó el sonido grave de voces. Cazador, Tegan y Chase, un murmullo incrédulo ante todo lo que había ocurrido.

—Kade —susurró Alex, con tono suave y reconfortante—. Oh, Dios..., Kade.

Todo lo que quería era envolverla con sus brazos y aceptar ese amor que ella le ofrecía, pero su corazón lloraba por su hermano gemelo. La idea de haber perdido a su hermano lo removía; el sacrificio de Seth era algo demasiado difícil de procesar. Demasiado terrible para ser real.

Kade se apartó de los brazos temblorosos de Alex y buscó a tientas el borde del precipicio.

—¡Seth! —gritó al vacío rocoso, esforzándose por encontrar el más leve rastro de esperanza de que su hermano pudiera no estar muerto.

Y entonces vio... una forma oscura y rota, tendida en un peñasco dentado a unos treinta metros por debajo de él. Apenas se movía, pero estaba viva.

El pecho de Kade se incendió de esperanza.

—Dios bendito. Es él. —Se puso en pie—. ¡Seth, aguanta! Alex ahogó un grito.

—Kade, ¿qué estás haciendo? ¡Kade, no...!

Él dio un paso más allá del abismo.

El grito de Alex lo siguió mientras caía con un salto calculado, en la grieta de la roca. Sus botas aterrizaron junto a su hermano. Kade se agachó y apartó el hielo y la nieve del rostro y el cuerpo magullados de Seth.

—Maldito seas, Seth. —La voz se le quebró con una mezcla de alivio y de dolor mientras reparaba en las abundantes heridas que su hermano había recibido por la lucha con el Antiguo y por la caída. Seth sangraba por las numerosas contusiones que tenía en la cabeza y en las extremidades, pero fue el profundo tajo de su torso lo que más preocupó a Kade.

Regenerarse de un tipo de daño así sería todo un desafío para el más fuerte de los machos de la estirpe, mucho peor para alguien en la condición raquítica y consumida en que se hallaba Seth. Mierda. No parecía haber un buen pronóstico para él.

Seth cerró los ojos, con el cuerpo débil y roto. Apenas respiraba, excepto por el breve soplo de aire que salió de sus pulmones cuando separó los labios para tratar de hablarle a Kade.

—Vete —jadeó después de un momento—. No puedes... no puedes salvarme, hermano.

Kade exhaló un brusco insulto.

—Por todos los diablos, claro que puedo. Y voy a sacarte de aquí.

—No. Déjame... me estoy muriendo. Ya estoy muerto. Y los dos lo sabemos.

—No puede ser así, hermano —gruñó Kade—. Te curarás. Te llevaré al Refugio Oscuro de papá, y te recuperarás.

—No —murmuró Seth suavemente. Sus ojos se abrieron lentamente acompañando su bufido doloroso—. No, Kade.

Kade casi necesitaba apartar la vista de su gemelo. Sus pupilas estaban delgadas como agujas, hendiduras verticales bañadas de un brillo ámbar. La mirada de Seth ardía de angustia, era una mirada feroz. Sus colmillos estaban extendidos. Los glifos visibles a través de los grandes desgarrones que tenía en la ropa en la zona de las costillas eran oscuros y de un color vibrante, como si estuviera sediento de sangre.

Todos los signos estaban allí, pero a Kade lo mataba reconocerlos.

Desde la última vez que lo había visto, su hermano había sucumbido a la lujuria de sangre.

Seth era un renegado.

—No hay vuelta atrás para mí —murmuró Seth—. Tú trataste de avisarme...

—Joder —susurró Kade—. Ah, maldita sea, Seth. No. No, esto no puede ser.

Seth tomó aire jadeante y una tos violenta lo hizo sacudirse. Su cuerpo se estremeció. Su piel parecía palidecer ante los ojos de Kade.

—Déjame ir, hermano. Por favor.

Kade negó con la cabeza.

—No puedo. Lo sabes. Hubiera renunciado a ti antes, pero no ahora. Has salvado mi vida ahí arriba, Seth. Ahora, maldita sea, yo voy a salvar la tuya.

Volvió la cabeza y gritó por encima del precipicio a Tegan y a los demás.

—Necesito cuerdas. Mi hermano está herido. No puede subir solo. Voy a necesitar un arnés para llevarlo hasta arriba.

Los guerreros se asomaron a mirar y luego desaparecieron para satsifacer la petición de Kade. Entonces, el rostro de

Alex vino a reemplazarlos. Solo el hecho de verla era un refugio para él y lo llenó de una sensación de amor honesto y puro, algo que necesitaba más que ninguna otra cosa en aquel momento.

Los labios agrietados y sangrientos de Seth se separaron en una débil sonrisa.

—Estás enamorado —dijo, con algo de melancolía en la voz resollante.

—Sí —replicó Kade—. Se llama Alexandra. Voy a convertirla en mi compañera, si ella quiere.

Seth cerró los ojos y asintió débilmente.

—Me gustaría haberla conocido.

—La conocerás. —Kade lo miró fijamente, viendo que la inmovilidad se apoderaba de su cuerpo roto—. Tienes que resistir, Seth. Vamos, abre los ojos. Continúa respirando, ¡maldita sea!

Pero los ojos de Seth permanecieron cerrados.

Respiró, pero solo una última vez. Su pecho se contrajo con una última exhalación, y luego todo había acabado.

El dolor de Seth se había acabado.

Kade agarró el cuerpo arrasado de su hermano entre sus brazos. Se quedó sentado con él en la cornisa helada meciéndolo suavemente, suplicando que Seth hubiera encontrado por fin la paz.

Capítulo treinta

Nadie dijo ni una sola palabra mientras los guerreros ayudaban a Kade a levantar de la cornisa el cuerpo de Seth. Trabajaron con seriedad, manejando el cuerpo sin vida como una carga preciosa a pesar de que fuera evidente, aún después de la muerte, que el hermano gemelo de Kade era un renegado.

Los dermoglifos de Seth todavía presentaban un color intenso y oscuro, y sus colmillos todavía sobresalían detrás de sus labios sin vida. Aunque tenía los ojos cerrados, bajo los párpados, las pupilas todavía estaban alargadas y sus iris bañados de un ámbar furioso.

Eran todas las marcas de la lujuria de sangre que lo había poseído y convertido en un enemigo para todos los miembros de la estirpe que respetaran la ley. Y sobre todo para los guerreros de la Orden, que habían jurado liberar a la población de todos los asesinos que había entre ellos.

Pero a pesar de eso, Tegan y Chase depositaron a Seth en el suelo cubierto de nieve con reverente cuidado ante Kade, mientras Cazador iba hasta el borde de la grieta e inspeccionaba el profundo abismo que había debajo. Dirigió una mirada a Tegan y sacudió la cabeza.

—No veo ningún signo de vida ahí abajo. El Antiguo seguramente está muerto.

Tegan asintió.

—Bien. Incluso si la caída no lo mató, las toneladas de hielo y nieve habrán acabado el trabajo.

Justo entonces, Alex regresó de la avioneta con una manta doblada en sus manos. Tenía lágrimas en los ojos al mirar a

Kade, y comenzó a limpiar suavemente la sangre de Seth que cubría su cuerpo roto.

Kade levantó la mano.

—Espera. Necesito verlo así. Necesito que todos lo veáis así y sepáis que esto es lo que podía haberme pasado a mí. —Miró los rostros serios de sus hermanos de la Orden, desde los impasibles ojos dorados de Cazador hasta el ceño fruncido de Chase, y luego la firme e indescifrable mirada de Tegan. Finalmente, Kade miró a Alex, la persona cuya opinión le importaba más que ninguna otra—. Seth, mi gemelo, era un asesino. Lo sé desde hace mucho tiempo, pero no quería reconocerlo. Ni siquiera ante mí mismo. Lo que en realidad no quería reconocer es que él y yo no somos tan diferentes.

—Él era un renegado —dijo Tegan—. Hay una diferencia.

—Sí. —Kade levantó el hombro en señal de aceptación—. Pero le llevó muchos años acabar así. Y durante esos años, cazaba como un animal. Mataba a sangre fría. Seth tenía un lado salvaje y enfermo que no podía refrenar. Sé que lo tenía porque ese lado salvaje también está en mí.

Kade vio que Alex tragaba saliva y apretaba la manta contra ella como si de pronto necesitara calor. Sintió el pequeño pinchazo de su pulso mientras lo miraba en cauteloso silencio. A través del lazo que lo unía a ella, podía sentir su miedo como si fuera propio.

Odiaba saber que él era la causa de ese miedo, y la urgencia de calmar sus preocupaciones con una mentira reconfortante era casi abrumadora. Pero ya se habían acabado los secretos. No podía seguir ocultándose, o fingir que era más fuerte de lo que realmente era, aun afrontando el riesgo de perder a Alex en ese mismo momento.

Ella tenía que saber la verdad, y también debía saberla el grupo de machos de la estirpe que estaban de pie ante él.

—Cuando Seth y yo éramos unos críos, dejamos que nuestro talento nos gobernara. Era difícil resistirse a la sensación de libertad que ofrecía, y al poder. Resultaba por entonces embriagador ordenar a otros depredadores mortales que corrieran junto a nosotros. Cazar con ellos. A veces, experimentar la precisión de un asesinato a través de sus ojos. Y una vez descubierta la pasión por esa parte salvaje fue muy difícil mantenerla bajo control. A veces todavía lo es.

Aunque Alex ni siquiera pestañeó, Kade sintió el nudo que ella tenía en el estómago mientras lo escuchaba. Sentía repulsión, no por Seth esta vez, o por algún malentendido que Kade podría suavizar con su encanto o con promesas sinceras. Ahora ella estaba viendo la verdad por fin, y por más terrible que fuera saber que él podía ahuyentarla con su sinceridad, ahora no podía parar hasta que no lo supiera todo.

—Demasiado poder nunca es bueno —intervino Chase tras un largo silencio. La voz del exagente de la ley sonaba profunda y reflexiva—. El poder corrompe incluso al más fuerte.

—Sí, así es —aceptó Kade—. Corrompió a Seth muy prematuramente. No sé cuándo empezó a matar humanos. Ahora en realidad no importa. Finalmente, lo descubrí, y tendría que haberlo detenido en aquel momento, pero no lo hice. En lugar de eso, me marché de Alaska. Recibí la llamada de Niko diciéndome que la Orden estaba buscando nuevos reclutas y me marché lo más rápido que pude. Para salvarme a mí mismo de convertirme en lo que Seth se había convertido, huí a Boston y dejé que se las arreglara por sí mismo.

Tegan lo miró con gravedad.

—Eso fue el año pasado. Seth no era ningún niño. ¿Cuánto tiempo vas a seguir considerándolo responsabilidad tuya?

—Era mi hermano —dijo Kade, lanzando una mirada dolorida al cadáver del renegado que una vez había sido prácticamente su imagen en el espejo—. Seth era una parte de mí, casi una extensión de lo que yo era. Sabía que estaba enfermo. Debería haberme quedado aquí para mantenerlo a raya. Y si no dejaba de matar, o resultaba que no podía, entonces debería haberme asegurado de detenerlo.

Los ojos verdes de Tegan se afilaron.

—No es nada fácil matar a un hermano, no importa lo que haya hecho. Pregúntale a Lucan, él podrá decírtelo.

—¿Acaso es más fácil romper el corazón de un padre? —se burló Kade, con un sonido amargo que rascó su garganta—. Mi padre hubiera esperado esto de mí, no de Seth. Toda su esperanza y su atención estuvo depositada siempre en Seth. Habría quedado devastado si lo hubiera visto así. Y eso es lo que habría pasado si yo hubiera expuesto el secreto de Seth en lugar de protegerlo durante todo este tiempo.

Tegan gruñó.

—La verdad no hace más que empeorar cuanto más tiempo la escondas.

—Sí, ahora ya lo sé. —Kade dirigió su mirada a Alex, pero ella se había dado la vuelta. Entregó la manta a Chase y caminó en silencio hacia su avioneta, con *Luna* trotando junto a sus talones. Kade se aclaró la garganta—. Necesito llevar a mi hermano a casa con su familia. Ese es el lugar al cual pertenece. Pero primero quiero asegurarme de que Alex está bien. Y también de que está bien su amiga Jenna.

—También está el problema añadido del agente del pueblo muerto —señaló Chase.

Kade asintió.

—Por no mencionar varios muertos más después de los ataques del Antiguo, y los agentes estatales ya en camino hacia Fairbanks para investigar esos recientes asesinatos en el monte.

—Mierda —dijo Tegan. Le hizo un gesto a Chase para que cubriera el cuerpo de Seth—. Tú y Cazador llevadlo al avión. Y tened cuidado, ¿de acuerdo? Renegado o no, el hermano de Kade le ha salvado la vida hoy. Lo cual significa que Seth probablemente nos ha salvado hoy a todos.

Los dos guerreros asintieron en señal de acuerdo y se llevaron a Seth. Cuando Kade dio un paso para seguirlos, Tegan lo retuvo con una mirada significativa.

—Eh —dijo, hablándole en un tono bajo para que solo él lo oyera—. Sé algo sobre eso con lo que estás lidiando, así que no estás solo. Hace mucho tiempo tuve un estado similar, solo que en mi caso la droga contra la que tuve que luchar fue la furia, la rabia. Casi me mata. Y lo hubiera conseguido, si Lucan no me hubiera sacado de aquella situación. Ahora es Elise quien me mantiene en el suelo. Pero siempre está ahí. La bestia nunca se larga, pero estoy aquí para decirte que puede ser dominada.

Kade le escuchó, recordando lo que había oído acerca de las luchas personales de Tegan, tanto en los remotos comienzos de la Orden siglos atrás en Europa, como en los más recientes acontecimientos que habían unido a Tegan y a su compañera Elise el año pasado.

—No te voy a decir que me sienta feliz de haber oído todo lo que has contado hoy —dijo el vampiro de la primera generación—, pero respeto que hayas confiado en nosotros lo suficiente como para contarlo.

Kade asintió.

—Os lo debía.

—Has hecho bien —respondió Tegan—. Debes recordar una cosa, amigo mío. Hoy has perdido a un hermano en Alaska, pero siempre tendrás una familia en Boston.

Kade sostuvo la intensa mirada verde.

—¿Ah, sí?

—Sí —confirmó Tegan, esbozando una breve sonrisa con la amplitud de su boca—. Ahora saquemos el culo de estas rocas heladas y pongámonos en acción.

Alex no podía fingir que oír la confesión de Kade no la hubiera asustado. Ver a su hermano —el gemelo que se parecía tanto a él— transformado en el mismo tipo de monstruo que había matado a su madre y a Richie no había hecho más que empeorar las cosas.

¿Kade podría convertirse algún día también en un monstruo? Él desde luego creía que sí podía, y la preocupación hacía sentir a Alex un dolor en el pecho, no tanto por miedo ante lo que pudiera pasarle a ella como por angustia debido a lo que pudiera ocurrirle a Kade.

No quería verlo sufrir. No quería perderlo por la enfermedad o esa adicción a lo salvaje que había afectado a Seth.

Con la excepción de Jenna —rogaba que ella estuviera bien—, Alex había perdido a todo el mundo a quien amaba. Ahora Kade podría ser el próximo. Él temía dejarse seducir por la naturaleza salvaje de su talento. Al ver lo que le había ocurrido a Seth, Alex también lo temía. No estaba segura de poder permitirse estar tan profundamente enamorada de Kade solo para perderlo más tarde por algo con lo que nunca podría competir con alguna esperanza de ganar.

Pero el problema era que ella ya lo amaba.

Era la profundidad de ese amor lo que más la aterrorizaba mientras volaba de vuelta a Harmony con él y los otros guerreros. No podía ignorar que el hermano renegado de Kade yacía muerto y amortajado en la zona de carga, como una sombría advertencia de lo que el futuro podía depararle a Kade un día.

Perder a sus seres amados en manos de los renegados había sido ya suficientemente duro. Perder a Kade por culpa del mismo enemigo despiadado que le había arrebatado a su familia era una perspectiva demasiado terrible para ser considerada.

Alex apartó sus pensamientos de esas sombrías preocupaciones y buscó un lugar para aterrizar cerca de la cabaña de Jenna, a las afueras del pueblo. Durante el camino habían decidido evitar la pista de aterrizaje de Harmony para no arriesgarse a atraer en exceso la atención de los preocupados residentes. En lugar de eso, Alex llevó la aeronave hasta un pequeño claro que no estaba lejos de la propiedad de Jenna.

—El rastro hasta la cabaña está justo detrás de esos árboles —le dijo a Kade y a los demás mientras se detenía y apagaba el motor.

Kade se volvió a mirarla desde el asiento del copiloto, a mirarla por primera vez desde que habían dejado la montaña para regresar a Harmony. Sus ojos pestañearon por un momento y se aclaró la garganta.

—Después de que arreglemos las cosas en el pueblo, me gustaría regresar con Seth al Refugio Oscuro de mi familia, cerca de Fairbanks. Sé que es pedirte mucho. Demasiado, probablemente, especialmente después de...

—No es pedir demasiado —respondió Alex—. Por supuesto, Kade. Te llevaré allí cuando estés preparado.

La expresión de él era seria, compungida.

—Gracias.

Alex asintió, sintiendo un poco de lástima por la manera en que parecía apartarse de ella con su silencio y su precaución cuando le hablaba. O tal vez más que apartarse de ella, la estaba alejando de él.

Alex bajó del avión con Kade y los tres machos de la estirpe, dejando a *Luna* al cuidado del cuerpo de Seth mientras todos iban al encuentro de Jenna y de Brock.

En cuanto apareció ante la vista la cabaña de su amiga, con la puerta arrancada y la sangre de Zach todavía visible bajo la nieve fresca recién caída, la realidad de lo que había ocurrido se alzó ante Alex con una oleada de emoción.

—Oh, Dios mío —dijo ahogando un grito y echando a correr en cuanto estuvieron cerca—. ¡Jenna!

Brock apareció ante el hueco de la puerta, con su enorme cuerpo de macho de la estirpe bloqueando la entrada mientras Alex se precipitaba hacia las escaleras del porche.

—Ella se encuentra bien. Está confundida y todavía no del todo coherente, pero no está herida. Se pondrá bien. La he llevado al dormitorio para que pueda descansar más cómodamente.

Alex no pudo contener el impulso de lanzar sus brazos alrededor de los hombros del enorme guerrero para darle un abrazo de agradecimiento.

—Gracias por cuidar de ella, Brock.

Él asintió con solemnidad, y sus ojos marrón oscuro tenían una calidez tan amable que resultaba incongruente con la apariencia inmensa y letal del guerrero.

—¿Qué ha ocurrido? —preguntó mientras Alex pasaba junto a él para entrar en la cabaña y los otros guerreros iban tras ella—. ¿Encontrasteis al Antiguo?

—Es una larga historia —dijo Tegan—. Te la contaremos más tarde, pero es suficiente con decir que el Antiguo está muerto. Lamentablemente, no sin víctimas de nuestro lado. Kade ha perdido a su hermano en la batalla.

—¿Qué? —La expresión de Brock se trastocó mientras apoyaba una mano reconfortante en el hombro de Kade—. Oh, Dios, sea lo que sea lo que haya pasado, lo siento.

Alex estaba conmovida con verdadera emoción por el fuerte lazo que compartían Kade y Brock, entre todos los guerreros reunidos en el pequeño espacio de la cabaña. Para ella era una lección de humildad ver a esos hombres tan fuertes —hombres que eran, en su centro, algo mucho más extraordinario que hombres, en realidad— cuidándose los unos a los otros como una familia.

Sintiéndose en cierto modo una intrusa en aquel momento, Alex fue hasta el dormitorio donde Brock había llevado a Jenna, que descansaba acurrucada en la cama.

Jenna se movió ligeramente mientras Alex se sentaba con suavidad en el borde del colchón.

—Hola —murmuró, con la voz soñolienta, apenas un susurro. Abrió los párpados por una leve fracción de segundo.

—Hola. —Alex sonrió y apartó un mechón de cabello de la mejilla pálida de Jenna—. ¿Cómo te sientes, cariño?

Jenna murmuró algo indescifrable y sus ojos se cerraron una vez más.

—Ha estado recobrando y perdiendo la conciencia desde que os marchasteis.

Alex volvió la cabeza y encontró a Brock de pie detrás de ella. Kade y los otros guerreros entraron en la habitación también. Todos miraban a Jenna con preocupación.

—Está todavía débil por la pérdida de sangre —dijo Brock—. El Antiguo debió de haber estado con ella el tiempo suficiente para alimentarse. Pero ha tenido suerte. Al menos todavía está viva.

Alex cerró los ojos, el dolor por la terrible experiencia que Jenna había tenido que soportar hacía que le faltara el aire en los pulmones.

—La hice entrar en un ligero trance para calmarla —añadió Brock—, pero algo no va bien del todo. El trance no la duerme por completo, lo que resulta particularmente extraño considerando que es humana.

—¿No es una compañera de sangre? —preguntó Tegan.

Brock negó con la cabeza.

—Por lo que puedo ver es una simple homo sapiens.

Tegan gruñó.

—Supongo que al menos esa es una buena noticia. ¿Qué es lo que le ocurre?

—Maldito sea si lo sé. No está sufriendo dolor, pero continúa despertando aturdida, murmurando un montón de cosas sin sentido, extrañas incoherencias enmarañadas.

Alex bajó la mirada hacia su amiga y la acarició suavemente.

—Pobre Jenna. Ha tenido que soportar muchas cosas. No merecía esto además de todo lo que ha tenido que sufrir. Desearía poder chasquear los dedos y borrar todo lo que ha ocurrido hoy aquí.

—Eso en realidad puede hacerse —dijo Tegan. Cuando Alex se volvió hacia él con una mirada sorprendida e interrogante, él continuó hablando—: Podemos borrar sus recuerdos de todo esto. Es indoloro y es rápido. Ni siquiera sabrá que hemos estado aquí. Podemos hacer que no recuerde nada de los últimos días, o de toda la semana o más tiempo si es necesario.

—¿Podéis hacer eso?

Tegan se encogió de hombros.

—Resulta muy práctico de vez en cuando.

Alex miró a Kade.

—¿Y qué pasa conmigo? ¿Podéis borrar también de mi memoria todo esto?

Kade le sostuvo la mirada por lo que pareció un momento interminable.

—¿Eso es lo que quieres?

Hubo un tiempo en que Alex habría saltado de alegría ante la oportunidad de deshacerse de todos los recuerdos horribles que la invadían. Ser capaz de parpadear y no recordar nada de su pérdida ni su dolor, nada de su miedo.

Hubo un tiempo, no muy lejano en realidad, en que hubiera dado cualquier cosa por olvidarlo todo.

Pero ya no.

Su pasado ahora formaba parte de lo que ella era. Las cosas de las que había sido testigo, por muy terribles que fuesen, habían conformado su vida. No podía descartar voluntariamente los recuerdos de su madre y de Richie, ni siquiera el recuerdo de la noche en que habían sido asesinados. Hacer eso sería tan solo otra forma de huir, de esconderse de las cosas para las que no se sentía lo bastante fuerte como para enfrentarse a ellas.

Ella no quería seguir siendo esa persona.

No podía volver a vivir de esa manera, nunca más.

Antes de que pudiera decir nada, Jenna comenzó a removerse en la cama. Estiró y contrajo las extremidades, y su rostro adquirió una expresión de dolor mientras jadeaba a través de los labios separados. Murmuró algo ininteligible, y luego sus movimientos se hicieron más agitados.

Brock fue junto a Alex y colocó su enorme mano en la espalda de Jenna con la mayor ternura. Cerró los ojos, concen-

trándose mientras la acariciaba, y algo de la angustia de Jenna
pareció calmarse con su contacto.

—Brock —dijo Tegan, sacudiendo débilmente la cabeza—.
No la hagas entrar en trance ahora. Necesito oír lo que está diciendo.

El guerrero asintió, pero mantuvo la mano en la espalda de
Jenna, todavía acariciándola con un ligerísimo movimiento.
Ella se relajó en la cama, pero continuó moviendo los labios,
susurrando esas peculiares incoherencias mientras iba alcanzando un mayor estado de calma.

Tegan la escuchó durante un momento, y la expresión de
su rostro se agravaba con cada nueva sílaba extraña que salía
de la boca de Jenna.

—Dios bendito. No podemos borrar nada de la mente de
esta mujer. Y tampoco podemos arriesgarnos a hacerla entrar
en trance.

—¿Qué ocurre? —preguntó Alex, preocupada por la expresión aturdida del guerrero, que normalmente exhibía un
rostro completamente impasible—. ¿Le ocurre algo malo a
Jenna?

—No lo sabremos hasta que regresemos a Boston.

Alex se puso en pie, ahora alarmada.

—¿De qué estáis hablando? ¿Llevar a Jenna a Boston? No
podéis tomar esa decisión por ella. Tiene una vida en Harmony...

—Ya no —dijo Tegan, con un tono que no daba pie a dis-
cusiones—. Cuando nos vayamos, esta mujer vendrá con nosotros.

Kade se colocó junto a Alex.

—¿Qué es lo que ocurre, Tegan?

El viejo macho de la estirpe inclinó la cabeza en la dirección de Jenna, que continuaba su débil murmullo bajo la suave mano de Brock.

—La amiga humana de Alex no está diciendo incoherencias. Está hablando en otra lengua. En la lengua del Antiguo.

Capítulo treinta y uno

Costó un poco calmarse después de la conmoción que causó la bomba arrojada por Tegan a propósito de Jenna. Mientras Kade y sus compañeros guerreros se habían conectado a través del teléfono vía satélite con los cuarteles de la Orden para informar a Lucan acerca del desarrollo de los acontecimientos y potenciales desastres en Alaska, Alex se había quedado en el dormitorio de su amiga todo el tiempo.

Estaba preocupada por Jenna; Kade lo sabía.

Alex había tratado de discutir con Tegan y con él, sosteniendo que no era justo sacar a Jenna de su mundo en Harmony y llevarla a Boston sin que ella tuviera nada que decir en el asunto. Pero Tegan no había cedido, y tampoco lo haría Lucan en cuanto el líder de la Orden fuera informado de la sorprendente revelación concerniente a Jenna Tucker-Darrow y el hecho de que una mujer humana hablara de repente un lenguaje que no era originario de este planeta y que no se escuchaba desde hacía varios siglos.

Un lenguaje que era reconocible únicamente para los más viejos de la estirpe, muy pocos, y que podía ser de utilidad para la Orden en sus esfuerzos para vencer a uno de sus más poderosos enemigos, Dragos.

Alex se mostró reacia ante la idea de dejar a Jenna sola con los compañeros de Kade cuando llegó la hora de acompañarlo al Refugio Oscuro de su familia. Tegan le había dado su palabra de que Jenna estaría a salvo con ellos, pero Kade advirtió que fue el consuelo personal de Brock lo que finalmente logró disipar algo de preocupación de los ojos de Alex.

LARA ADRIAN

—Brock cuidará bien de ella hasta que volvamos —dijo ahora Kade, sentado junto a Alex en el asiento del copiloto de su aeronave mientras volaban por encima de las luces de Fairbanks, a varios miles de metros más abajo. Alex también había dejado a *Luna* al cuidado de los guerreros, enviando a la perra a la cabaña de Jenna antes de partir junto a Kade—. No debes preocuparte, Alex. He luchado junto a Brock durante todo el año pasado, confiando en él la protección de mi espalda mientras yo protegía la suya. Cuando da su palabra, puedes contar con que la va a mantener. Jenna no podría estar en mejores manos.

Eso era más de lo que podía decir de Alex, pensó Kade sombrío. Si no hubiera necesitado el avión para transportar el cuerpo de Seth a la propiedad de su familia, habría insistido en que Alex se quedara también al cuidado de Brock. El recibimiento que lo aguardaba en el Refugio Oscuro de su padre no sería agradable, y él lo sabía. Lo último que quería era que Alex fuera testigo de su vergüenza, o que viera el dolor que su regreso iba a causar en sus parientes cuando les entregara el cadáver de Seth.

Era un tramo del camino que preferiría recorrer solo, pero había una pequeña parte de él que se sentía agradecida por contar con su compañía. Egoístamente, en alguna medida lo consolaba tener su presencia al lado.

Alex le dirigió una mirada en silencio.

—¿Y qué pasa con el resto de la gente de Harmony? Oí decir a Tegan por teléfono que él, Chase y Cazador iban a contener la situación mientras nosotros nos encargábamos de Seth. ¿Qué significa exactamente «contener la situación»? No irán... a hacer daño a nadie, ¿verdad?

—No. No harán daño a nadie —dijo Kade, que había participado en la discusión con Lucan y los demás acerca de los estratégicos pasos finales de la misión en Alaska—. ¿Recuerdas cuando dijiste que desearías que hubiese un modo de borrar los recuerdos del Antiguo de la memoria de Jenna como si no hubiera tenido que pasar por eso?

Alex le dirigió una mirada incrédula hasta que comprendió.

—¿Te refieres a borrar los recuerdos de todo el pueblo?

304

Hay casi cien personas en Harmony. ¿Qué es lo que van a hacer Tegan y los demás, recorrer todas las calles golpeando cada puerta?

Kade sonrió a pesar de la gravedad de la situación, incluyendo el abismo de situaciones no resueltas que todavía se abría entre los dos.

—Estoy seguro de que encontrarán una manera de hacer el trabajo. Si Tegan tiene una cualidad, esa es la eficiencia.

Kade miró a través de la ventanilla el oscuro paisaje bajo el avión, que ya no era el terreno uniforme del pueblo, con sus calles de tierra y sus tejados cubiertos de nieve, sino el escarpado y vasto terreno del monte.

—Las cuatro mil hectáreas de mi padre comienzan justo en aquella cadena que hay aquí delante. Hay un claro donde podemos aterrizar al otro lado de esos abetos del norte. El recinto de los Refugios Oscuros está después de un camino fácil desde el claro.

Alex hizo una señal de reconocimiento mientras guiaba la aeronave hacia el terreno que él le había indicado.

En cuanto aterrizaron, Kade fue hacia la parte trasera de carga y sacó el cuerpo de Seth, ensangrentado y envuelto en una manta. Transportó el bulto sin vida con mucho cuidado, como una preciosa carga que ya no volvería a llevar. Por mucho que pretendiera estar solo al llevar a su hermano a casa, en tanto que era su deber, tenía que reconocer que la presencia de Alex mientras caminaba hacia el recinto del Refugio Oscuro le brindaba un consuelo que no había esperado necesitar.

Ella caminaba junto a él con sobrio propósito, en el patio nevado de la residencia principal. Debía de estar ya bien entrada la mañana, probablemente faltarían tan solo un par de horas para el mediodía y la salida del sol. La mayor parte de la población de la estirpe de la pequeña comunidad estaría dentro de sus cuartos privados, tal vez durmiendo, o algunos haciendo el amor.

Kade se detuvo frente a la gran casa donde vivían sus padres, y se puso a pensar que en cuestión de minutos destrozaría sus vidas con la pena y el dolor. Justo aquello de lo que había querido protegerlos guardando el secreto de Seth durante tanto tiempo.

LARA ADRIAN

—¿Estás bien? —Alex vacilaba junto a él. Le puso la mano en el hombro, una mano tierna y cálida que le dio más fuerzas de lo que ella podía saber.

Necesitaría esa fuerza para el momento que lo esperaba.

Desde el interior del Refugio Oscuro se oyó el sonido de pisadas rápidas sobre el suelo de tablones de madera. Sonó la voz de su madre.

—¿Kir? Kir, ¿qué ocurre? ¿Dónde vas?

El padre de Kade no contestó.

La puertas de la residencia principal se abrieron de golpe con la fuerza que solo podían tener las emociones de un miembro antiguo de la estirpe. Atravesó el umbral como una tempestad, con todo el aspecto de acabar de levantarse de la cama y haberse demorado únicamente para ponerse unos pantalones holgados de franela antes de volar fuera para oír la noticia que ningún padre querría oír.

Alex ahogó un grito al verlo, aunque su conmoción no fue ninguna sorpresa para el hijo sobreviviente de Kir.

Más de dos metros de musculosa furia y dermoglifos que ardían con oscuros tonos de ira y alarma se hallaban petrificados ante el porche de la gran residencia de madera. Los ojos grises crepitaban con un brillo ámbar, lanzando una mirada interrogante sobre ella antes de aterrizar sobre Kade con una sentencia lacerante.

—Dime qué le ha pasado a mi hijo.

Kade nunca había oído temblar la voz de su padre, ni siquiera las veces que peor lo había visto. El temblor en aquella profunda voz de barítono era ahora como un cuchillo en el estómago de Kade.

—Padre..., lo siento.

Kir bajó los escalones como un rayo hasta la nieve. Se detuvo frente a Alex y Kade, y retiró con una mano temblorosa la manta que cubría el rostro de Seth.

—¡Oh, Dios, no! —Las palabras se atragantaron en el fondo de su garganta, crudas de angustia. Miró de nuevo, más tiempo ahora, como obligándose a sí mismo a tomar conciencia del rostro del renegado oculto bajo el sudario—. Rogué para que esto no volviera a pasar. Maldita sea, no a uno de mis hijos.

—¡Kir! —Kade vio a su madre embarazada saliendo del

306

porche, con el camisón de seda debajo de una larga parka que había recogido antes de salir de casa. Los pasos le fallaron cuando vio a Kade de pie en la nieve, sosteniendo en los brazos un bulto inconfundible—. ¡Oh, Dios mío! Oh, no. ¡Oh, Dios, no! Por favor, dime que no...

—Retrocede —ladró la voz del padre. Luego bajó la voz alcanzando una suavidad conmovedora—. Victoria, te lo suplico, no te acerques más. Por favor, amor mío, vuelve dentro. Haz lo que te pido. No necesitas ver esto.

Con un sollozo, ella retrocedió unos pasos hacia la puerta, ayudada por Maksim, que acababa de salir en ese momento. Max la cogió del brazo para sujetarla y la condujo de vuelta al interior del Refugio Oscuro.

—Dámelo —dijo el padre de Kade cuando las puertas se cerraron con Max y Victoria dentro—. Déjame sostener a mi hijo muerto.

Kade le entregó a Seth y observó cómo su padre cargaba el cuerpo, con los pies desnudos a través de la nieve que le llegaba por los tobillos, hacia la capilla del Refugio Oscuro que estaba cerca del centro del recinto. Allí, como era costumbre, el cadáver de Seth sería preparado para los ritos funerarios para ser sacado en la próxima salida del sol.

Kade sintió que los brazos de Alex lo envolvían en un cálido abrazo, pero eso hizo poco para aliviar el helado arrepentimiento que se cernía sobre él como un buitre sobre la carroña.

En tan solo un par de horas, lo único que quedaría de su hermano sería una pila de cenizas quemadas por el sol.

De vuelta en Harmony, los guerreros se armaron de valor para arreglar la situación con los habitantes del pueblo. Ya se habían ocupado de la tarea de hacer desaparecer varios cadáveres de la cámara frigorífica del aeropuerto y de la diminuta clínica del pueblo.

—Una cosa buena de toda esta nieve y esta tierra salvaje es precisamente toda esta nieve y esta tierra salvaje —señaló Tegan secamente mientras Chase y Cazador se encontraban con él ante sus trineos en una pista de caza situada a varios kilómetros en el monte.

Habían salido de Harmony con los trineos para sacar del pueblo a la familia Toms, a Big Dave y a Lanny Ham y para llevar a las recientes víctimas del Antiguo a una caverna en la zona de las montañas. Unos pocos disparos estratégicos habían servido para lograr que el hielo y las rocas se colapsaran en la boca de la cueva, sellándola y garantizando que los muertos no serían encontrados por lo menos hasta la próxima edad de hielo.

—¿Gideon ha dicho alguna cosa acerca de la segunda fase de la operación? —preguntó Tegan a Chase, que se había estado encargando de coordinar la lista de tareas para desempeñar en el pueblo durante aquel día.

—Todo está en orden —dijo Chase—. Gideon ha hablado con un tal Sidney Charles, el alcalde a cargo de Harmony para informarle de que la unidad de agentes enviada por la división del estado de Alaska en Fairbanks debería llegar dentro de una hora para dirigirse a los habitantes de la ciudad en grupo y recoger declaraciones.

—¿Y supongo que el alcalde del pueblo se ha mostrado de acuerdo con eso?

Chase asintió.

—Le dijo a Gideon que se encargaría personalmente de asegurarse de que acudieran todos los ciudadanos. Se están reuniendo en la iglesia de Harmony para esperar a que vayamos a hablar con ellos.

Tegan se rio por lo bajo.

—Entonces, ¿qué comporta eso? Allanamiento de morada, manipulación de las pruebas, alteraciones en la escena del crimen, usurpación de la identidad de los oficiales, borrar la memoria aproximadamente a unas cien mentes humanas de un plumazo y hacerlo todo antes de que salga el sol...

Chase sonrió.

—Un día de trabajo.

Kade no estaba seguro de si sería bien recibido en la capilla del Refugio Oscuro donde se habían reunido todos los residentes para despedirse de Seth durante los minutos que quedaban antes de la salida del sol. Había tratado de evitar todo el maldito ritual completamente, caminando de arriba abajo por sus habitaciones frente a Alex como un animal enjaulado mientras se acercaba cada vez más la hora del mediodía, cuando el sol invernal haría finalmente su breve aparición. Pero ya no podía aguantar más.

—Tengo que ir —soltó, deteniéndose frente a Alex, que estaba sentada en el sofá, en el salón de su cabaña—. Aunque piensen ellos que me corresponde o no me corresponde, necesito estar allí. Por Seth. Y por mí mismo, también. Maldita sea, necesitan oír lo que tengo que decir.

Salió de la cabaña como un relámpago y atravesó el terreno helado. La nieve débilmente teñida de azul estaba iluminada por la aproximación de la salida del sol, y crujía bajo sus botas con cada largo paso que lo conducía hacia la capilla.

Las ventanas del pequeño edificio de troncos ya estaban cerradas anticipándose a la luz del día. Mientras Kade se acercaba, oyó el murmullo de voces bajas en oraciones privadas, mezclado con los sonidos intermitentes de los llantos.

Incluso antes de alcanzar a tocar el pomo de la puerta, notó el olor de parafina de las ocho velas que ardían en el altar, y la fragancia del aceite perfumado que ungía el cuerpo de Seth como preparación para los infinitos ritos que tendrían lugar.

Ocho unidades de aceite para bendecirlo y limpiarlo. Ocho capas de prístina seda blanca para envolverlo hasta que su cuerpo fuera entregado al sol. Ocho minutos de exposición a la luz ultravioleta para aquel escogido para asistir a Seth en privado durante los momentos finales de la ceremonia funeraria.

—Joder —susurró Kade, deteniéndose ante las puertas de la capilla cuando la realidad de todo aquello lo sobrecogió.

Su hermano estaba muerto.

Su familia estaba de luto.

Y Kade se sentía más que un poco culpable por todo eso.

Abrió la puerta de la capilla y entró. Prácticamente todas las cabezas se volvieron en su dirección, algunos mirándolo con piedad, otros como al extraño en que se había convertido para ellos después de pasar un año con la Orden.

Todo el mundo reunido en la capilla iba vestido con atuendo ceremonial: las mujeres envueltas en largos vestidos negros con capuchas y los hombres llevaban largas túnicas negras con cinturones. Encontró a sus padres en la primera fila de bancos, de pie junto a Maksim y Patrice, todos vestidos de negro, con los rostros pálidos y conmocionados, los ojos enrojecidos y húmedos por el dolor. Si Seth se hubiera unido a Patrice como compañera de sangre, ella hubiera llevado una capucha escarlata para simbolizar su lazo de sangre. El cuerpo de Seth, envuelto en seda blanca sobre el altar, habría llevado un solo beso carmesí, pues su compañera se habría pintado los labios para apretarlos luego contra su boca simbolizando un último adiós.

Mientras Kade consideraba las tradiciones solemnes de su raza, no podía evitar pensar en Alex. No podía evitar imaginar un futuro donde fuera él quien se hallaría tendido en el altar funerario, con el rostro transformado como el de Seth, congelado por la lujuria de sangre bajo la mortaja de seda blanca. ¿Lo amaría Alex entonces?

¿Podía pedirle realmente que lo amara ahora, después de todo lo que sabía sobre él? Después de todo lo que había visto y oído en las últimas horas, ¿podía esperar volver a ganarse de nuevo su confianza o su afecto?

¿Y qué pasaría con la gente reunida en aquella capilla? ¿Podrían los parientes de su Refugio Oscuro sentir por él algo que no fuera desprecio?

Kade no lo sabía. Y en aquel momento, no le importaba lo más mínimo. Caminó por el pasillo central, sabiendo que debía de parecer fuera de lugar con aquel traje de combate negro y manchado de sangre, con los revólveres y cuchillos que llevaba en las fundas del cinturón, en torno a las caderas y sus enormes botas haciendo un eco hueco sobre el suelo de madera pulida que conducía al altar.

La mirada de su padre se afiló oscuramente cuando Kade comenzó a caminar hacia el frente de la capilla. Al pasar las filas de bancos oía el débil murmullo de oraciones y el suave susurro de alabanzas hacia su hermano.

—Siempre fue un chico encantador, ¿verdad? —comentó alguien con una voz apenas audible—. Es trágico que algo así le haya ocurrido a él.

—Seth era, de los dos, el estudioso y el responsable —recordó otro susurro imparcial—. Se hubiera convertido en un buen líder de los Refugios Oscuros algún día.

—Pobres Kir y Victoria, se les debe de haber partido el corazón —señaló otro residente ahogado de dolor, en voz tan baja que Kade apenas pudo oírlo al pasar—. ¿Quién se hubiera imaginado que Seth podría llegar a convertirse en renegado? Qué desperdicio y qué decepción para la familia.

—Kir se niega a hablar de ello —fue la respuesta murmurada—. Entiendo que esté tan avergonzado, no ha dejado que nadie se acerque al cuerpo desde que Kade lo trajo a casa.

—Eso es cierto —señaló otra voz en tono confidencial—. Kir solo ha permitido esta reunión para los ritos funerarios porque Victoria ha insistido mucho. Él simplemente preferiría deshacerse de Seth como si no hubiera existido.

Kade ignoró la débil ola de especulaciones susurradas detrás de él mientras avanzaba hacia el altar al frente de la capilla. La vergüenza y desaprobación de su padre no lo sorprendían. Su feroz disciplina y rígido perfeccionismo harían que Kir jamás tolerara a un renegado en su familia, y mucho menos que estuviera dispuesto a admitir que su hijo predilecto había caído en la lujuria de sangre.

Kade también estaba avergonzado, no tanto por la debilidad de su hermano y sus imperdonables delitos como por su propia responsabilidad al no haber ayudado a que Seth cambiara de vida antes de que fuera demasiado tarde.

—Este momento pertenece a mi hermano —dijo, dirigiéndose al grupo de parientes reunidos y a los otros residentes del Refugio Oscuro—. No deseo robarle ni un solo segundo de atención a Seth, pero hay cosas que deberíais saber. Cosas que todos necesitáis entender antes de condenarlo por aquello en lo que se acabó convirtiendo.

—Siéntate, Kade. —La voz de su padre sonó baja y controlada, pero sus ojos chisporroteaban de rabia—. Este no es ni el momento ni el lugar.

Kade asintió.

—Lo sé. Debería haberlo hecho muchísimo antes. Tal vez si hubiera hablado antes, mi hermano habría tenido una oportunidad. Tal vez no estaría muerto.

Su padre se levantó, dejando su asiento vacío en el banco.

—Nada de lo que digas cambiará ni una maldita cosa. Así que cállate. Déjalo estar.

—No puedo —dijo Kade—. He cargado con el secreto de Seth durante demasiado tiempo. También he cargado con mis propios secretos. Ha llegado el momento de asumir las cosas.

La madre de Kade trató de controlar una ráfaga de lágrimas y se llevó una de sus delgadas manos a su vientre en cinta, donde estaban creciendo otro par de gemelos.

—¿De qué estás hablando? ¿Qué secretos, Kade? Por favor, quiero saberlos.

Él advirtió la mirada de odio y desaprobación de su padre ante la súplica que inundaba de lágrimas los ojos húmedos de su dulce madre. Tal vez lo que él iba a decir en esa habitación, ante todos aquellos testigos, podría servir algún día para salvar a ese nuevo par de hermanos que pronto nacerían con el mismo talento, el mismo talento seductor y adictivo que él y Seth poseían. Solo por esa razón, tenía que hablar.

Y además, estaba Alex.

Kade dirigió la mirada hacia la multitud apiñada al fondo de la capilla. Alex había entrado en silencio y ahora estaba de pie cerca de las puertas cerradas, con la mirada firme, tierna y fuerte al mismo tiempo. Ella asintió débilmente, y esa era la única aprobación que realmente importaba en toda aquella habitación.

—Mi hermano no estaba bien —contó a la callada audiencia—. Desde que éramos unos críos, competíamos con la habilidad que habíamos heredado al nacer. El don tal vez presente en alguien más, como en ti, madre —dijo, mirándola al hablar acerca del talento único que poseía—. Ese talento puede ser una fuerza. Para Seth y para mí se convirtió en una maldición. Era demasiado poder para dos chicos demasiado estúpidos y arrogantes y demasiado inocentes para entender las consecuencias. Abusamos del talento que heredamos de ti. Al principio lo tratamos como un juego, corriendo por los bosques con las manadas de lobos, cazando con ellos... matando con ellos. Permitimos que esa parte salvaje nos dominara. En algún momento, me di cuenta de que Seth no era capaz de parar.

—Oh, hijo mío —ahogó un grito ella—. Lo siento tanto. No tenía ni idea...

—Lo sé —dijo él, interrumpiéndola antes de permitir que se culpara más a sí misma—. Nadie tenía ni idea. Fue un error por mi parte y por la de Seth ocultar la verdad. Y yo empeoré las cosas el año pasado al marcharme de Alaska.

Kir frunció el ceño.

—¿Las empeoraste... cómo?

—Seth había matado a un humano. —Kade ignoró el grito ahogado de terror que circuló por toda la congregación, y continuó con la mirada clavada en los ojos de su padre—. Él mató y yo sabía que lo había hecho. Me juró que había sido un error y que no volvería a repetirse. No le creí. Quería creerle, pero conocía demasiado bien a mi hermano. Tendría que haber hecho algo entonces. Tendría que haber encontrado la forma de asegurarme de que no lo haría otra vez. En lugar de eso, hui.

El silencio llenó la habitación mientras Kade hablaba. Se acentuó de forma interminable, un peso frío y empapado que se instaló sobre sus hombros mientras mantenía los ojos fijos en la mirada indescifrable de su padre. La madre de Kade se apresuró a llenar el terrible silencio.

—Tú tenías que marcharte, Kade. La Orden necesitaba tu ayuda en Boston. Tenías un trabajo importante que hacer allí...

—No —dijo Kade, negando lentamente con la cabeza—. Yo estaba encantado de unirme a la Orden, pero no me fui por eso. En realidad no. Dejé Alaska porque temía que si me quedaba me acabara convirtiendo en alguien como Seth. Para salvarme a mí, abandoné a mi hermano, os abandoné a todos y hui a Boston para satisfacer mis propias necesidades egoístas. No hubo ningún honor en lo que hice.

Miró hacia el fondo de la capilla al decirlo, y se encontró con la mirada de Alex. Ella lo escuchaba sin juzgarlo, el único par de ojos de toda la habitación que no estaban fijos en él con desprecio o atónita incredulidad.

—Lo que hizo Seth estaba mal —continuó Kade—. Estaba enfermo, quizá no se le podía ayudar, incluso antes de que su debilidad lo convirtiera en renegado. Pero a pesar de todo eso, murió con honor. Solo porque Seth se sacrificó hace una horas, yo estoy ahora vivo. Y lo más importante es que esa hermosa y extraordinaria mujer que está de pie al fondo de la capilla también está viva por las acciones de Seth en el momento final de su vida.

Todo el grupo se volvió a mirar a Alex. Ella no se acobardó ante la atención repentina, ni ante los susurros curiosos que atravesaron la capilla después de la revelación de Kade.

—Seth no era perfecto —dijo Kade—. Dios sabe que yo nunca lo seré. Pero amaba a mi hermano. Y le estoy profundamente agradecido por lo que hoy ha hecho.

—Tú lo has honrado —murmuró una voz masculina a la izquierda de Kade. Él levantó la mirada y encontró a Maksim de pie. Asintió con seriedad—. Tú nos has honrado hoy a todos, Kade.

La alabanza de su tío, y su amigo, era inesperada, y le provocó a Kade un nudo en la garganta. Entonces se alzaron murmullos similares entre la multitud reunida en la habitación.

Kir se adelantó y colocó la mano en el hombro de Kade.

—Es la hora. Llega la luz del día y debo exponer a Seth al sol.

Kade envolvió con sus dedos la gruesa y fuerte muñeca de su padre.

—Déjame hacerlo. Por favor... debería ser yo, padre.

Esperaba una negativa breve. Una mirada oscura que habría obligado a Kade a no insistir en llevar la carga, en tener el honor final de acompañar a Seth durante los ocho minutos de exposición solar requeridos en la tradición funeraria de la estirpe.

Pero Kir no discutió. Dio un paso atrás, no dijo nada mientras Kade se quitaba la camisa de combate y su cinturón de armas y los colocaba en el banco de madera más cercano.

Nadie murmuró ni una sílaba cuando fue hasta el altar y levantó en sus brazos el cuerpo de su hermano. Luego avanzó por el pasillo que daba al jardín nevado de la capilla, donde el sol del mediodía comenzaba justo a asomarse a través de la penumbra del cielo invernal.

Capítulo treinta y dos

Alex esperaba en la cabaña de Kade, ansiosa y preocupada al saber a qué se estaba sometiendo en el patio de la capilla del Refugio Oscuro. Su piel se expondría a ocho minutos de luz ultravioleta. Ocho minutos de dolor espantoso, antes de que el deber le permitiera dejar el cuerpo de su hermano consumiéndose con los rayos del sol.

Alex no habría tenido ni idea acerca de los ritos funerarios de la estirpe si no hubiera sido por el tío de Kade, Maksim, y su joven compañera de sangre Patrice, que se habían acercado a ella para presentarse después de que Kade se llevara el cuerpo de Seth. La pareja se había mostrado cálida y acogedora, esperando junto a Alex mientras el resto de congregados partían a través de los túneles subterráneos que conectaban todos los edificios del recinto de los Refugios Oscuros.

Max y Patrice se habían ofrecido a quedarse con Alex en las habitaciones de Kade para acompañarla y ayudarla luego a atender sus quemaduras, pero Alex había declinado el ofrecimiento tan educadamente como había podido. Ella no creía que Kade quisiera sentirse tan mimado. Ni siquiera estaba segura de que quisiera que ella estuviera allí, una preocupación que le hacía esperar su regreso todavía con mayor ansiedad.

Pero sus pensamientos volaron como cenizas en el aire al oír los pasos de Kade acercándose al porche de la cabaña.

Alex corrió a abrir la puerta, afligida al verlo de pie con la abrasadora luz del día detrás de él.

Increíblemente, después de los ocho minutos con su hermano, Kade no había tomado el camino de los túneles, sino que por lo visto había caminado a través del terreno de la capilla hasta sus habitaciones.

—Oh, Dios mío —susurró Alex mientras sus pálidos ojos plateados la miraban fijamente desde la enrojecida y llagada piel de su rostro. Sentía una opresión en la garganta como si la tuviera agarrada por un puño—. Ahora vamos adentro.

Al pasar junto a ella, sus hombros desnudos, sus brazos y su tronco irradiaban calor. Era evidente que estaba sufriendo, pero no mostraba signos visibles de daños por los rayos UVA en la piel.

—Ven conmigo —dijo Alex—. Tengo un baño de agua fría esperándote.

Él le dirigió una mirada interrogante.

—He conocido a Maksim y Patrice en la capilla. Ellos me dijeron lo que necesitarías al regresar. —Kade curvó los labios ligeramente al oírlo, pero cuando trató de hablar, su voz no fue más que un sonido ronco y rasposo—. Vamos, Kade. Deja que me ocupe de ti.

Caminó junto a ella a lo largo del pasillo hasta el cuarto de baño. No ofreció resistencia cuando ella lo ayudó a desvestirse y le quitó las botas y los calcetines a la vez mientras él estaba de pie en el suelo de baldosas, con la ancha palma de su mano como una plancha eléctrica contra su hombro mientras se apoyaba en ella para sostener el equilibrio. Alex le quitó con cuidado el traje negro y los calzoncillos. No pudo contener un suave grito ahogado, sorprendida como siempre por la masculina perfección de su cuerpo y la complejidad artística de sus glifos, incluso aunque en ese momento estuviera demasiado preocupada calmando las quemaduras como para recrearse en la visión de su desnudez.

Lo ayudó a entrar en la bañera, observándolo mientras se hundía lentamente en agua fría, con un bufido que se convirtió en un largo y profundo suspiro.

—¿Estás bien?

Él gimió y asintió con suavidad, con los ojos cerrados mientras el vapor de su piel caliente subía en espiral sobre la superficie del agua.

—Gracias —murmuró con la voz gruesa, hundiéndose profundamente en el baño.

Alex cogió un trapo suave y lo sumergió en la bañera.

—Ahora relájate. Yo haré el resto.

Con cuidado ella dejó caer un hilo de agua fría y clara sobre sus hombros llagados. Hizo lo mismo con las quemaduras de su espalda y de su pecho, y luego con sus fuertes brazos desnudos. Tan cuidadosamente como pudo, llevó el trapo a su rostro y limpió la carne al rojo vivo de sus delgadas y angulosas mejillas y de las fuertes y severas líneas de su barbilla y de su frente.

Mientras se relajaba profundamente, Alex le echó suavemente la cabeza hacia atrás para que pudiera mojar su pelo negro y dejar caer agua fría sobre su cuero cabelludo.

—Las cosas que dijiste hoy en la capilla acerca de Seth y de ti... Me sentí muy orgullosa, Kade. Hace falta mucho coraje para plantarte ahí y decir lo que dijiste.

Él gruñó, negándolo sin palabras.

—Puede que no lo creas, pero fuiste un buen hermano para Seth. Creo que hoy todo el mundo lo ha visto. Eres también un buen hijo para tus padres.

Él abrió los párpados aunque sus oscuras cejas se fruncieran.

—Solo hablé unos minutos —dijo con voz seca y rasposa—. Eso fue todo. Eso no borra el pasado. No significa nada.

Alex salpicó más agua en su pelo y tiernamente pasó los dedos por sus sedosos mechones.

—¿Por qué eres tan duro contigo mismo?

—Viendo en qué se convirtió mi hermano deberías tener la respuesta a eso —dijo él, gruñendo las palabras—. Estoy seguro de que no necesito recordarte de lo que era capaz. Lo viste con tus propios ojos en el bosque a las afueras de Harmony.

—Sí —admitió Alex suavemente—. Lo vi. Pero ese fue Seth, no tú. ¿O acaso debo recordarte que esas fueron tus palabras cuando te conté lo que vi? Seth era un asesino, tú no.

Él soltó una fuerte maldición, pero Alex ignoró su ira creciente.

—Seth fue quien se convirtió en renegado, Kade. Eso no significa que tú también vayas a hacerlo.

Kade se movió en la bañera, levantando la cabeza para poder mirarla directamente a los ojos.

—La mayor parte de mi vida, Alex, he estado ocultándome

de la verdad, viviendo en la negación. Huyendo de las cosas que no puedo controlar. Pensaba que si ponía suficiente distancia entre los problemas y yo, estos simplemente... desaparecerían. Bueno, no fue así.

Alex asintió. Él podía haber estado hablando de su propia vida.

—Ahora sé que huir no resuelve nada —susurró—. Tienes que estar ahí y enfrentarte a las cosas que más te asustan. Tú me enseñaste eso, Kade.

Él frunció el ceño más profundamente.

—Eso es lo que pretendo hacer. Pero necesito hacerlo solo, Alex.

—¿A qué te refieres?

—Las cosas que dije hoy en la capilla y en esa montaña cuando sacamos el cuerpo de Seth de la cornisa. No puedo arriesgarme a ponerte en medio de mis problemas.

—Es un poco tarde para eso, ¿no crees? —Ella le acarició la mandíbula tensa, apenas un roce de sus dedos sobre la suave piel—. Oí todo lo que dijiste. He visto lo que le pasó a tu hermano. Entiendo tu miedo, Kade. Pero no voy a huir. Nunca más. Y tampoco dejaré que tú me eches. Te amo.

Kade soltó la respiración con dureza, y al mirarla ahora, había brillos de color ámbar en sus iris plateados. Alex vio sus colmillos asomando por detrás de sus labios, afiladas puntas blancas brillando con poder letal.

—Te amo, Kade —insistió ella, negándose a abandonar—. A menos que no me digas aquí y ahora que tú no me amas, no veo ninguna razón por la que debamos estar solos.

La miró con dureza, con la mandíbula tensa.

—Maldita sea, Alex. Sabes que no puedo decir eso. Yo te amo. Y eso lo complica todo.

Ella sonrió con un buen humor que no sentía.

—¿Es un poco demasiado gris para ti? —preguntó suavemente—. Y yo que pensaba que era la única a la que le gustaban las cosas simples, blancas y negras.

Kade no le devolvió la sonrisa. Estaba demasiado lejos para eso. Mientras ella se apartaba, vio que los ojos de él pasaban de sus labios a su garganta.

Su pulso allí estaba agitado, un rápido tic tac que se intensificó hasta convertirse en un fuerte latido al ver cómo Kade observaba con ansia aquella zona. Él se dio cuenta de que Alex lo había visto y se apresuró a apartar la mirada. Trató de ocultar la conciencia de su sangre, que veía latir bajo la superficie de su piel. Trató de ocultar la sed que sentía por ella.

Alex volvió a atraer su mirada hacia ella con un toque persuasivo.

—No tienes que negar quién eres o qué necesitas, Kade. No ante mí. Ya nunca más.

En silencio ella dejó caer el paño húmedo y colocó la garganta cerca de su boca, apartándose el pelo de la nuca.

Kade pronunció su nombre como un susurro reverente mientras tomaba aire y luego lo expulsaba como una cálida ráfaga contra su piel. Kade descendió hacia su piel con un movimiento rápido, y su mordisco afilado estuvo lleno de una urgencia y una desesperación que no se esforzó por esconder.

Dentro de la casa de Zach Tucker en Harmony, un par de agentes del estado de Alaska que acababan de llegar de la estación de Fairbanks estaban decaídos y sumidos en un profundo silencio, ambos en trance sobre el sofá de la habitación.

En un sillón reclinable cerca de ellos, el comandante Sidney Charles roncaba suavemente, también en trance. El hombre nativo y de edad se había mostrado enormemente cooperador, aunque sin ser consciente de ello, para los objetivos de la misión de la Orden en el pueblo. No solo había cumplido con su promesa de reunir a todos los ciudadanos de Harmony en la iglesia unas pocas horas atrás, sino que además había tenido la amabilidad de acompañar a los agentes estatales recién llegados hasta la casa de Zach Tucker cuando su avión había llegado a Fairbanks alrededor de la salida del sol.

Brock continuaba en la cabaña de Jenna mientras que Tegan, Chase y Cazador habían trasladado su centro de operaciones a la casa de Tucker. Esperarían allí durante las pocas horas del día que quedaban, empleando el tiempo libre para investigar los archivos del agente muerto en busca de futuras pruebas de corrupción. No tendrían que buscar muy lejos.

Zach Tucker podría ser un policía del monte, pero no tenía

ojo contable para conservar los documentos. Tenía registrado cada negocio con las drogas y cada botella de contrabando que había pasado por sus manos y por las de Skeeter Arnold para distribuirlas alrededor de la zona.

Cuando los dos agentes se despertaran, encontrarían todos los libros de contabilidad escritos a mano y todas las hojas de cálculo almacenadas en el ordenador de la casa registrada de Zach. Encontrarían también la caja de seguridad donde Zach guardaba toda la considerable cantidad de dinero que había hecho con sus pequeños negocios durante un periodo de tiempo que abarcaba varios años.

Los agentes uniformados tendrían además una corazonada que los conduciría hasta una zona remota del bosque donde descubrirían el cadáver del único policía de Harmony, brutalmente asesinado y destrozado por los animales. Cerca del cuerpo, hallarían el teléfono móvil de Skeeter Arnold, que mostraría un historial de muchas llamadas recibidas y hechas al agente Tucker. Al no hallarse a Skeeter en ninguna parte ni oírse nada acerca de él, los agentes concluirían que Tucker, y posiblemente también Skeeter, habrían sufrido las repercusiones de un error fatal en alguno de sus negocios.

Lo que no descubrirían los agentes de la unidad de Fairbanks sería ninguna prueba de cualquiera de las extrañas muertes que había habido en Harmony. Como nadie en el pueblo recordaría la serie de recientes asesinatos y tampoco los nombres de las víctimas, y con la ayuda de un gusano informático de Boston se borrarían todos los informes de las últimas semanas, no habría ninguna razón para que los agentes buscaran nada más que pruebas de corrupción de la policía en la pacífica localidad de Harmony.

—Ya está hecho —dijo Chase al salir de la oficina de Tucker—. La clave del ordenador está desactivada y las hojas de cálculo con las transacciones de nuestro chico están convenientemente expuestas en la pantalla. Estos agentes van a creer que Tucker no era solo un cabrón sino además un completo tarado.

Tegan se rio.

—He acabado aquí con los humanos. Dile a Cazador que nos vamos en cinco minutos.

Chase asintió. Dio un paso y luego se detuvo.

—¿Sabemos algo de Kade?

—Nada todavía.

—Es una pena lo de su hermano —dijo Chase, con la voz extrañamente rígida.

—Sí —dijo Tegan—. Es una pena.

Cuando el exagente de la ley se dio la vuelta para marcharse, Tegan se aclaró la garganta.

—Eh, Harvard. Llevo tiempo queriendo hablar contigo acerca de lo que ocurrió en la mina.

—¿A qué te refieres?

—Solo me pregunto en qué estabas pensando cuando sostenías a aquel secuaz por la garganta en lugar de pegarle un tiro rápido y limpio.

La sonrisa de Chase parecía demasiado tensa en su rostro.

—Solo me estaba divirtiendo un poco, eso es todo.

Tegan lo miró fijamente, evaluando al agente que antaño había sido un mojigato pero que había demostrado ser tan valioso para la Orden, aunque ahora fuera un poco intrépido.

—La diversión te puede matar, amigo. Harás bien en recordarlo.

La expresión de Chase era desafiante, y se encogió de hombros con despreocupación.

—Claro, Tegan. Gracias por el consejo. Lo tendré en mente.

Tegan lo observó salir, luego dirigió su atención hacia los humanos en trance para darles instrucciones de despertarse en cuanto él y los otros vampiros hubieran tenido tiempo suficiente para alejarse varios kilómetros del pueblo.

Capítulo treinta y tres

Kade se hallaba de pie en el exterior de sus habitaciones del recinto del Refugio Oscuro, apoyado contra el pilar de madera del porche de atrás que se abría sobre la vasta propiedad. El sol se había puesto hacía varias horas, y la oscuridad había caído una vez más sobre la región. Estaba perdido en sus pensamientos, mirando fijamente el horizonte lejano, donde el brillo verdoso de la aurora boreal formaba vetas en el cielo estrellado.

Alex salió fuera para unirse a él. La oyó caminar suavemente detrás de él, y cerró los ojos cuando ella lo envolvió con ternura con los brazos en torno a la cintura. Alex emitió un sonido suave con el fondo de la garganta, y luego suspiró cuando él pasó los dedos tiernamente por debajo de la manga de satén blanco de su camisón para acariciarle los brazos desnudos.

Habían pasado la mayor parte del día en la cama, el uno en los brazos del otro. Su cuerpo todavía se estaba curando de las quemaduras producidas en el rito funerario, aunque había mejorado mucho gracias a la sangre que Alex le había dado. Ahora simplemente tenía la piel enrojecida y sensible, pero no llagada y dolorida. Su libido le recordaba que se encontraba lo bastante bien como para desear a Alex. Por Dios, era obvio que no había nada que pudiera evitar desearla con esa intensidad tan salvaje.

—No quería despertarte —murmuró él mientras estaban juntos de pie bajo el cielo estrellado y observaban la danza de la aurora en la distancia—. Has tenido que pasar por muchas cosas durante los últimos días. Deberías descansar.

Alex se movió para ponerse frente a él y se arrebujó en su calor.

—He salido aquí para decirte justo lo mismo. ¿Cómo te encuentras?

Él gruñó y asintió débilmente con la cabeza.

—Mejor, gracias a ti. Y mucho más si te tengo en mis brazos.

Ella levantó la cabeza para darle un beso suave. El roce de sus labios era cálido, incitante. Lleno de ternura por todo lo que habían pasado y lleno de tentativa esperanza ante lo que podía esperarles por delante.

—Hoy te necesitaba, Alexandra —susurró contra su boca—. Intentaba convencerme de que no era así, pero tú eres todo lo que necesito. Gracias por todo lo que hoy me has dado. Gracias simplemente por estar aquí.

Ella le sonrió, con la voz suave por la emoción.

—No tienes que darme las gracias por eso.

—Dios, te amo —murmuró él, con el pecho tirante mientras la miraba—. Me honras, Alex. Me siento tan poca cosa en comparación contigo... Creo que tú no te das cuenta. Podrías tener a cualquier hombre que escogieras...

Ella se estiró para acariciarle la mejilla con un dulce dolor.

—Solo hay un hombre al que yo escogería. Solo hay un hombre al que puedo amar.

Sus palabras se desvanecieron en un gemido cuando él inclinó su rostro hacia el suyo y le atrapó la boca con un beso profundo y apasionado. La necesidad surgió en su interior, caliente y exigente. Deseaba a Alex, la deseaba en su cama, bajo sus colmillos. La deseaba de todas las maneras que pudiera tenerla.

Tan absoluto era su deseo que casi no oyó unos golpecitos rápidos en la puerta principal de su cabaña.

Los habría ignorado por completo si Alex no se hubiera apartado, sin aliento.

—Hay alguien en la puerta.

—No me importa. —Kade volvió a besarla de nuevo.

El golpe se oyó otra vez, ahora más fuerte. Insistente y exigente.

Kade ladró un insulto mientras acariciaba su bello rostro,

luego se apartó para ir hacia la puerta. Sabía quién estaría al otro lado, incluso antes de abrirla.

—Padre —dijo. Con su tono cortante era difícil interpretar la palabra como un saludo.

Kir lo miró fijamente, luego miró por encima del hombro de Kade hacia donde estaba Alex, que había entrado desde el porche de la parte trasera.

—Tenemos que hablar.

Kade permaneció de pie firme, bloqueando el umbral de la puerta con su cuerpo.

—Yo ya he dicho todo lo que tenía que decir.

—Pero yo no. —Miró otra vez en la dirección de Alex—. Escúchame, hijo, por favor.

Kade jamás había oído a su padre usar esas palabras con él en ninguna conversación. Tal vez por eso, finalmente soltó la puerta, que mantenía agarrada con firmeza, y se apartó para dejar entrar a su padre.

Pero no estaba dispuesto a ceder respecto a la presencia de Alex.

—Cualquier cosa que tengas que decirme puedes decírmela delante de Alexandra. Ella es mi compañera. No le ocultaré nada.

Kir alzó ligeramente las cejas en su frente orgullosa.

—Por supuesto. —Inclinó la cabeza en la dirección de Alex, un gesto de respeto que le hizo ganar algunos puntos delante de Kade—. ¿Te parece bien si nos sentamos aquí un rato, hijo?

Kade asintió, luego extendió la mano a Alex para que se uniera a ellos. Ella se acercó y se sentó junto a él en el sofá, y Kir ocupó el sillón de piel que había frente a ellos. Durante un largo momento, el hombre mayor se limitó a mirarlos a ambos, con una expresión indescifrable, y unos ojos sagaces que no pestañeaban mientras los valoraba en silencio.

—Siempre he rezado para que no llegara nunca un día como el de hoy —dijo finalmente. Su voz profunda sonaba hueca, todavía cruda por el dolor—. Durante mucho tiempo desde que erais tan solo unos críos, he vivido con el temor de perder a tu hermano.

Kade bajó la mirada, porque la pena se apoderaba de él.

—Sé que estás decepcionado, padre. Lo sé... Oh, Dios.

—Alex deslizó la mano en la suya, envolviendo sus dedos—. Sé que hubieras deseado que fuera yo y no Seth.

—Tú no sabes nada —le espetó Kir. Kade alzó la cabeza al oír eso, y su padre suavizó el tono de voz—. No sabes lo que deseo ni lo que siento. ¿Cómo podrías saberlo cuando nunca te he expresado nada? En lugar de eso lo puse todo en Seth. Le di demasiado.

Kade se encogió de hombros.

—Era tu hijo. Lo querías.

—Tú también eres mi hijo —respondió—. Y os quiero a los dos, Kade. Pero era Seth quien más lo necesitaba. Él nunca tuvo tu independencia. No nació con tu coraje.

Kade frunció el ceño.

—Tú lo adorabas. Todo el mundo lo adoraba.

—Sí —reconoció—. Porque tú eras más fuerte que él, Kade. En todo, tú lo superabas, eras el mejor. Seth lo sabía tan bien como yo. Traté de compensarlo por sus fallos dedicándole más atención que a ti, pero lo eché a perder.

—Tú dejaste que se ocupara de asuntos del Refugio Oscuro en tu lugar —señaló Kade—. Parecía que lo estabas criando para que un día llegara a hacerse cargo del Refugio Oscuro como líder.

Kir negó lentamente con la cabeza.

—Esperanzas fútiles de un padre, nada más. Trataba de darle la oportunidad de que hiciera algo por sí mismo. Lo intenté una y otra vez. Seth nunca habría sido un buen líder. Era demasiado débil, demasiado inseguro.

—¿Y yo? —preguntó Kade. La pregunta se le escapó antes de que tuviera fuerzas de reprimirla.

—Tú —dijo Kir, mirándolo pensativo—, tú eras indomable. Eras imparable, desde el momento en que saliste aullando y pateando del útero de tu madre. Eras una fuerza de la naturaleza, Kade. Todos lo que te miraban veían que eras alguien único, alguien especial. Yo conocí una vez a un chico que no era muy diferente a ti.

—Grigori —murmuró Kade, observando cómo la expresión de su padre pasaba de la sorpresa al recuerdo doloroso.

—Grigori —repitió en voz baja—. Supongo que mi hermano Maksim te habrá contado algo acerca de él.

Kade asintió.

—Max me contó algo. Sé que Grigori significaba mucho para ti, y sé que se convirtió en renegado.

Kir alzó las cejas durante una fracción de segundo.

—Sí, así fue.

—¿Y tú creías que algún día yo terminaría como él?

—¿Tú? —Frunció el ceño y luego negó levemente con la cabeza—. Nunca creí que fuera a pasarte a ti. Era Seth quien me preocupaba. Tú me recordabas a Grigori, eso es cierto. Todo lo que él tenía de robusto, vibrante y fuerte yo lo veía en ti, Kade. Seth, sin embargo, no tenía ninguna de esas cualidades. Únicamente se parecía a mi hermano en el hecho de que poseía los mismo fallos e inseguridades que finalmente lo habían acabado dominando. Yo lo sabía y viví con el temor de que le ocurriría a Seth. En cuanto a ti, solo podía esperar que nunca llegaras a tener que ponerte en la posición en que yo me vi respecto a Grigori. Rezaba para que tú nunca tuvieras que tomar ese tipo de decisión.

Una sensación helada subió en espiral alrededor del corazón de Kade al oír las palabras de su padre. Los dedos de Alex se apretaron en torno a los suyos como si él también temiera lo que Kir pudiera decir.

—Dime qué ocurrió, padre.

—Deseaba que nunca tuvieras que soportar la carga de tener que destruir algo que amas. —Los ojos de Kir se nublaron de dolor—. Creí que si mantenía a Seth lo bastante cerca, si le daba oportunidades para ganar seguridad, mi fuerza bastaría para sostenerlo. Si podía salvar a Seth de ser vencido por la debilidad que vi en él desde que era un niño, entonces quizá no terminaría como Grigori. Tal vez tú no te verías forzado a hacer lo que yo tuve que hacer.

—Max dijo que Grigori nunca fue visto ni se supo nada de él después de que tu familia recibiera la noticia de que se había convertido en renegado y había matado a alguien impulsado por la lujuria de sangre. Max dijo que tú te negaste a hablar sobre Grigori después de aquello.

Kir asintió sombrío.

—No era necesario volver a hablar de él. Estaba muerto. Como hermano suyo, sentí que era mi deber asegurarme de que no volviera a matar nunca más.

Alex soltó un pequeño grito ahogado ante la sombría confesión. Kade estaba atónito al descubrir las similitudes entre su camino y el de su padre, qué poco sabía acerca del macho que lo había engendrado y de la vida que este tenía antes de que nacieran Seth y él.

Murmuró un insulto, pero sin veneno. Ya no podía haber veneno, no después de esta noche.

—He estado resentido contigo casi toda mi vida —reconoció—. Creí que me despreciabas.

Kir chasqueó la lengua y negó con la cabeza lleno de arrepentimiento.

—Nunca. Solo quería lo mejor para ti. Para mis dos hijos. Y ahora también para los dos que nacerán en unas pocas semanas.

—Hemos perdido demasiado tiempo con secretos y temores —le dijo Kade. Dirigió una mirada a Alex, inundado de amor por la mujer que era dueña de su corazón—. No quiero desperdiciar ni un solo minuto más así.

Kir se puso en pie.

—Ni yo quiero hacerte perder el tiempo cuando tú y Alex podéis pasarlo juntos. Quiero que sepas que estoy orgulloso de ti, Kade. Y estoy encantado de ver que has encontrado la felicidad. Has encontrado el amor, y junto a tus otras fuerzas, esta es la que te servirá para superar cualquier desafío.

Kade tragó saliva y asintió con la cabeza, algo incómodo.

—Gracias, padre.

—¿Cuánto tiempo os quedaréis Alex y tú en el Refugio Oscuro?

—Poco —respondió Kade—. Como mucho algunas horas. Algunos de mis compañeros de la Orden están esperando en un pueblo no muy lejos de aquí. Tenemos una misión que terminar, y luego volveremos a casa.

—¿Los dos juntos? —preguntó Kir mirando al uno y al otro.

—Supongo que será mejor que lo haga oficial y se lo pregunte —dijo Kade, sonriendo mientras le acariciaba a Alex la mejilla. La miró a los ojos—. ¿Tú qué crees, Alex? ¿Tengo alguna posibilidad de convencerte para regresar conmigo a Boston?

Sus suaves ojos marrones brillaron.

—Nunca he visto Nueva Inglaterra. Creo que me gustaría.

La sonrisa de Kade iluminó su rostro.

—Te mostraré todo el maldito mundo entero si me dejas.

Se dieron un beso que fue interrumpido un momento más tarde por un ligero carraspeo incómodo de Kir. Alex estaba completamente ruborizada. Kade no se sintió avergonzado por su demostración de afecto, y respondió a la mirada divertida de su padre levantando las cejas a modo de disculpa.

Kir sonrió, luego fue hacia la puerta, con Kade y Alex a su lado. Cuando se detuvieron ante el umbral, Kade le ofreció la mano, pero su padre no se la estrechó. En lugar de eso, envolvió a Kade en un firme abrazo.

—Sé que has formado una familia en Boston con la Orden —dijo mientras se apartaba para mirar a Kade a los ojos—. Me alegro por ti. Pero también tienes una familia aquí. Tú y tu hermosa Alexandra, ambos tenéis una familia aquí.

—¿Puedo darte un abrazo también? —preguntó Alex, expresando su calidez al arisco padre de Kade.

La boca de Kir se curvó en una sonrisa extraña.

—Me sentiría honrado si lo hicieras.

Mientras Alex lo abrazaba, el hombre miró a Kade, y su mirada estaba llena de demasiadas emociones para poder ser nombradas. Orgullo, perdón, arrepentimiento, esperanza... años de emociones no expresadas entre padre e hijo. Tal vez ahora tendrían la oportunidad de reparar las cosas que habían sido enterradas debajo de tantos secretos, de tantos miedos inútiles.

Y ahí estaba Alexandra.

Kade miró a la mujer que amaba, su mujer, su compañera. Su corazón florecía con todas las cosas que quería decirle, cosas que quería compartir con ella, promesas que pretendía hacerle con la esperanza de tener el resto de su vida para cumplirlas.

Alex envolvió con su brazo los hombros de Kade mientras estaban de pie juntos y observaban alejarse a su padre a través de la nieve iluminada por la luna hacia la casa principal. Cuando se hubo ido, Kade se volvió hacia Alex y la cogió en sus brazos.

Ella ahogó un grito cuando sus pies dejaron de tocar el suelo, luego se rio cuando él se dio la vuelta y comenzó a llevarla hacia el dormitorio.

—¡Déjame en el suelo! Apenas te has recuperado de tus quemaduras, Kade. No deberías estar haciendo esto.

—Oh, sí, sí debería —repitió él, mirándola a los ojos con un ansia que no podría ocultar ni aunque lo intentara.

Hicieron el amor juntos, al principio de forma impetuosa, ferviente, ambos perdidos en el oleaje de sus emociones y las urgentes exigencias del deseo que cada uno sentía por el otro. Kade se deleitó con su cuerpo, llevándola al clímax tantas veces que ella finalmente perdió la cuenta.

Los sentidos de Alex estaban llenos de él, y su cuerpo se sacudía mientras alcanzaba otra cresta de placer, arropada en los protectores brazos de Kade.

Lo amaba tan profundamente que sentía auténtica devoción. Y en el arrebol de su pasión, ella sabía que él también lo amaba.

Su tacto era tierno cuando le acarició la sensible piel del cuello, sus dedos como terciopelo detrás de su oreja.

—No me porté bien contigo —murmuró suavemente—, cuando bebí de ti aquella primera noche en tu casa en Harmony. Tendría que haberte dado la posibilidad de elegir, Alex. Tomé eso de ti. Tendría que haberte explicado lo que significaba antes de unirme a ti. Ojalá hubiera tenido el suficiente honor como para hacer lo correcto, y no arrebatarte algo precioso de esa manera en que lo hice.

—A mí no me importó —murmuró ella—. Lo único que importa es que ahora estamos juntos. Te quiero para siempre, Kade. Quiero... —Interrumpió sus palabras, pero no por miedo o incertidumbre, sino por la profundidad de su anhelo. Ella volvió la cabeza para mirarlo—. Todo lo que deseo eres tú. Deseo estar unida a ti como tu compañera.

—Y lo único que yo quiero es hacerte feliz, y saber que estás a salvo y protegida.

—Lo estoy. No hay ningún lugar donde pueda sentirme más feliz o más segura que en tus brazos. Ella acarició su bello rostro, viendo el tormento que todavía permanecía en su expresión. Esa falta de confianza que no había desaparecido de sus ojos y que tal vez jamás desaparecería del todo—. Juntos somos fuertes, Kade. Más fuertes que ese lado salvaje tuyo. Ya oíste lo que dijo tu padre: el amor es la fuerza mayor. Nada es más poderoso que eso.

—¿De verdad lo crees?

—Más que ninguna otra cosa —respondió ella—. Pero la cuestión es si tú lo crees.

Kade la miró fijamente durante un largo momento, con sus ojos plateados escrutadores.

—Mientras te tenga a mi lado puedo creer que todo es posible. Te amo, Alexandra. Tú lo eres todo para mí.

La atrajo hacia él y la besó, con el beso más suave y respetuoso que jamás le habían dado. Alex sintió que se derretía, su cuerpo respondió con una ráfaga de calor líquido que se encharcó en su centro. Echó la cabeza hacia atrás mientras su boca viajaba a lo largo de su mandíbula, por un lado de su garganta.

Kade echó la cabeza hacia atrás con un gruñido. Él la miró fijamente, con sus ojos en llamas con chispas de color ámbar, sus colmillos de un blanco brillante. Él ya estaba jadeante de necesidad, con un hambre feroz por ella.

Kade frunció el ceño, con oscuras emociones en lo profundo de sus ojos plateados.

—¿Para siempre?

—Para siempre, Kade. —Pasó los dedos por su boca sensual, donde asomaban las puntas de sus brillantes colmillos por debajo de los labios separados—. Úneme a ti. Quiero probarte. Quiero estar para siempre contigo.

Con un profundo gruñido, la miró a los ojos y se llevó su propia muñeca a la boca. Separó los labios y hundió los colmillos dentro de la carne y el músculo. La sangre goteó desde las incisiones y también se derramó por su mandíbula. Indeciso, Kade extendió el brazo hacia ella.

Alex lo cogió con sus manos y se lo llevó a los labios.

El primer sabor que sintió de él fue una conmoción. No sabía qué debía esperar, pero nada de lo que pudiera haberse imaginado la habría preparado para la realidad de beber de Kade. Su sangre dulce corría por su lengua, creando una sensación salvaje y sorprendente que le robaba el aliento. Bebió el aroma a piel y tierra con especias de su sangre a través de su vena abierta.

El poder se abría paso en su interior como una luz.

Kade gemía de placer mientras ella bebía más, con avidez ahora, con el deseo pulsando a través de cada una de sus terminaciones nerviosas, que adquirían vida. El calor rugía en su interior, y gimoteó cuando la primera oleada de un orgasmo la invadió.

El gruñido de Kade era pura masculinidad y puro triunfo.

Alex estaba todavía cabalgando en la cresta del placer cuando él lamió los pinchazos de su muñeca y luego la tendió sobre la cama, abriéndole las piernas ante el calor ardiente de su hambrienta mirada.

—Ahora eres mía, Alex. Que Dios te ampare, ahora eres mía para siempre.

—Entonces demuéstramelo —le susurró ella, con la voz ronca de placer. Ella se relamió los labios con la lengua para disfrutar de la última nota de sabor de él que quedaba en su boca. Inclinó la cabeza a un lado, ofreciéndole la garganta—. Demuéstrame que siempre voy a pertenecerte, Kade.

Él apartó los labios dejando ver sus colmillos, que brillaban tan afilados y prístinos como diamantes bajo la tenue luz de la aurora que danzaba a lo lejos en el exterior de la cabaña. Alex se recreó en la belleza salvaje de su rostro, sin sentir nada cercano al miedo al mirarlo ahora.

Él era su corazón, su amante, su compañero.

Lo era todo para ella.

—Ámame, Kade —murmuró.

—Para siempre —respondió él.

Luego, con un gruñido de placer y rendición, inclinó la cabeza y hundió profundamente los colmillos en su carne para demostrarle qué placentero iba a ser su amor para siempre.

Agradecimientos

Gracias a todos los que me ayudan a producir y comercializar mis libros para ponerlos en manos de mis lectores, tanto en Estados Unidos como en el extranjero. Me siento increíblemente afortunada de estar asociada con todos vosotros, y verdaderamente valoro todo lo que hacéis para apoyar mi trabajo.

En todo momento, mis humildes gracias a mis maravillosos lectores, cuyos correos electrónicos, cartas postales y mensajes a través de Internet me hacen sonreír ante mi teclado, incluso en medio del apremio ante las inminentes fechas de entrega. No sé ni cómo empezar a expresar cuánto significa para mí vuestro entusiasmo y vuestra amistad.

(((ABRAZOS)))

Ninguno de mis libros habrían sido lo que son sin las aportaciones y el apoyo de mi marido, cuya fe y aliento —por no mencionar sus ideas argumentales— han sido de un valor incalculable para mí. No podría haber soñado con un compañero mejor, tanto en la vida como en la ficción. Gracias por todas las partes buenas.

Lara Adrian

Cuando era una niña, Lara Adrian solía dormir con las sábanas liadas al cuello por miedo a convertirse en presa de algún vampiro.

Más tarde, y tras leer a Bram Stoker y Anne Rice, empezó a preguntarse si aquel miedo no significaría algo más: un deseo secreto de caminar en un mundo oscuro, de vivir un sueño sensual junto a un hombre atractivo, seductor y con poderes sobrenaturales.

Esa mezcla de miedo y deseo es la base de sus novelas fantásticas de hoy.

Es autora de *El beso carmesí*, *El despertar de la medianoche*, *El beso de medianoche*, *Rebelión a medianoche*, *Bruma de medianoche*, *Sombras de medianoche*, *Las puertas de la medianoche* y *Cenizas de medianoche*, todas ellas publicados por Terciopelo.